Y0-BCS-297

NICOLAUS KLIMEK

DER BEGRIFF „MYSTIK" IN DER THEOLOGIE KARL BARTHS

KONFESSIONSKUNDLICHE
UND KONTROVERSTHEOLOGISCHE STUDIEN
BAND LVI

HERAUSGEGEBEN VOM
JOHANN-ADAM-MÖHLER-INSTITUT

NICOLAUS KLIMEK

DER BEGRIFF „MYSTIK“ IN DER THEOLOGIE KARL BARTHS

BONIFATIUS
DRUCK · BUCH · VERLAG
PADERBORN

Imprimatur. Paderbornae, d. 17. m. Julii 1990
Nr. 1/A 58-22.3/266 – Vicarius Generalis Bruno Kresing

CIP-Titelaufnahme der Deutschen Bibliothek

Klimek, Nicolaus:
Der Begriff „Mystik“ in der Theologie Karl Barths / Nicolaus Klimek. –
Paderborn: Bonifatius, 1990
(Konfessionskundliche und kontroverstheologische Studien; Bd. 56)
Zugl.: Bochum, Univ., Diss., 1989
ISBN 3-87088-641-2
NE: GT

ISBN 3 87088 641-2

GESAMTHERSTELLUNG
BONIFATIUS GMBH DRUCK · BUCH · VERLAG PADERBORN

INHALTSVERZEICHNIS

VORWORT

Die vorliegende Arbeit wurde im Wintersemester 1988/89 von der Katholisch-Theologischen Fakultät der Ruhr-Universität Bochum als Dissertation angenommen. Sie wurde für den Druck geringfügig überarbeitet. Ich danke Herrn Prof. Dr. Georg B. Langemeyer und Herrn Prof. Dr. Hermann Josef Pottmeyer für die Erstellung der beiden Gutachten. Herrn Prof. Langemeyer bin ich besonders dankbar für die vielen engagierten Gespräche, durch die er mich während meines Studiums und in der Zeit an seinem Lehrstuhl an seinen Gedanken teilhaben ließ.
Mein Dank gilt auch dem Johann-Adam-Möhler-Institut, insbesondere Herrn Prof. Dr. Aloys Klein, für die Aufnahme der Arbeit in die „Konfessionskundlichen und kontroverstheologischen Studien" sowie für einen großzügigen Druckkostenzuschuß, dem Bischöflichen Generalvikariat Essen und dem Provinzialat der sächsischen Franziskanerprovinz für ihre finanzielle Unterstützung bei der Drucklegung, Frau Felbecker und Herrn Laarmann für das Mitlesen der Korrekturen, dem Bonifatius-Verlag für die sorgfältige Drucklegung und nicht zuletzt meiner Frau Barbara für ihre Geduld und Unterstützung.

0 EINLEITUNG

0.1 ZUM THEMA

Karl Barth war einer der großen Denker in der Theologie. Unabhängig davon, wie man zu ihm und seinem Werk steht, wird man anerkennen müssen, daß er in besonderer Weise Theologie getrieben hat, damit viele Zeitgenossen beeinflußte und auch über seinen Tod hinaus noch wirksam ist. Dies gilt, obwohl seine Theologie bei vielen nicht unumstritten war und ist. Das äußerst umfangreiche Werk, das er uns hinterlassen hat, wird heute allerdings mehr zitiert als gelesen.[1] Da Barth einlädt, seine theologischen Denkbewegungen im Ganzen zu verfolgen,[2] ist es schwer, sich auf diesen Denker wirklich einzulassen, sich in sein Werk hineinzudenken.
Karl Barth ist seit Schleiermacher, den er zu überwinden trachtete, einer der größten Theologen. Er ist dies weniger durch seine theoretischen theologischen Arbeiten als vielmehr durch seinen radikalen Ansatz und seine mutigen Stellungnahmen zur Politik. Auf die politische Relevanz der Theologie Karl Barths weist auch G. Hunsinger hin[3] und vergleicht ihn mit Befreiungstheologen Südamerikas. Auch im kirchenpolitischen Raum spielte Barth eine nicht geringe Rolle. Er beeinflußte damals schon in hohem Maße die theologische Diskussion.[4] Dabei muß man berücksichtigen, daß sich Barth weniger als theoretischer oder gar philosophischer Theologe verstand, sondern mehr als Verkündiger des Wortes Gottes. Seine vielen veröffentlichten Schriften sind fast alle aus dem vorhergehenden lebendigen Vortrag erwachsen. Karl Barth hat den ökumenischen Dialog vorangebracht, ohne etwas zu beschönigen oder falsche Kompromisse einzugehen. Daher gilt seine Position auch als Prüfstein der Ökumene. Deswegen reizt es gerade auch den katholischen Theologen, ihn aus seinem Werk heraus zu verstehen und Stellung zu beziehen.[5]

1 D. Schellong, Barth lesen 5.

2 Vgl. G. Sauter, Weichenstellungen 483.

3 G. Hunsinger, Karl Barth and Liberation Theology.

4 E. Jüngel, Einführung 22; vgl. auch T. Rendtorff, Karl Barth; R. Roberts, Die Aufnahme gibt einen Ausblick über die Rezeption Kants im angelsächsischen Bereich.

5 So z. B. H. U. v. Balthasar, Karl Barth; H. Küng, Rechtfertigung; H. Bouillard, Karl Barth; u. a. zur ggw. Diskussion vgl. A. Nossol, Die Rezeption. Auch A. Heron, Karl Barths Neugestaltung 394, betont die ökumenisch versöhnende Wirkung von K. Barth zwischen Lutheranern und Reformierten ebenso wie zwischen evangelischen und katholischen Theologen.

In dieser Arbeit interessiert vor allem Barths Verständnis von ‚Mystik'. Auf den ersten Blick kommt Barth da nur als der große Kritiker in das Blickfeld, der das Christentum von jedweder Religion und damit auch jedweder Mystik als deren Bestandteil abgegrenzt wissen wollte.[6] Vor allem hat er sich gegen die Erlebnismystik des protestantischen 19. Jahrhunderts gewandt. In besonderer Weise haben er und die von ihm im wesentlichen getragene ‚Dialektische Theologie' die Rede vom Unterschied zwischen Gott und Mensch, die vom Menschen aus unüberbrückbare Distanz zwischen beiden, in ihr Programm geschrieben.[7] Von einer Bedeutung der Mystik für die Theologie Karl Barths zu reden, scheint vor diesem Hintergrund nur *via negativa* möglich zu sein.

Dies gilt um so mehr, als seit dem Aufkommen der Dialektischen Theologie das Wort ‚Mystik' in weiten Kreisen der evangelischen Theologie als ein ausgesprochenes Reizwort gilt und gar nicht erst als der Reflexion für würdig empfunden wird. Das wissenschaftliche Selbstverständnis, auch der katholischen Theologie, und das allgemeine Weltverständnis im Abendland haben in der Theologie, etwa in den letzten 25 Jahren, eine gewisse Skepsis und Distanz zum Thema Mystik aufkommen lassen. Ein wichtiger Grund dafür ist in der dialektischen Schule zu suchen. Der Angriff Karl Barths, Emil Brunners und anderer gegen die Schleiermachersche Theologie, der Einfluß der Entmythologisierungsdebatte auf die Exegese, sowie ein wachsendes neuzeitlich-empirisches Selbstverständnis der theologischen Fächer haben dazu beigetragen, den Begriff der Mystik als inoperabel zu meiden und die von ihm gemeinte Sache weitestgehend auszublenden. Auf katholischer Seite hat die insbesondere durch das Zweite Vatikanische Konzil vorangetriebene und sanktionierte Öffnung zur Welt diesen Prozeß gefördert und beschleunigt.

Das dadurch entstandene Desiderat eines richtig verstandenen Umgangs mit mystischen Elementen in der Theologie ist gegenwärtig wieder stärker ins Bewußtsein getreten. Karl Rahner hat schon 1977 der Behauptung zugestimmt, daß „der Christ der Zukunft Mystiker sei oder nicht mehr sei."[8] Hans-Martin Barth weist als protestantischer Theologe auf die ökumenische Relevanz der Mystik hin und kommt zu dem Schluß: „Sich auf die Herausforderung durch Mystik einzulassen, dürfte dem Christentum – und insbesondere dem Protestantismus – gut bekommen."[9] Dieser Prozeß der Rück-

6 Vgl. E. Huovinen, Karl Barth 11, und A. Oepke, Karl Barth 5.

7 Vgl. K. Barth, 2. Römerbrief.

8 K. Rahner, Elemente der Spiritualität 375f.

9 H.-M. Barth, Mystik als Herausforderung 39 u. 48.

besinnung auf mystische Elemente ist vor allem auch außerkirchlich zu beobachten, wie z. B. das Interesse an Spiritualität bei der Frankfurter Buchmesse zeigt. Auch die New Age-Bewegung mit ihren verschiedenen Richtungen und Facetten ist ein beeindruckendes Beispiel.[10] Es geschieht nicht aus purem Opportunismus gegenüber diesem neuen Bewußtsein, wenn nach mystischen Zügen in der Theologie gesucht wird. Vielmehr muß von der Sache der Theologie selber her eine differenzierte Zuwendung zum facettenreichen Thema Mystik erfolgen.

In dieser Arbeit wird ein Schritt in diese Richtung gegangen. Die Theologie Karl Barths kann von ihrer oben genannten Position und Wirkgeschichte her zwar als einflußreich gelten, aber sicherlich nicht verdächtigt werden, einem oberflächlichen Mystizismus zu frönen oder einem Modetrend zu folgen. Deswegen soll gerade sie auf Gebrauch und Verständnis des Begriffs Mystik hin untersucht werden.

Eine Thematisierung mystischer Elemente fällt bei Karl Barth in der theologischen Literatur über weite Strecken aus. Zeitgenössisch hatte Albrecht Oepke eine solche Untersuchung vorgenommen und Barth mit der indischen Mystik in Verbindung gebracht.[11] Allerdings ist seine Arbeit kaum in die Diskussion eingegangen. Dies merkt auch George S. Hendry an, der A. Oepke immerhin soweit zustimmt, als daß er bezüglich Barths Römerbriefauslegung von einer „philosophy of religion with a strongly mystical cast" spricht.[12] Bei einigen Auseinandersetzungen katholischer Theologen mit Barth schwingt immerhin der Aspekt des Geheimnisses und der Analogie mit.[13] Auf evangelischer Seite ist dieser Gedanke bei Eberhard Jüngel zu finden.[14] Eero Huovinen weist neuerdings sogar ausdrücklich auf mystische Elemente in Barths Theologie, wenigstens zur Zeit der dialektischen Theologie, hin, und H.-M. Barth fordert eine „gründliche Auseinandersetzung mit dem Mystik-Verständnis der frühen dialektischen Theologie".[15]

Eine vorwiegend gesellschaftspolitische Interpretation Karl Barths wird demgegenüber darauf achten müssen, den tragenden Grund der Theologie

10 Vgl. auch F. Capra, Das neue Denken, oder F. Capra, Das Tao der Physik, in dem er seine Zusammenführung von Physik und östlicher Mystik im neuen Weltbild begründet. Weitere Bereiche der gegenwärtigen Kultur, in denen die Rede von Mystik zunehmend eine Rolle spielt, führt J. Sudbrack, Christliche Mystik 7f., an.

11 A. Oepke, Karl Barth.

12 G. Hendry, The Transcendental Method 218f. Anm 22.

13 Vgl. H. U. v. Balthasar, Karl Barth.

14 E. Jüngel, Gott als Geheimnis der Welt. Vom Begriff Mystik versucht sich Jüngel allerdings zu distanzieren (XIIIf.).

15 E. Huovinen, Karl Barth; H.-M. Barth, Mystik als Herausforderung 9.

Barths nicht aus den Augen zu verlieren.[16] Wer sich von der vordergründigen Polemik gegen eine Erlebnismystik blenden läßt, bekommt Barth nicht vollständig zu Gesicht.

0.2 METHODE UND AUFBAU DER ARBEIT

Soll eine Arbeit über Karl Barth einigermaßen überschaubar bleiben, muß man sich methodische Beschränkungen auferlegen. Dies gebietet schon der enorme Umfang der Primärliteratur,[17] zu dem ein auf verschiedene Fragen ausdifferenziertes Kontingent an Sekundärliteratur noch hinzukommt. Die Fülle der Literatur hängt weitestgehend mit Karl Barths Art, Theologie zu treiben, zusammen. Er verstand seine Arbeit immer auch kerygmatisch, immer auch pastoral. Auf Grund der notwendigen Beschränkung finden – jedenfalls vorwiegend – nur diejenigen Beiträge Karl Barths Beachtung, die in einem direkten Zusammenhang zum Thema zu sehen sind. Ein Großteil seiner sozialen und politischen Schriften wird daher in dieser Arbeit keine oder jedenfalls keine große Rolle spielen.
Zum Gebrauch der Literatur ist generell zu sagen, daß in erster Linie Primärliteratur zur Geltung kommt. Wichtiger als die Beobachtung einer gegenwärtigen Metadiskussion ist eine Erhebung aus den Quellen. Daß weder in der einen noch in der anderen Weise eine Vollständigkeit in der Erfassung der vorhandenen Literatur möglich oder auch nur angestrebt ist, hängt sowohl mit dem systematischen Interesse dieser Untersuchung als auch mit dem Umfang der Literatur zusammen. Neue Linien und Perspektiven sollen aufgezeigt und begründet, nicht alte Pfade nach allen Richtungen abgesichert werden. Beides zugleich ist im Rahmen einer Arbeit nicht zu leisten.
Aus thematischen und methodischen Gründen ist die Arbeit in vier Teile untergliedert.
Da sich Barths Auseinandersetzung mit dem Begriff ‚Mystik' nicht auf einige wenige thematisch ausführliche Stellen beschränkt,[18] muß eine Reihe von Veröffentlichungen herangezogen werden. Auf die enge Verbindung von

16 G. Sauter, Weichenstellungen 478, weist auf das gespaltene Lager der theologischen Nachfolge Barths hin und schlägt vor, bei den Interpretationen einer ‚hermeneutisch vertieften Dogmatik und einer politischen Hermeneutik der Theologie' zu unterscheiden.

17 Siehe H.-A. Drewes (Hrsg.), Bibliographie Karl Barth Bd.1.

18 Vgl. E. Huovinen, Karl Barth 11.

Theologie und Biographie weist auch E. Busch ausdrücklich hin. Auch wenn Barth selbst den Verweischarakter des Theologen und seiner Theologie von sich weg auf Gott hin immer wieder betont hat, kann gerade Barths Theologie nicht ohne den Bezug zu ihrem ‚Sitz im Leben' auskommen. Sie kann es deshalb nicht, weil es Barths Bemühen war, dasselbe immer wieder anders zu sagen, denn „Gottes Sein ist im Wandeln".[19] Zu der Begründung kommt außer Barths Gottesverständnis auch der lebendige Zeugnischarakter seiner Theologie hinzu.

Im ersten Teil der Arbeit wird demzufolge das Leben und die Theologie Karl Barths ein Stück weit nachgezeichnet. Dies ist wichtig, um seine Äußerungen im eigenen und im zeitgeschichtlichen Kontext und in seiner eigenen Entwicklung einordnen zu können, denn die Theologie Karl Barths ist immer auch Reflex auf die ihn umgebende Situation. Auf diese Weise kommen in der vorliegenden Arbeit nicht nur die im engsten Sinne für das Thema wichtigen Passagen seines Schaffens zur Sprache. Dieser erste Überblick geht also zwangsläufig etwas über die reine Analyse vom Gebrauch des Begriffs ‚Mystik' hinaus.

Im zweiten Teil erfolgt daher eine systematische Bündelung derjenigen Stellen, an denen Barth den Begriff ‚Mystik' gebraucht. Auf diese Weise ergibt sich ein guter Überblick über verschiedene Bedeutungsnuancen und Gruppierungen. In diesem Teil der Arbeit werden auch die entsprechenden Stellen der KD in Rechnung gestellt, die im ersten Teil kaum dargestellt werden, um unnötige Doppelungen zu vermeiden. Im wesentlichen sollen diese beiden ersten Teile der Erfassung des von Barth Gesagten dienen, weniger einer Kommentierung. Diese erfolgt vornehmlich erst im vierten Teil der Arbeit.

Im dritten Teil der Arbeit geht es um alternative Überlegungen zur ursprünglichen Bedeutung des Begriffs ‚Mystik'. Dies geschieht weitestgehend unabhängig von Karl Barth. Deswegen stehen am Anfang dieses Teils Überlegungen zur Bedeutung des Begriffs Mystik in der Theologie überhaupt. Die Untersuchung fragt zunächst nach der Begriffsbedeutung von μυστήριον und μυστικός in der Antike. Dabei geht es um die ursprüngliche Bedeutung in den Mysterienkulten und die Übernahme in die Philosophie ebenso wie um den Gebrauch in der Bibel und die Fortführung dieser Quellen in der Patristik. In diesem Zusammenhang sind natürlich die christlichen Besonderheiten im Gebrauch des Begriffs hervorzuheben.

Diese Überlegungen werden hinsichtlich der Übernahme des Begriffs in das lateinische Mittelalter fortgeführt. Hierbei wird aus sprachlichen und auch

19 E. Busch, Theologie 334-339, bes. 335. Vgl. auch E. Jüngel, Gottes Sein.

aus inhaltlichen Gründen nicht mehr primär der Gebrauch des Begriffs für den inhaltlichen Leitfaden sorgen. Die Aufmerksamkeit wird einigen ausgewählten Theologen gelten, die den Fortgang der Theologie im Mittelalter wesentlich beeinflußt haben. Das Hauptaugenmerk liegt dabei auf den Wechselwirkungen von Einflüssen mystischer Gedanken durch die Patristik und Philosophie und den daraus resultierenden theologischen Standpunkten. Mystik kommt dadurch nicht als gefühlsbetontes Erlebnis in den Blick, sondern als mystische *Theologie*. Damit ist die leidige Suche nach stichhaltigen Kriterien, ab wann ein Theologe als Mystiker bezeichnet werden darf, von vornherein umgangen. Die in diesem Zusammenhang interessierenden theologischen Aspekte sind bereits zu Beginn des dritten Teils aufgedeckt worden. Natürlich wird auch in diesem Zusammenhang kein Anspruch auf Vollständigkeit hinsichtlich der Zahl der behandelten Theologen oder des behandelten Inhalts des jeweiligen theologischen Werkes erhoben. Selbst Monographien zu diesem Thema können in keiner Weise Komplettierungsansprüchen genügen.[20] Gleichwohl ist es auf diese Weise möglich, Raum und Existenz eines mystischen Elementes in der Theologie der Antike und des Mittelalters aufzuzeigen, wie auch den Gebrauch des Begriffs Mystik etwas enger einzugrenzen. Dabei stoßen wir zugegebenermaßen immer wieder auf Grenzen. Viele derer, die wir als die großen Mystiker bezeichnen, z.B. Meister Eckhart, Jan Ruusbroec u. a. gebrauchen den Begriff Mystik nicht oder nur verschwindend selten. Schon deswegen kann der Begriff allein für die Erhebung der gemeinten Sache im Mittelalter nicht maßgebend sein.

Die Neuzeit wird hier zur Gewinnung einer alternativen Begrifflichkeit in der Theologie nicht mehr mit herangezogen. Es soll ja nur der ursprüngliche Bedeutungszusammenhang erhoben und keine komplette Geschichte der Mystik geliefert werden. Die Auseinandersetzung in der Neuzeit ist bis nach Schleiermacher zum großen Teil eigene Wege gegangen. Diese zu erörtern ist hier ebensowenig beabsichtigt wie eine Diskussion der Frage, ob Barth wohl Schleiermacher recht verstanden hat.[21] Der Begriff ‚Mystik' bei Barth wird als der, als der er in den beiden ersten Teilen erhoben wird, zur Kenntnis genommen, aber nicht mehr eigens problematisiert. Das Interesse dieser Arbeit gilt ja nicht der Auseinandersetzung Barths mit der ihm unmittelbar vorausgehenden Theologie, sondern einer Konfrontation der Bedeutung des Begriffs ‚Mystik' bei Barth mit den historischen Ursprüngen theologischen

20 Vgl. J. Bernhart, Die philosophische Mystik; M. Grabmann, Die Geschichte der katholischen Theologie; K. Albert, Mystik und Philosophie.

21 Vgl. J. E. Davison, Can God speak; E. Quapp, Barth contra Schleiermacher?; E. Biser, Abhängigkeit; B. D. Marshall, Hermeneutics.

Denkens und deren mittelalterlicher Transformation ins lateinische Abendland. Es geht im dritten Teil darum, einen eigenen Standpunkt zu gewinnen, an dem der Begriff ‚Mystik', wie er bei Karl Barth vorkommt, anschließend gemessen werden kann.
Im vierten Teil erfolgt dann die Zusammenführung der Ergebnisse aus den ersten drei Teilen. Dabei stehen die positiven Äußerungen Barths zur Mystik wie auch seine Vorstellungen, unter welchen Bedingungen Mystik christlich möglich ist, im Vordergrund. Vorher aber wird gefragt, inwiefern die von Barth gegenüber der Mystik vorgebrachten Einwände tatsächlich das im dritten Teil erhobene Mystikverständnis treffen, oder ob nicht Elemente des dort gewonnenen Mystikverständnisses gleichfalls auch prägende Elemente der Theologie Karl Barths sind. Ziel dieser Untersuchung ist es, eine Antwort auf die Frage zu finden, ob Barths Theologie in ihrem Vollzug mehr von dem kennt und beinhaltet, was ursprünglich als Mystik oder mystische Züge in der Theologie gegolten hat, als die Stellen, an denen sich Barth verbal von Mystik absetzt, vermuten lassen.
Am Schluß werden in einem kurzen fünften und letzten Teil die Ergebnisse der Untersuchung zusammengefaßt. Dadurch könnten auch der gegenwärtigen theologischen Diskussion neue Möglichkeiten für eine theologische Arbeit in pluraler Entfaltung einschließlich ihrer mystischen Perspektive der biblischen Botschaft eröffnet werden, um so dem allerdings nie ganz erfüllbaren Auftrag der reflektierten Tradierung der biblischen Offenbarung in unsere Zeit ein Stück näher zu kommen.

1 DIE ENTWICKLUNG DER THEOLOGIE KARL BARTHS UNTER BESONDERER BERÜCKSICHTIGUNG SEINER AUSSAGEN ZUR MYSTIK

In diesem ersten Teil der Arbeit geht es in erster Linie um den expliziten Gebrauch des Begriffs *‚Mystik'* bei Karl Barth. Es werden die Stellen hervorgehoben, an denen Barth selber von Mystik spricht. Dies geschieht unter Berücksichtigung der Bedeutung, die aus dem thematischen und historischen Zusammenhang der Stelle folgt. So ergibt sich ein kurzer Überblick über den Lebenslauf und das immense Schaffen Karl Barths. Dabei können im wesentlichen nur die für den Fortgang der Gedanken wichtigen Stellen berücksichtigt werden. Um aber einen Überblick über Barths Verständnis von Theologie zu geben, kann natürlich keine Beschränkung in der Darstellung *allein* auf den ausdrücklichen Gebrauch des Begriffs ‚Mystik' erfolgen. Auf Grund des Umfangs der Barthschen Schriften wird kein Anspruch auf Vollständigkeit in der Darstellung erhoben, wohl aber auf einen repräsentativen Zugriff. Für die Darstellung ergeben sich teils biographische, größtenteils aber bibliographische Schwerpunkte. Der jeweilige geschichtliche Ort der Verwendung des Begriffs ‚Mystik' bei Karl Barth soll im folgenden dargestellt werden. Dabei entsteht ein Bild der Entwicklung von Karl Barth als Theologe.

Diese Entwicklung Barths wird grob in drei Phasen unterteilt. Dabei ist zunächst die Phase des kritischen Aufbruchs zu nennen, der sich gegenüber der etablierten Theologie, vor allem dem modernen liberalen Protestantismus, aber auch dem quietistischem Pietismus als Korrektiv verstand. Barths Einstellung zur Schultheologie, sein Zusammenschluß mit Freunden und der daraus resultierende Entwurf einer ‚Dialektischen Theologie' sind für die Theologie Karl Barths von grundlegender Bedeutung.[1]

Karl Barths erster Ansatz wird neu auf die Probe gestellt und erfährt eine Veränderung während seiner Zeit als Professor. Barth ist jetzt genötigt, seiner Kritik an der Theologie eine eigene Konzeption an die Seite zu stellen. Durch diese neue Aufgabenstellung wird auch Barths Denken in neue

1 Die hier vorliegende Unterteilung entspricht insgesamt etwa dem Vorschlag von E. Jüngel, Barth 254, 30-38, drei Phasen zu unterscheiden: die Anfänge bis zur 1. Römerbriefauslegung, dann die dialektische Theologie bis zum Beginn der dogmatischen Theologie durch die KD. Vgl. auch M. Beintker, Die Dialektik 20. Statt der Zeit vor dem Römerbrief ein eigenes Kapitel einzuräumen, ist es in dieser Untersuchung sinnvoller, die dialektische Phase noch einmal zu unterteilen.

Bahnen gelenkt. Zunächst hält er interessanterweise historische und biblische Vorlesungen. Erst etwas später wagt er sich an dogmatische Vorlesungen. Dabei sind vor allem seine verschiedenen ‚*Prolegomena*' von Interesse. Eine ihn letztlich befriedigende Form, Dogmatik zu treiben, hat er zu jener Zeit jedoch noch nicht gefunden.
Die Konsolidierungsphase im Schaffen Karl Barths kann man mit seiner Arbeit über Anselm von Canterbury ‚*Fides quaerens intellectum*', ansetzen.[2] Schon länger hatte sich Barth mit Anselm beschäftigt, aber mit dieser Publikation gibt er nun sozusagen öffentlich Rechenschaft über diese Auseinandersetzung. Dabei wird ihm selber deutlich, wie seine Theologie auszusehen hat. Barth setzt noch einmal mit Prolegomena an, diesmal zu seiner Kirchlichen Dogmatik (KD), die er allerdings im Gegensatz zu seinen früheren Versuchen auch fortführt. Um den Umfang der vorliegenden Darstellung nicht zu sprengen, finden die jeweiligen Bände der KD in diesem lebensgeschichtlichen Abriß fast keine Beachtung. Sie werden aber im zweiten Teil, der systematischen Zusammenfassung von Karl Barths Verständnis der Mystik, voll integriert. Barths letzte Schaffensperiode in der Schweiz ist vor allem gegen Ende von einem ständig wachsenden Bemühen um Ausgleich statt Konfrontation geprägt. So bekommt dort auch die Rede von ‚Mystik' oftmals eine ganz neue Klangfarbe.

1.1 AUFBRUCH ZU EINER KRITISCHEN THEOLOGIE

Die maßgebliche Beteiligung Barths an der Bewegung, die wir als ‚Dialektische Theologie' kennen, ist ein wichtiges Faktum, das nicht vernachlässigt werden darf, wenn man sich mit der Theologie Karl Barths beschäftigt. Die kritische Denkbewegung Barths markiert den Anfang seiner theologischen Arbeit, der in der Diastasentheologie der zweiten Römerbriefauslegung gipfelt. Diese Auslegung betont die für den Menschen unüberwindbare Distanz zwischen Mensch und Gott.[3] Neben der Krisis, in die

2 Diese Zäsur könnte auch auf das politisch bedeutsame Jahr 1933 gelegt werden. In dieser Zeit steht die Theologie Barths in der politisch praktischen Bewährungsprobe. Für F. W. Graf, ‚Der Götze wackelt'? 422f. Anm. 2, endet die ‚Formierungphase' 1933.

3 Vgl. W. Ruschke, Entstehung und Ausführung.

diese Theologie führt, ist auch die Gnade immer schon präsent.[4] Mit ihr läßt sich in Barths theologischer Frühzeit eine inhaltliche Bestimmung der Theologie finden, die ihr auch später, allerdings in anderer Betonung und Darstellung, nicht abhanden kommt. Deswegen werden zunächst einige Daten der frühen Entwicklung von Karl Barth als Theologen genannt. Er war zunächst Pfarrer und hat sich gerade als Pfarrer kritisch mit der herrschenden Theologie auseinandergesetzt. Zu dieser Auseinandersetzung gehören auch die beiden Auflagen des Römerbriefs, denn die erste war seine erste Publikation, die ihm etwas später auch seine Professur in Göttingen einbrachte, und die zweite Auflage des Römerbriefs wurde das grundlegende Dokument der Dialektischen Theologie. Die Überarbeitung zur zweiten Auflage war im wesentlichen schon geschehen, bevor er die Professur in Göttingen antrat, auch wenn das Erscheinungsdatum nach diesem Wechsel liegt. Der Tambacher Vortrag von 1919 mit dem Thema ‚*Der Christ in der Gesellschaft*‘ machte Barth schlagartig in Deutschland bekannt. Für seine methodisch-theologische Ausrichtung sind der Vortrag ‚*Biblische Fragen, Einsichten und Ausblicke*‘ sowie die Auseinandersetzung mit Overbeck von großem Interesse. 1922 hielt Barth drei wichtige Vorträge, von denen ‚*Das Wort Gottes als Aufgabe der Theologie*‘ untersucht wird, weil darin seine kritische Position gegenüber der bisherigen Theologie und sein existentielles Anliegen deutlich zutage tritt. Diese Vorträge gehören ihrem Charakter und ihrem Entstehungsdatum nach noch deutlich in die Zeit des kritischen Aufbruchs und in die Zeit des Pfarrers.[5]

1.1.1 Von der sozialen Frage zur theologischen Arbeit

Karl Barths Entschluß, Theologe zu werden, war in seiner Familie nicht vorbildlos. Bereits sein Großvater und auch sein Vater waren Theologen gewesen. Als Karl Barth geboren wurde, hatte sein Vater eine Lehrtätigkeit an der Predigerschule in Basel inne, die gerade in Opposition zur liberalen Theologie gegründet worden war. Karl Barths Vater war einer der gemäßigten Vertreter der ‚positiven Linie‘.[6] Karl Barth selber nannte seine gesamte

4 Vgl. M. Beintker, Krisis und Gnade.

5 C. v. d. Kooi, Anfängliche Theologie, unterteilt die ‚Anfängliche Theologie‘ Barths in vier Phasen, deren letzte von 1924-1927 in der vorliegenden Untersuchung bereits zum 2. Kapitel zählt, da die Theologie Barths dort schon einen eigenständigen, nicht nur kritischen Zug aufweist.

6 Vgl. E. Jüngel, Einführung 23, und E. Busch, Lebenslauf 20f. Zur ‚positiven Linie‘ gehören jene Theologen, die die faktische Gegebenheit der Offenbarung gegenüber den Weisen

eigene Theologie später „im Grunde eine Theologie für die Pfarrer".[7] Er hat sich nicht in erster Linie als wissenschaftlicher Theologe verstanden, wie es auch nicht sein Ziel war, an einer Hochschule zu lehren. Er wollte das Wort Gottes verstehen und verkünden. Bei seiner Antrittspredigt versicherte er, „daß ich Euch nicht von Gott rede, weil ich einmal Pfarrer bin, sondern daß ich Pfarrer bin, weil ich von Gott reden *muß*, wenn ich mir selber, meinem besseren Ich, treu bleiben will."[8] Bisher vorwiegend in größeren Städten zu Hause, war seine erste Pfarrstelle in Safenwil eher ländlich-dörflich. Hier lebte er ab 1911 zunächst ganz von der Praxis bestimmt, gab Konfirmationsunterricht und schrieb seine Predigten. Später beschäftigte er sich speziell mit dem Arbeiterproblem. Theorie und Praxis hingen für ihn immer sehr eng zusammen. Während dieser Zeit entwickelten sich allmählich die Wurzeln für das, was später ‚Dialektische Theologie' genannt wurde.
Insbesondere durch die Stellungnahmen seiner Lehrer zum Ersten Weltkrieg wurde Barth tief erschüttert. Das Manifest der 93 deutschen Intellektuellen, in dem Deutschland von jeder Schuld am Krieg freigesprochen wurde, war von einigen bedeutenden Lehrern Karl Barths unterzeichnet, so auch von Harnack und Herrmann. Diese Erschütterung griff bei Barth tief, denn es waren für ihn nicht einzelne, die fehlten. In seinen Augen war es die ganze gängige Theologie, die in die Irre ging. Diese Theologie mußte nach seiner Meinung von Grund auf verkehrt sein, wenn so etwas dabei herauskommen konnte.[9]
In diesem Zusammenhang kam es auch zu einer Auseinandersetzung Barths mit Martin Rade, dem Herausgeber des Blattes ‚*Christliche Welt*' für das Barth in Marburg Hilfsredakteur gewesen war.[10] Karl Barth war sogar doppelt irritiert, denn die europäische Sozialdemokratie, die sich vorher noch gemeinsam allen Kriegsversuchen widersetzen wollte, schwenkte überall in die nationalistischen Lager über. Sie konnte im Ernstfall von ihrer gemeinsamen Idee her keinen Widerstand gegen das entwickeln, was auf sie zukam. Doch diese Kritik hinderte ihn nicht, 1915 in die sozialdemokratische Partei einzutreten. Er hielt dies grundsätzlich noch für den richtigen Weg. Einen engen Praxisbezug entwickelte er auch zu den fernen Kriegsge-

menschlicher Wahrnehmung und Wissenschaft über ein gewisses Maß hinaus betonen oder gar verabsolutieren.

7 E. Jüngel, Einführung 26.

8 E. Busch, Lebenslauf 73.

9 E. Busch, Lebenslauf 93; W. Härle, Der Aufruf 215; D. Schellong, Barth lesen 21. „An ihrem ‚ethischen Versagen' zeigte sich, ‚daß auch ihre exegetischen und dogmatischen Voraussetzungen nicht in Ordnung sein könnten'." E. Busch, Lebenslauf 93.

10 Vgl. C. v. d. Kooi, Anfängliche Theologie 63-68, bes. 66f.

schehnissen. Er tat einiges für die in Safenwil stationierten Soldaten und beteiligte sich auch an der Dorfbewachung, da er zu seinem Bedauern nicht einberufen worden war. Auch in seinen Predigten nahm er intensiv auf den Krieg Bezug, bis ein Gemeindemitglied fragte, ob er nicht auch einmal über etwas anderes predigen könnte. Dabei war für ihn Gott nicht der Mitleidende,[11] sondern eher der dieser geschichtlichen Situation ganz Ferne, von dem wir uns durch unser Treiben entfernt haben und, sofern wir unsere Mitschuld nicht erkennen, ständig weiter entfernen. „Es kam zum Bruch mit der ‚liberalen Theologie', aber auch mit der von Kutter (nicht: Ragaz) übernommenen Identifikation von Reich Gottes und sozialer Bewegung ..."[12]

Schon damals wurde ihm deutlich, daß das Wort Gottes, wenn es denn für den Menschen alles verändern können soll, nicht aus den Wirren des Alltags kommen kann, sondern nur von Gott zu erwarten ist. Barths Theologie wird von jetzt an zwar immer in aktuelles Geschehen eingebettet sein, aber es wird für Barth immer wichtiger, nicht die Reflexion des Alltags zum theologischen Antrieb zu haben, sondern Gott und seine Offenbarung.

1915 fuhr Karl Barth zusammen mit seinem Freund Thurneysen nach Bad Boll, wo ihn dieser mit Christoph Blumenhardt bekannt machte. Die realistische Reich-Gottes-Hoffnung der beiden Blumenhardt wurde und blieb für Barth in gewisser Weise bestimmend. In dem prophetischen Charakter von Blumenhardts Botschaft und in seiner Bezogenheit auf das Neue Testament fand Barth den Bezugspunkt außerhalb des Weltgeschehens, den er gesucht hatte. Eine neue theologische Grundlegung zur Abhilfe der Predigtnot und zur Begründung einer nicht nationalistischen Theologie bahnte sich an.

Diese theologische Grundlegung verlangte allerdings auch eine persönliche neue theologische Arbeit. So verlagerte Barth den Schwerpunkt seiner Arbeit wieder von der sozialen Frage zur Theologie. Barth fing sozusagen noch einmal ganz von vorne an. Er beschäftigte sich jetzt intensiv mit dem Neuen Testament, speziell mit dem Römerbrief. Die erste Auflage des Römerbriefkommentars, den er 1916 begann und der 1918 bereits gedruckt vorlag, ist ein Dokument seiner Hinwendung zur biblischen Schrift und hatte für seine weitere Entwicklung besondere Bedeutung. Dieses Buch, für das er zunächst kaum einen Verleger gewinnen konnte, brachte ihm wenig später den Ruf auf eine Honorarprofessur nach Göttingen ein, dem er 1921 folgte.

Zuvor schon machte ihn 1919 ein Vortrag für die religiös-soziale Konferenz

11 Vgl. im Gegensatz dazu J. Moltmann u. a.

12 E. Jüngel, Einführung 25.

in Tambach schlagartig in Deutschland bekannt.[13] Der Römerbriefkommentar und auch der Tambacher Vortrag erfordern es, sich zunächst noch etwas eingehender mit ihnen zu befassen.

1.1.2 Der erste Römerbrief

Der erste Römerbrief war für den weiteren theologischen Werdegang Karl Barths von entscheidender Bedeutung. Durch ihn erhielt er den Zugang zur universitären Laufbahn. Er selber hat sich über diesen Ruf etwas gewundert, ihn dann aber doch dankbar angenommen. Barth hat zu dem Zeitpunkt, als er den Lehrauftrag bekam und die zweite Auflage fällig wurde, seine erste Auflage für nicht wiederholenswert erachtet und gänzlich umgeschrieben. Vor allem die sprachliche und denkerische Nähe zu Platon und Kant hat ihn an seinem ersten Römerbriefkommentar gestört. Aus späterer Sicht hat sich diese kritische Einstellung interessanterweise erheblich gemildert. Dies geschah schon dadurch, daß er auch zu der zweiten Auflage später nicht mehr ohne Einschränkung stehen wollte.
In diesem Zusammenhang ist auch bemerkenswert, daß Bultmann zu Barths erstem Römerbrief sehr kritisch Stellung bezogen hatte, während durch den zweiten Römerbrief geradezu die gemeinsame ‚Kampfplattform' für die Bewegung geschaffen war, die ‚Dialektische Theologie' genannt wird und zu der seinerzeit auch R. Bultmann gehörte.[14]
Für unser Thema sind aus dem Römerbrief Barths einige Stellen interessant, auch wenn er nicht wie seine Vorträge programmatisch gehalten ist und die vielen Kommentierungen nicht so ergiebig für uns sind wie eine nähere Analyse seiner KD. Besonders eine grundsätzliche Bemerkung in seinem Vorwort verdient hier Beachtung. Dort heißt es: „Die historisch-kritische Methode der Bibelforschung hat ihr Recht: sie weist hin auf eine Vorbereitung des Verständnisses, die nirgends überflüssig ist. Aber wenn ich wählen müßte zwischen ihr und der alten Inspirationslehre, ich würde entschlossen zu der letzteren greifen: sie hat das größere, tiefere, *wichtigere* Recht, weil sie auf die Arbeit des Verstehens selbst hinweist, ohne die alle Zurüstung wertlos ist."[15]
Entsprechend dieser Grundeinstellung betont Barth zu Beginn des ersten

13 E. Busch, Lebenslauf 122ff.

14 K. Barth, 1. Römerbrief, Vorwort zum Nachdruck (1963) 8f.

15 K. Barth, 1. Römerbrief V. Die erste Fassung des Römerbriefes wird nach der Gesamtausgabe mit der Paginierung der Originalausgabe zitiert.

Kapitels im Römerbrief den Auftrag des Apostels. „Eine Botschaft von *Gott* hat er auszurichten, keine menschliche Religionslehre. Also ein lebendiges, aus seinem Ursprung fortwährend sich neu erzeugendes Wort, kein ausgeklügeltes System. Eine objektive Erkenntnis, nicht Erlebnisse, Erfahrungen und Empfindungen."[16] Die methodische Frage, ob sich objektive Erkenntnis so gegenüber Erlebnis, Erfahrung und Empfindung darstellen läßt, bleibt offen. Barths Standpunkt ist hier in seinem einseitigen Schwerpunkt deutlich zur Geltung gekommen.[17] Zu der Frage der natürlichen Erkennbarkeit Gottes (Röm 1,19-21) stellt Barth fest: „Der *Begriff* von Gott ist uns so unmittelbar gegeben wie unser eigenes Sein." Barth legt Wert auf die Feststellung: „Gott kann *geschaut* werden."[18] Die Unsichtbarkeit Gottes beruht nicht auf seinem Wesen, sondern auf unserer Sündigkeit. Barths Gedanken haben hier noch einen sehr starken Anklang an Kant und Platon. „Nichts *ist* an sich, alles *ist nur,* sofern wir es sehen, wissen, denken"[19] und weil „*Gott* aus unsern Augen sieht, und das Maß unserer Maße ist und denkt in unsern Gedanken – *darum* erschauen wir im ‚Innern der Natur' zugleich uns selbst und in uns selbst sein unsichtbares Wesen, das Urbild aller Bilder, die Idee aller Ideen, die Kraft aller Kräfte, die Wahrheit aller Wahrheiten."[20]

Der Grundtenor ist aber schon gegen alle religiöse Vorstellung von der Verfügbarkeit Gottes zu Händen der Menschen gerichtet. „Der Same der unmittelbaren Gotteserkenntnis in uns wurde unterdrückt, bevor er zur Ernte kommen, bevor sie in Kraft treten konnte. Aus der Fähigkeit, dem Vermögen, der Anlage wurde keine Wirklichkeit."[21] Wir „stellen ihn als leere Abstraktion uns selbst und der Welt *gegenüber*, statt uns vielmehr in ihn hinein zu stellen".[22] „Statt in seinem Lichte das Licht zu sehen, lassen wir ihn *ein* Licht sein, zünden *eigene* Lichter an und suchen in den Dingen ihr *eigenes* Licht, das sie nicht haben, sowenig wir selbst ohne ihn Licht sein können."[23] Barth wendet sich dagegen, Gott als ein Licht neben anderen zu sehen. Er ist für ihn *das* Licht. Damit ist schon immer eine Verbindung von

16 K. Barth, 1. Römerbrief 1f.

17 Eine differenzierte andere Wertung von Erfahrung und Erlebnis gibt G. Langemeyer, Religiöses Erleben.

18 K. Barth, 1. Römerbrief 14.

19 Ebd.

20 Ebd. 15.

21 Ebd.

22 Ebd. 16.

23 Ebd.

allen Lichtern mit diesem einen Licht vorausgesetzt, wenn überhaupt irgend etwas Licht ist.
Die Stelle 2,14f., die von der natürlichen Befolgung des Willens Gottes bei den Heiden spricht, wird hier von Barth genau in diesem Sinne aufgenommen. Er sieht hier nicht einen Widerspruch zur Offenbarung, sondern eine Bestätigung für das universale Heilshandeln Christi. „Wie sollte das nicht zum Vorschein kommen, daß Gott im Christus die Hand auf die ganze Menschheit gelegt hat?“[24] Barth legt an dieser Stelle Wert darauf, daß es keine feste Zweiklassengesellschaft gibt. Die, die sich als gottesfürchtig bezeichnen, können gottlos sein, und die, die wir als gottlos bezeichnen, können in Gottes Augen längst Gnade gefunden haben.
Bei der Auslegung von Röm 11,33 betont Barth sowohl die Erkennbarkeit Gottes, als auch die Unerschöpflichkeit dieser Erkennbarkeit, die in seiner Lebendigkeit liegt. Dies ist eine auch für die heutige Diskussion um die Gottesfrage interessante Ansicht hinsichtlich des dynamischen Gottesbildes. „Die ‚Tiefe' Gottes ist *nicht* seine ‚Unerforschlichkeit', denn Gott ist erforschlich und erkennbar denen, die ihn suchen, wohl aber die Unergründlichkeit, Unermeßlichkeit, Unerschöpflichkeit, mit der er denen, die ihn suchen von Stunde zu Stunde, von Tag zu Tag, in immer neuer Frische und Freiheit *neuen* Reichtum seiner Macht, *neue* Weisheit seiner Pläne, *neue* Erkenntnis seiner Mittel und Wege offenbart. Gottes ‚Tiefe', vor der wir stehen wie vor einem Abgrund, ist seine Gottheit, seine Lebendigkeit.“[25]
Im Zusammenhang mit den verschiedenen Gnadengaben und dem *einen* Leib Christi geht es Barth um die Fragwürdigkeit der *Selbst*verwirklichung. „Nicht etwa, nach moderner Weisheit: sei du vor allem ganz dich[!] selber, ganz dir selber getreu, vertiefe dich nur recht in deine Erlebnisse und entwickle dann recht energisch deinen Charakter und deine Anlagen!“[26] Ein Leib sein in Christus übersetzt Barth faktisch als Leib des Christus sein, Leib für Christus sein. Wir haben unseren Maßstab nicht in uns, wir haben uns nach Gott auszurichten.

1.1.3 Der Tambacher Vortrag

Neben dem Problem der eigenen Verwirklichung des Christen beschäftigte sich Barth auch mit der Frage nach dem Verhältnis des Christen zur

24 Ebd. 34f.
25 Ebd. 344f.
26 Ebd. 357.

Gesellschaft. Das Thema des berühmten Tambacher Vortrags ‚*Der Christ in der Gesellschaft*' ging Barth an, indem er die Andersartigkeit des Christen und das Gegenüber zur Gesellschaft hervorhob. Der Christ müsse ein Korrektiv sein. Doch dieses sind tatsächlich nicht die Christen, sondern letztlich Christus selber, der ‚Christus in uns' wie Barth mit Paulus sagt. Er legt Wert darauf, daß dieses ‚*in uns*' nicht als Ergriffenheit verstanden wird. „Der Christ ist das in uns, was nicht wir sind, sondern Christus in uns."[27] Gleichzeitig wendet er sich gegen die Absonderung des Religiösen als etwas Besonderem.[28] Es geht darum, daß wir von Gott bewegt werden, und nicht um Religion. „Das religiöse Erlebnis wird als Kategorie destruiert: ‚Das Unmittelbare, der Ursprung wird als solcher nie erlebt'."[29] „Mit der Einsicht in diesen Durchbruch des Göttlichen ins Menschliche hinein wird es aber bereits klar, daß es auch bei der Isolierung des Menschlichen dem Göttlichen gegenüber nicht sein Bewenden haben kann. Die Unruhe, die uns Gott bereitet, muß uns zum ‚Leben' in kritischen Gegensatz bringen, kritisch im tiefsten Sinn zu verstehen, denn [den!] dieses Wort in der Geistesgeschichte gewonnen hat. Es entspricht dem Wunder der Offenbarung das Wunder des *Glaubens*. Gottes*geschichte* ist auch diese Seite der Gottes*erkenntnis* und wiederum kein bloßer Bewußtseinsvorgang, sondern ein neues Müssen von oben her."[30] Dieses Neue wurzelt darin, daß nach Barth die Seele zu neuem Bewußtsein erwacht ist, nämlich „zum Bewußtsein ihrer Unmittelbarkeit zu Gott ..."[31] Barth geht es hierbei nicht um irgendwelche Bewußtseinszustände, um psychische Phänomene, sondern um eine radikale neue Sicht des Ganzen. Barth fährt fort und beschreibt die Radikalität dieser Unmittelbarkeit der Seele zu Gott als die „einer verloren gegangenen und wieder zu gewinnenden Unmittelbarkeit aller Dinge, Verhältnisse, Ordnungen und Gestaltungen zu Gott. Denn indem sich die *Seele* ihres Ursprungs in Gott wieder erinnert, setzt sie eben dahin auch den Ursprung der *Gesellschaft*."[32] Auch hier wird wieder deutlich, daß es Barth nicht um eine private Erbauung und um privaten Seelenfrieden geht, sondern darum zu sagen, worin unsere Welt wurzelt. Auch die Gesellschaft, daran erinnert er, hat ihren Ursprung in Gott. Doch durch den Ursprung seiner Seele in Gott ist der Mensch gleichsam auch ein Stück dieser Welt entfremdet, ein Stück entzogen. „Wir

27 K. Barth, Der Christ in der Gesellschaft 34.

28 Ebd. 35.

29 E. Jüngel, Einführung 36; K. Barth, Der Christ in der Gesellschaft 41.

30 K. Barth, Der Christ in der Gesellschaft 44.

31 Ebd. 44.

32 Ebd. 44f.

können es, indem wir in diesem Erwachen begriffen sind, nicht mehr unterlassen, alle Gültigkeiten des Lebens zunächst einer prinzipiellen Verneinung zu unterwerfen, sie zu prüfen auf ihren Zusammenhang mit dem, was allein gültig sein kann ... Tot sind alle ‚Dinge an sich', alles hier und dort, einst und jetzt, dies und das, das nicht zugleich Eines ist ... Tot wäre Gott selbst, wenn er nur von außen stieße, wenn er ein ‚Ding an sich' wäre und nicht das Eine in Allem, der Schöpfer aller Dinge, der sichtbaren und der unsichtbaren, der Anfang und das Ende."[33] Dieser Sprachgebrauch erinnert sehr an Meister Eckhart oder andere große Mystiker, die die Verbindung der Seele mit Gott im Zusammenhang mit der Distanz zu den Dingen dieser Welt sehen, ohne dabei allerdings in dieser Distanz zu verharren. Genau so versteht es auch Barth, der ja keine Weltferne im Blick hat, sondern sich gerade für den ‚gottgemäßen' Dienst in der Welt einsetzt.
Barth meint mit dieser Gottverbundenheit gerade den archimedischen Punkt gefunden zu haben, von dem aus alle falsche Theologie aus den Angeln zu heben ist, von dem aus alles anders aussieht. Die Möglichkeit, selbst eine neue Metaphysik neben die alte gesetzt zu haben, verneint er. „Aber ist es nicht eigentlich gottlos, diese böse Möglichkeit als Möglichkeit allzu ernst zu nehmen? In Gott ist sie offenbar gerade die Unmöglichkeit, und in Gott leben, weben und sind wir."[34] Nicht der Ernst der Lage soll bestritten werden, „wohl aber ist damit festgestellt, daß das letzte Wort zur Sache schon gesprochen ist. Das letzte Wort heißt *Reich Gottes*, Schöpfung, Erlösung, Vollendung der Welt durch Gott und in Gott."[35]
Da die Welt „durch ihn und zu ihm *geschaffen*" ist, sollen wir die Welt, wie sie ist, bejahen und nicht in eine falsche transzendente Traumwelt fliehen.[36] Barth zitiert Kohelet 9,4-11 und fährt dann fort: „Wer durch die enge Pforte der kritischen Negation hindurchgegangen ist – es ist alles ganz eitel, sprach der Prediger, es ist alles ganz eitel –, der darf und muß dann wieder so reden."[37] Auch in den Gleichnissen ist die Welt, so wie sie ist, das Bild für das Reich Gottes. Man muß durch sie hindurch schauen auf die Schöpfung, die sie ist. So kann sogar der Hauptmann in seinem militärischen Denken dem weltflüchtigen geistigen Israel zum Zeichen werden.[38] So soll sich der Christ in der Furcht Gottes bewegen in dieser Welt, denn er ist in sie hineingestellt.

33 Ebd. 45.

34 K. Barth, Der Christ in der Gesellschaft 49.

35 Ebd.

36 Vgl. ebd. 50f.

37 Ebd. 52.

38 Vgl. ebd. 56.

Das Tun in dieser Welt kann also Verheißungscharakter haben; dabei würdigt Barth auch die Sprüche der Weisheitsliteratur.[39] Hier versteht er sogar die Mystik des Mittelalters ebenso wie die frühe Reformation als radikalen Protest, „gegen *die* Religion ..., die innerhalb der Gesellschaft die allein vorstellbare und mögliche ist".[40] Eines vor allem ist nötig, daß der Christ herausgerissen wird aus seiner vermeintlichen Sicherheit, aus seinem scheinbarem Gleichgewicht.[41] Auch hier ist alles *nur* Analogie, es gibt keinen gegenständlichen Zusammenhang mit dem transzendenten *Jen*seits, und nur in Gott ist die Synthesis zu finden.

1.1.4 Biblische Fragen

Im April 1920 hielt Karl Barth einen Vortrag für die Aarauer Studenten-Konferenz mit dem Thema ‚*Biblische Fragen, Einsichten und Ausblicke*'. Der Vortrag basierte auf der Frage, was die Bibel dem Menschen zu bieten hat und wie sie zu lesen und zu verstehen ist. Auch hier wird die besondere Radikalität von Barths Stellungnahme zur Botschaft hervorgehoben. Die biblische Botschaft ruft in die Entscheidung.
Barth betont in einem ersten Zug, daß der Christ schon in der Erkenntnis Gottes ist. Die Botschaft der Bibel steht für ihn nicht zur Disposition, sondern von ihr kommt er immer schon her.[42] Gleichzeitig ist er aber nicht nur drinnen, sondern scheinbar auch draußen. „Gegen die Einfalt der Gotteserkenntnis sträubt sich unsere Kompliziertheit, unsere Dies- und Das-Kultur, gegen ihre Universalität unser Individualismus."[43] So verleugnet der Christ seinen Ursprung. Der Augenschein spricht für dieses Nein, und doch kann es das Ja zum Schöpfer nicht ganz zum Schweigen bringen.

39 Vgl. K. Barth, Der Christ in der Gesellschaft 57.

40 Ebd. 61.

41 Vgl. ebd. 63f.

42 Vgl. K. Barth, Biblische Fragen 71.

43 Ebd. 71. Meister Eckhart hat es bereits sehr ähnlich gesagt. Mit Bernhard von Clairvaux beschreibt er die Weise der rechten Gottesliebe. Sie „‚ist: *ohne* Weise', denn Gott ist nichts; nicht so <jedoch>, daß er ohne Sein wäre: er ist <vielmehr> weder dies noch das, was man auszusagen vermag; er ist ein Sein oberhalb allen Seins. Er ist ein seinsloses Sein. Darum muß die Weise, mit der man ihn lieben soll, weiselos sein." Eckhart, Predigt 82. ‚Quis putas puer ...', DW 3, 431,2-4: „‚Din wise ist ane wise', wan got ist niht; niht also, daz er ane wesen si: er enist weder diz noch daz, daz man gesprechen mac; er ist ein wesen, ob allen wesen. Er ist ein wesen wesenlos. Dar umbe sol diu wise wiselos sin, da man in minnen sol."

Das Fragen nach Gott ist unvermeidlich, und in ihm steckt schon die Antwort Gottes. Man muß es nur mit seinem Fragen nach Gott wirklich ernst meinen. Dabei kann die Antwort nach Barth nicht ein neues dogmatisches System sein, sondern nur ein schmaler Grat zwischen Ja und Nein.[44]

Anschließend wendet sich Barth der Frage nach der Bibelinterpretation direkt zu. Sowohl die methodische als auch die inhaltliche Annäherung an die Bibel sind für Barth von grundlegender Bedeutung. Dabei stößt er „in der Bibel mit den Historikern und Psychologen zunächst auf die Tatsache, daß es offenbar einmal Menschen mit einer ganz außerordentlichen geistigen Haltung und Blickrichtung gegeben hat."[45] Den Theologen interessiert etwas daran, was sowohl der Historiker als auch der Psychologe nicht einordnen können. Es ist das Außerordentliche, das die biblischen Personen fasziniert und in Bewegung gesetzt hat. Sie haben die Sache ganz ernstgenommen. So weisen die biblischen Personen immer über sich hinaus, um sie selber geht es ganz und gar nicht. Deswegen haben wir auch nicht so etwas wie eine Beschreibung des Lebens Jesu. Barth weist hier gern auf das Bild des Isenheimer Altares von Grünewald hin, auf dem der Täufer Johannes mit überdimensional großem Finger auf den Gekreuzigten hinweist. Demgegenüber wirft Barth der Religion vor, sich selbst zu ernst zu nehmen, statt auf dem schmalen Grat zu bleiben. Eine Religion, die sich verfestigt – und welche tut das nicht –, verliert ihren Hinweischarakter auf Gott, der den Verfestigungen dieser Welt gegenüber transzendent ist.[46] In diesem Sinne wird ein ‚Gott in uns', über den wir verfügen könnten, von Barth abgelehnt. „Denn *mit dem Moment, wo Religion bewußt Religion, wo sie eine psychologisch-historisch faßbare Größe in der Welt wird, ist sie von ihrer tiefsten Tendenz, von ihrer Wahrheit abgefallen zu den Götzen. Ihre Wahrheit ist ihre Jenseitigkeit, ihre Weltlichkeit, ihre Nicht-Geschichtlichkeit.*"[47] Dem entspricht auch die Zurückhaltung der biblischen Erzählungen gegenüber dem persönlichen Verhältnis des Menschen zu Gott. Der Opferkult wird durch das einmalige Opfer Christi ersetzt, und Stephanus schaut im Himmel keinen Tempel mehr.[48] Das Denken und Reden der Bibel ist „durch und durch dialektisch. *Caveant professores!* Die biblische Dogmatik ist die grundsätzliche Aufhebung aller

44 Vgl. K. Barth, Biblische Fragen 74f.

45 Ebd. 76.

46 Ebd. 80.

47 Ebd. 81.

48 Vgl. ebd. 84.

Dogmatik. Die Bibel hat eben nur *ein* theologisches Interesse und das ist rein sachlich: das Interesse an Gott selbst."[49]
Zurückkehrend zum Isenheimer Altarbild betont Barth, daß Johannes auf Jesus *am Kreuz* zeigt. „Die eine einzige Quelle unmittelbarer realer Offenbarung Gottes liegt im *Tode*. *Christus* hat sie erschlossen. Er hat aus dem *Tode* das *Leben* ans Licht gebracht."[50] Dieser Erkenntnis korreliert bei Barth die *Gottesfurcht*. Deswegen sind auch die Propheten keine Heroen, und ihre Handlungen haben oftmals praktisch gesehen keinen Erfolg. Aber Hiob lernt in seiner Misere wirklich Gott kennen.[51] Das Alte Testament vollendet sich im Neuen Testament, und dort steht allerdings das Kreuz im Mittelpunkt und der massive Hinweis auf die Nichtigkeit dieser Welt. Dazu gehört auch die Verlassenheit Jesu am Kreuz. „Dorthin wo auch die Frage: Mein Gott, mein Gott, warum hast du mich verlassen, möglich und notwendig wird, wo nichts mehr zu wissen, nichts mehr zu glauben, nichts mehr zu tun ist, wo die Sünde der Welt nur noch *getragen* wird, wo nur noch *eine* Möglichkeit bleibt, aber die liegt *jenseits* allen Denkens und aller Dinge, die Möglichkeit: *Siehe, ich mache alles neu! Alles Bejahende, was das neue Testament über Gott, Mensch und Welt zu sagen hat, bezieht sich ohne Ausnahme auf diese im strengsten Sinn außer Betracht fallende Möglichkeit und darum immer zugleich auf die große kritische Verneinung, die dieser einer neuen Ordnung angehörenden Möglichkeit unerbittlich vorausgeht.*"[52] Nicht aus sich heraus können Menschen etwas, sondern nur von dem anderen her, von Gott. Aber dieses Ja Gottes gibt es nur im Nein. Darauf kommt es Barth an. Von daher werden für ihn auch erst die Heilszusagen und Seligpreisungen verständlich und wirksam. Von daher ist auch der Umkehrruf zu verstehen, nicht als asketische Übung, sondern als ‚Werden wie ein Kind'.[53] Von diesem Verständnis her sind die Menschen auch immer schon die Erlösten und ist Gott die Liebe, gepriesen nicht nur von den Schönen, sondern auch von den Geopferten.[54] Barth legt Wert darauf, daß dies nicht unser unglaubwürdiges Tun rechtfertige, sondern anspornen soll, endlich die Botschaft nicht nur zu erzählen, sondern auch zu leben.[55] Jesus hat dies getan. Er hat für Barth „mit Religion einfach nichts zu tun. Der Sinn seines

49 Ebd. 84.
50 Ebd. 86.
51 Vgl. ebd. 88.
52 Ebd. 88f.
53 Vgl. ebd. 90.
54 Vgl. ebd. 91.
55 Vgl. ebd. 92.

Lebens ist die Aktualität dessen, was in keiner Religion aktuell ist, die Aktualität des Unnahbaren, Unfaßbaren, Unbegreiflichen, die Realisierung *der* Möglichkeit, die nicht in Betracht kommt: ‚Siehe, *ich* mache alles neu!'"[56] Dies begann durch die Auferstehung. „Mag es sich mit dem historischen Jesus verhalten, wie es will, Jesus der Christus, des lebendigen Gottes Sohn, gehört weder der Historie noch der Psychologie an; denn was historisch und psychisch ist, das ist eben als solches auch verweslich."[57] Barth weist hier mit Nachdruck auf die besondere Bedeutung des historisch gerade nicht mehr zu beschreibenden Ereignisses hin, daß doch alle Geschichte verändert. Er nimmt lieber die Nähe zum Mythos in Kauf als ein rein historisierendes Verständnis. Die Auferstehung geschieht in der Kraft des Geistes und bezeichnet nicht zuletzt die Einheit der Schöpfung. Das wirkliche Erlebnis der Auferstehung „fängt dort an, wo unsere vermeintlichen Erlebnisse aufhören, in der Krisis unserer Erlebnisse, in der Furcht Gottes. In Gott aber kommt das Individuum mit seinem höchst persönlichen Leben wie zu seiner Pflicht, so zu seinem Recht. ‚Wer seine Seele verliert um meinetwillen, der wird sie gewinnen.'"[58]

„Zuschauer Gottes gibt es nicht, so sicher es keine zudringlichen Mitarbeiter Gottes gibt. Es könnte aber Kinder Gottes geben, die aus seiner Gnade sind, was sie sind. Dieses unser Sein aus Gott, das immer *noch nicht* erschienen ist, dieses unser, mein und dein, Erlebnis, das zum Erlebnis *Gottes* immer nur *werden* möchte – das ist Ostern ... Wir *sind* erkannt, ehe wir erkannt *haben.*"[59] Das ist für Barth der letzte Ausblick: Der Christ kommt immer schon von Gott her.

Aufgrund dieses Vortrages kam es zur offenen Differenz mit A. von Harnack, der vor dem gleichen Publikum ebenfalls einen Vortrag gehalten hatte. Später schrieb Barth in einem Brief: „Ich erinnere mich sehr deutlich des Entsetzens, mit dem er sich in der Diskussion nach meinem Vortrag äußerte: seit Kierkegaard ... sei die Sache nicht mehr so schlimm gemacht worden, wie jetzt eben! – aber auch der großen Vornehmheit, in der er dem so viel Jüngeren und unbekannten Landpfarrer gegenüber Stellung nahm."[60] Die dialektische Entscheidungssituation, in die der Mensch durch das Wort Gottes gestellt ist, und die Interesselosigkeit Barths an den historischen Fragen waren A. von Harnacks Theologie fremd.

56 Ebd. 94.

57 Ebd. 95.

58 Ebd. 97.

59 Ebd. 98.

60 Zitiert nach E. Busch, Lebenslauf 127.

1.1.5 Die Begegnung mit dem kritischen Overbeck

Ebenfalls 1920 schrieb Karl Barth eine Rezension zu den im Nachlaß durch A. C. Bernoulli veröffentlichten Schriften Overbecks.[61] Overbeck war ein Freund Nietzsches und galt im damaligen Basel bei den Theologen als verfemt. Aber gerade zu ihm fühlte sich Karl Barth hingezogen.[62]
Seine kritischen Anfragen an das Christentum schienen ihm auf ihre Art und Weise den Kern wenigstens zu berühren. Seinen eigenen Lehrern hingegen stand Barth zunehmend distanzierter gegenüber.[63] Einige Punkte der Rezension von Karl Barth sind von besonderer Bedeutung, denn der kritische Ansatz Overbecks hat Barths Theologie nicht unerheblich geprägt. Dabei soll in diesem Zusammenhang nicht gefragt werden, ob Barth Overbeck *richtig* verstanden hat, sondern in erster Linie, *wie* er ihn verstanden hat.
Barth versteht die Sammlung von Bernoulli als eine „Einführung in das Studium der Theologie".[64] Dabei sieht er ihn in enger sachlicher Verwandtschaft mit Blumenhardt. „Unmittelbar nebeneinander standen sie doch, Blumenhardt und Overbeck, Rücken an Rücken, wenn man so will, sehr verschieden im Habitus, in der Terminologie, in der Vorstellungswelt, im Erlebnis, aber zusammengehörig in der *Sache*, Blumenhardt als der vorwärtsschauende hoffende Overbeck, Overbeck als der rückwärtsschauende kritische Blumenhardt, Einer zum Zeugnis für die Sendung des Andern."[65]
Aber weder auf den Pietistischen noch auf den Kritischen wollte man damals hören. Was Overbeck zu sagen hat, ist für alle „*irgendwie* Berufszufriedenen" unter den Theologen ein Buch, das „Mißvergnügen" bereitet.[66] Barth hält Overbeck aber auf jeden Fall für eine hilfreiche krititsche Anfrage, der man sich gestellt haben muß.
Für den Herausgeber der Schriften und für die meisten Zeitgenossen gilt Overbeck nach Barth als Zweifler, wenngleich ein froher und liebender. Barth selbst sieht ihn mit einigen anderen eher als „Wächter ‚an der Schwelle metaphysischer Möglichkeiten' (S. XXXVI)".[67]
Für Overbeck ist der Mensch ausgespannt zwischen der *Urgeschichte* und dem *Tod*. Nur von diesen beiden Punkten her ist unser Sein in der Welt zu

61 Vgl. K. Barth, Unerledigte Anfragen; F. Overbeck, Christentum und Kultur.

62 Vgl. E. Busch, Lebenslauf 128.

63 Vgl. ebd. 127f.

64 K. Barth, Unerledigte Anfragen 3.

65 Ebd. 2.

66 Vgl. ebd. 3f.

67 Ebd. 5; F. Overbeck, Christentum und Kultur.

verstehen. Dabei ist für uns besonders wieder das Verständnis von Karl Barth interessant, das hier an Aussagen seines biblischen Vortrages erinnert: „Wir haben vielleicht zu tief in den Grund der Dinge geblickt, *wir wissen zu viel* von allen Dingen, auch von den verborgensten und unzugänglichsten, von den Dingen, von denen wir eigentlich nichts wissen können, *von den letzten Dingen. ,Von diesem Wissen ist uns nicht zu helfen und wir haben damit zu leben*'[68]. Was *zwischen* diesen ,letzten Dingen' liegt, das ist die *Welt*, unsre Welt, die uns gegebene, verständliche Welt."[69] Für die Dinge dieser Welt ist es für Barth wie für Overbeck wichtig, ein Kind der Aufklärung zu bleiben, gleichwohl wir von den verborgenen Dingen zu viel wissen, als daß wir es vergessen könnten.
„Wer sich in der Welt wirklich und streng auf sich selbst stellt, muß auch den Mut haben, sich auf nichts zu stellen."[70] Ein ,Tröpfchen Schwärmerei' ist für Barth notwendig, um mit beiden Beinen in der Welt zu stehen. „Aber es muß *ernst* gelten mit diesem ,nichts', und das Tröpfchen Schwärmerei muß *echt* sein, mit Mystik, Romantik und Pietismus nicht zu verwechseln,"[71] obwohl Overbeck die Möglichkeit eines persönlichen Bezugs zum Christentum für sich nur im Pietismus sieht. „Sich selbst preisgeben ist kein sicherer Weg zu Gott, aber der[72] Gedanke, Gott in sich selbst wiederzufinden, ist noch hoffnungsloser."[73] Auch bei Barths Overbeckinterpretation wird also schon seine enge Verbindung von Mystik mit Romantik und Pietismus deutlich, wobei der Mystik genau die Ernsthaftigkeit des Einlassens auf etwas anderes abgesprochen wird. Der Mystiker, unterstellt er, suche Gott in sich selber. Barth sieht sich durch Overbeck genötigt, exklusiv zwischen Christentum und Geschichte zu wählen. „Historisches d. h. der Zeit unterworfenes Christentum ist etwas Absurdes."[74] In der Kirchengeschichte zeigt sich für Overbeck gerade die historische Preisgegebenheit der Christenheit. Barth faßt zusammen: „Der mögliche Ort des Christentums liegt eben, was die Vergangenheit betrifft, nicht in der Geschichte, sondern in der Geschichte *vor* der Geschichte, in der *Urgeschichte*."[75] Dieses Verständnis müsse dann auch auf die Erforschung der biblischen Schriften angewendet werden. Es

68 F. Overbeck, Christentum und Kultur 293-300.

69 K. Barth, Unerledigte Anfragen 5f.

70 F. Overbeck, Christentum und Kultur 286.

71 K. Barth, Unerledigte Anfragen 7.

72 K. Barth, Unerledigte Anfragen 7, fügt hier ein: "(mystisch-romantisch-pietistische!)".

73 F. Overbeck, Christentum und Kultur 286.

74 Ebd. 242.

75 K. Barth, Unerledigte Anfragen 10.

komme nicht darauf an, historisch etwas über den Verfasser zu wissen, sondern sich mit ihm unmittelbar zu unterhalten. Dabei könne man sich mit Jesus wohl kaum unmittelbar eins fühlen. Auch Jesus findet nicht den Punkt in sich, „wo er *sich mit Gott schlechthin eins fühlt.*“[76] Die Betrachtung der Schrift müsse in unmittelbarer Beziehung zu den letzten Dingen stehen, kritisch sein. Wo sie dies nicht sei, beginne die Verfallsgeschichte der Kirchengeschichte. Nach dem Verlust der Parusieerwartung ist aus dem Christentum Religion geworden, eine ‚ideologische Gegendosis‘, wie es Barth mit Bernoulli formuliert.[77]
So nimmt Overbeck nach Barth die Welt vor dem Christentum in Schutz und umgekehrt das Christentum vor der Welt, wenn er darauf hinweist, daß das Christentum nicht von dieser Welt ist. Er tut dies engagiert und doch nicht zu einseitig, weil er selber nicht dem Christentum das Wort reden will, und es damit, wie Barth meint, in seiner Weise doch tut. Er hält die Gegensätze aufrecht. Hierin ist schon das große Thema Karl Barths enthalten, die Gegensätze im Widerspruch zum liberalen Protestantismus aufrechtzuerhalten. Overbeck wirft dem liberalen Protestantismus vor, ‚Totengräberarbeit‘ am Christentum zu leisten, weil er die Kluft zwischen Christentum und Welt, zwischen Innen und Außen, durch Anpassung des Christentums an die Welt zu überbrücken trachtet.[78]
Dabei spielen gerade die Theologen für Barth eine herausragende Rolle.[79] Sie versuchen zwischen Christentum und Welt zu verhandeln, obwohl das Christentum nichts neben sich duldet. Deswegen gehören sie auch nicht wirklich zu den Gebildeten, sondern eher zu den ‚Bildungphilistern‘. In diesem Zusammenhang weist Barth nochmals darauf hin, daß Overbeck, der die Theologie nicht reformieren wollte, der *nicht* Theologe sein wollte, deswegen sogar ein *sehr guter* Theologe gewesen ist.[80] „*Nur ein heroisches, jeder Zeit gegenüber sich auf sich selbst stellendes Christentum* kann dem Schicksal der Jesuitierung entgehen.“[81] Diese besondere Funktion und Rolle des Christentums will auch Barth gern den Theologen einprägen.

76 Ebd. 12.

77 Ebd. 13.

78 Vgl. F. Overbeck, Christentum und Kultur 67; K. Barth, Unerledigte Anfragen 16f.

79 Vgl. K. Barth, Unerledigte Anfragen 20.

80 Vgl. ebd. 23.

81 F. Overbeck, Christentum und Kultur 126. Mit ‚Jesuitierung‘ meint Overbeck Verrat durch Angleichung an die Welt. Vgl. K. Barth, Unerledigte Anfragen 20.

1.1.6 Der zweite Römerbrief

Während der erste Römerbrief für den Lebenslauf von Karl Barth von entscheidender Bedeutung war, erhielt der zweite seine gewichtige Stellung durch den Umstand, daß er sozusagen *das* Dokument der Dialektischen Theologie wurde. Er galt und gilt als die zentrale Schrift, die das ‚korrektive' Verständnis dieses Kreises deutlich zum Ausdruck bringt.

Als eine neue Auflage des Römerbriefes fällig wurde, entschied sich Barth, noch einmal ganz von vorne anzufangen. Nachdem ihn Ende Oktober 1920 Gogarten besucht hatte, „fing plötzlich der Römerbrief an, sich zu häuten".[82] Karl Barths kritische Bemerkungen zur Theologie sind geboren aus der Not des Pfarrers, von dem seine Gemeinde erwartet, daß er das Wort Gottes verkünde, und der weiß, daß er gerade dies eigentlich nicht kann. Zu wissen, daß es aus dieser Situation im Prinzip keinen Ausweg gibt, das ist Barths Theologie in dieser Zeit. Die Frage, die auch hinter dem Römerbrief steht, heißt nicht: wie macht man das – Predigen, sondern: was heißt das – Predigen? Barth sagt von sich: „Habe ich nicht nur einen *Gesichts*punkt, sondern etwa auch einen *Stand*punkt, so ist es einfach der wohlbekannte des Mannes auf der Kanzel, vor sich die geheimnisvolle Bibel und die geheimnisvollen Köpfe seiner mehr oder weniger zahlreichen Zuhörer ..."[83]

Gleich bleibt die Absetzung von der historisch-kritischen Methode, die in der Rede vom ‚Oberlicht der Geschichte' wieder anklingt. In ihr ist ein Fundament Barthschen Denkens zu sehen. Dabei betont Barth fast im ganzen Vorwort zur zweiten Auflage nochmals, daß er nicht eigentlich gegen die historisch-kritische Methode sei, aber daß ihm alles daran liege, die Texte nicht nur zu übersetzen und in einen historischen Kontext zu bringen, sondern sie zu erklären. Die historisch-kritische Methode sei ihm einfach zu wenig. Der Theologe habe gerade auch die Erklärungsarbeit zu leisten. Barth will den Text verstehen und erklären, nicht nur übersetzen.[84] Dabei wehrt er sich dagegen, von Jülicher als ‚Pneumatiker' bezeichnet zu werden.[85]

Der zweite Römerbriefkommentar lebt stark von der Gegenüberstellung, Gott ist ganz Gott, und Mensch ist ganz Mensch. Die Verbindungslinien vom Menschen zu Gott, die in der ersten Auflage bisweilen noch zu finden waren, sind jetzt zum großen Teil ausgemerzt. Als neue Einflüsse macht Barth Overbeck namhaft und eine Verlagerung von Plato und Kant zu

82 K. Barth, Barth-Thurneysen Bw I,435; vgl. E. Busch, Lebenslauf 129.

83 K. Barth, Not und Verheißung 103.

84 Vgl. K. Barth, 2. Römerbrief Xf.

85 Vgl. ebd. XIII.

Kierkegaard und Dostojewski. Vor allem aber die positiven Besprechungen seiner Arbeit hätten ihn erkennen lassen, was noch zu verbessern war, denn ein solches Lob hatte er gerade nicht haben wollen.[86]

Neu und anders, stärker betont wird, wie bereits erwähnt, der Unterschied zwischen Gott und Mensch. Hierin ist ein Grundmoment der Dialektischen Theologie zu sehen. Dabei spielen jetzt vor allem negative Bestimmungen Gottes eine Rolle. Seine Nichtaussagbarkeit wird betont. Unsere Gottesvorstellungen und unser Leben sollen in die heilsame Krisis geführt werden. „Gott! Wir wissen nicht, was wir damit sagen. Wer glaubt, der weiß, daß wir es nicht wissen. Wer glaubt, liebt mit Hiob den Gott, der in seiner unerforschlichen Höhe nur zu fürchten ist, liebt mit Luther den deus absconditus."[87]

Diese Entgegensetzung geschieht aber nochmals dialektisch, das heißt, Gott ist nicht *nur* der Unerkennbare. Besonders interessant ist im Vergleich die Neubearbeitung von 4,17b. Barth übersetzt: „V 17b Abraham ist unser aller Vater (4,16) *vor Gott, an den er glaubte: der die Toten lebendig macht und das Nicht-Seiende anspricht als Seiendes.*"[88]

In bezug auf eine Bewertung der Geschichte kommt dem *Glauben* Abrahams für Barth eine besondere Bedeutung zu. „Nie ist die Geschichte, nie die geschichtliche Persönlichkeit des Menschen ganz ohne dieses ungeschichtliche Oberlicht: ‚vor Gott, an den er glaubte'. In diesem Oberlicht verliert sich die Vereinzelung des Einzelnen, die Vergangenheit des Gewesenen, die Entlegenheit des Fernen, die Getrenntheit des Besonderen, die Zufälligkeit des Persönlichen."[89] Es folgt ein längeres Nietzschezitat, und Barth fährt fort: „Mythisch oder auch mystisch nennt die Ängstlichkeit des linearen Denkens dieses Oberlicht der Geschichte, die ‚unhistorische Atmosphäre' des Lebens, wir aber möchten gerade auf der kritischen ‚Linie, die das Übersehbare, Helle von dem Unaufhellbaren und Dunklen scheidet' (Nietzsche), die ungeschichtliche, d.h. aber *ur-geschichtliche* Bedingtheit aller Geschichte, das Licht des *Logos* aller Geschichte und alles Lebens erkennen ... Glaube ist absolutes Wunder, als reiner Anfang, als ursprüngliche Schöpfung, d.h. aber die unbekannte *Bezogenheit* bekannter Hergänge und Zustände auf den unbekannten *Gott*, das ist das Erkenntnisprinzip und die zeugende Kraft der Gestalt Abrahams, das Erkenntnisprinzip und die zeugende Kraft der Geschichte (als Geschehen *und* als Gesicht und Bericht vom

86 Vgl. ebd. VIIf.

87 Ebd. 18.

88 Ebd. 116.

89 Ebd.

Geschehenen).“[90] Dieses Oberlicht der Geschichte, das vom ‚linearen Denken‘ mystisch genannt wird, ist für Barth von besonderer Bedeutung. Ohne dieses Oberlicht geht es jedenfalls nicht. Von diesem Oberlicht her verlieren sich Vereinzelung und Geschichtsort.

Was Barth selber aber unter Mystik versteht und ablehnt, daß wird deutlich, wenn er Vers 4,17b auslegt: „Vor Gott, *‘der die Toten lebendig macht und das Nicht-Seiende anspricht als Seiendes‘*. Dadurch unterscheidet sich der Glaube als Erkenntnisprinzip und zeugende Kraft der Geschichte vor aller Hinterweltlichkeit des Mythus und der Mystik. Ihm handelt es sich nicht um eine jener Überhöhungen, Vertiefungen und Bereicherungen des Diesseits durch das Jenseits einer ‚inneren‘ oder auch ‚höheren‘ Welt ...“[91] Dem entgegen setzt Barth sein Verständnis der Abrahamsfigur als positive Beschreibung dessen, was Glaube bedeuten soll. „Jenseitiges Leben und Sein ist für ihn [sc. Abraham] das, was vom diesseitigen Leben und Sein aus nur Tod und Nicht-Sein, und wiederum diesseitiges Leben und Sein das, was vom jenseitigen Leben und Sein aus nur Tod und Nicht-Sein heißen kann.“[92] Damit will Barth noch einmal die Unmöglichkeit des Aufstiegs vom Menschen zu Gott verdeutlichen. „Kein allmählicher Übergang, kein stufenmäßiger Aufstieg, keine Entwicklung etwa ist der erste Schritt über diese Grenze, sondern ein jäher Abbruch hier, ein unvermittelter Anfang eines ganz anderen dort: denn was als Gnaden*erlebnis* allenfalls in kontinuierlicher Fortsetzung anderer religiöser Erlebnisse namhaft gemacht werden könnte, das steht als solches noch diesseits. Gnade selbst ist das Gegenüberstehende und zur Gnade führen keine Brücken.“[93] Deswegen führt Mystik nicht zu Gott, sofern sie eine Möglichkeit des Menschen ist. Entsprechend reagiert Barth auf die Aufforderung von Paulus. „Stellt eure Glieder nicht als Waffen der Unbotmäßigkeit der Sünde zur Verfügung, sondern stellt euch selbst Gott zur Verfügung als aus dem Tode zum Leben Gekommene – und so auch eure Glieder Gott als Waffen der Gerechtigkeit!“ (Röm 6,13)[94] Dieser Forderung nachzukommen, liegt nach Barth nicht in der Kraft des Menschen. „Darum und darin durchbricht die Gnade sowohl die Schranke der Mystik als die der Moral, daß ihr Indikativ sich als *dieser* Imperativ an den Menschen wendet, als die absolute Forderung, daß das *Unmögliche möglich*

90 Ebd. 117.

91 Ebd. 117.

92 Ebd.

93 Ebd. 222.

94 Übersetzung nach K. Barth, 2. Römerbrief 188.

werde."[95] Doch dieser Absage an die Mystik als Möglichkeit des Menschen folgt eine positive Umschreibung der rechten Antwort, die nicht nur mystisch klingt, sondern im Diesseits nach Barth sogar mystisch formuliert werden *muß*. „Die ‚Lebendigen' müssen sterben, damit die ‚Toten' lebendig gemacht werden, das ‚Seiende' muß als Nicht-Seiendes erkannt sein, damit das Nicht-Seiende als Seiendes angesprochen werden kann. Das ist die Unmöglichkeit der *Erkenntnis*, die Unmöglichkeit der *Auferstehung*, die Unmöglichkeit *Gottes*, des Schöpfers und Erlösers, in welchem ‚Diesseits' und ‚Jenseits' eins sind. Eben die Beziehung auf diese Unmöglichkeit ist Abrahams *Glaube* ... (*in* dieser Historie immer nur als Krisis und darum in den Formen des Mythus und der Mystik darstellbar), wie es am Rande der Philosophie Platos, am Rande der Kunst Grünewalds und Dostojewskis, am Rande der Religion Luthers aufgetaucht ist."[96] Barth geht aber noch einen Schritt weiter, als von Gott nur als Einheit von Diesseits und Jenseits zu sprechen. „Erkenntnis, Auferstehung, Gott ist keine zufällige, keine bedingte, keine an den Gegensatz von hier und dort gebundene, sondern die *reine* Negation und darum das *Jenseits* des ‚Diesseits' *und* des ‚Jenseits', die Negation *der* Negation, die das Jenseits für das Diesseits und das Diesseits für das Jenseits bedeutet, der Tod unseres Todes und das Nicht-Sein unseres Nicht-Seins."[97] Trotzdem sieht Barth auch in dem Weg einer negativen Theologie eine Gefahr, dann nämlich, wenn der Weg als ein vom Menschen als solcher gangbarer Weg gesehen wird, der mit Christus nichts zu tun hat. „Auch der ‚negative Weg' der Mystik ist ein Holzweg, wie alle ‚Wege' Holzwege sind. Weg ist nur *der* Weg; aber das ist Christus."[98] Abgesehen davon, daß der Weg negativer Theologie nicht *unser* Weg sein darf und nicht an Christus vorbeiführen darf, entspricht die rechte Negation in der Theologie Barths Grundanliegen. „Das Weltbild *ohne* Paradox und *ohne* Ewigkeit, das Wissen *ohne* den Hintergrund des Nichtwissens, die Religion *ohne* den unbekannten Gott"[99] haben weltlich gesehen viel für sich, doch lassen sie nach Barth nicht Gott als Gott erkennen.

Entsprechend wird die Römerbriefstelle 1,19-21 jetzt anders ausgelegt als in der ersten Fassung des Briefes. Was von Gott bekannt ist, auch den Heiden bekannt ist, ist die Unterschiedenheit Gottes, seine Nichterkennbarkeit. Auf diese Weise ist Gott in seiner Andersartigkeit präsent in der Welt und in uns

95 K. Barth, 2. Römerbrief 192.

96 Ebd. 118.

97 Ebd.

98 Ebd. 299.

99 Ebd. 24.

als ‚verborgene Heimat', ‚Anfang und Ende aller unserer Wege': „Wir wissen, daß Gott der ist, den *wir nicht* wissen, und daß eben dieses Nicht-Wissen das Problem und der Ursprung unseres Wissens ist. Wir wissen, daß Gott die Persönlichkeit ist, die *wir nicht* sind, und daß eben dieses unser Nicht-Sein unsere Persönlichkeit aufhebt und begründet. *Dieser* Gottesgedanke, die Einsicht in die absolute Heteronomie, unter der wir stehen, ist *autonom*: Wir widerstehen nicht etwas Fremdem, sondern unserem Eigensten, nicht etwas Fernem, sondern dem Nächstliegenden, wenn wir ihm widerstehen. Die Erinnerung an ihn begleitet uns als Frage und Warnung beständig. Er ist der verborgene Abgrund aber auch die verborgene Heimat am Anfang und Ende aller unserer Wege. Sind wir ihm untreu, so sind wir uns selbst untreu."[100]

1.1.7 Theologie als dogmatische oder kritische (mystische) Theologie

1922 kann als ein Jahr betrachtet werden, in dem die Entwicklung vor allem hinsichtlich der Ausprägung der ‚Dialektischen Theologie' um einiges vorankam. Dabei ist allerdings immer zu bedenken, daß es sich bei dem Titel Dialektische Theologie um eine Fremdbezeichnung handelt und daß es ein ureigenes Anliegen dieser Bewegung war, gerade keine neue Schultheologie neben anderen zu werden, sondern alles theologische Denken zu beeinflussen.[101]
In demselben Jahr wurde die Zeitschrift ‚*Zwischen den Zeiten*' von Barth, Gogarten, Thurneysen und Merz gegründet. Dabei ist die Bedeutung Gogartens nicht zu unterschätzen, denn die Zeitschrift hat nicht nur den Titel, sondern auch Themen und Thesen von Gogartens Manifest übernommen. Diese Zeitschrift war so etwas wie ein Organ der Dialektischen Theologie.[102]
Die zentrale Schrift der Dialektischen Theologie war die bereits vorgestellte zweite, von Karl Barth völlig überarbeitete Römerbriefauflage.
Drei wichtige Vorträge hielt Barth 1922: ‚*Not und Verheißung der christlichen Verkündigung*', ‚*Das Problem der Ethik in der Gegenwart*' und ‚*Das*

100 Ebd. 21.

101 Einen kurzen Überblick im Gegensatz zur ‚natürlichen Theologie' und hinsichtlich der Gottesfrage gibt N. Klimek, Der Gott 15-19. Zum Ursprung des Begriffs ‚dialektische Theologie' vgl. M. Beintker, Die Dialektik 11f.

102 W. Härle, Dialektische Theologie 684; K. Barth, Barth – Thurneysen Bw I,399. Vgl. E. Busch, Lebenslauf. Auch Bultmann hat in dieser Zeitschrift veröffentlicht. E. Jüngel, Einführung 26.

Wort Gottes als Aufgabe der Theologie'. Besonders der dritte Vortrag ist hier von einigem Interesse, weil in ihm schon sehr stark deutlich wird, was Barth unter Theologietreiben verstand und was ihn umgetrieben hat. In diesem Vortrag ,*Das Wort Gottes und die Theologie*' vom Oktober 1922 werden verschiedene Dinge deutlich.[103]

Da ist zunächst einmal der Ausgangspunkt für Barths theologische Arbeit. Es ist die Kanzel, genauer gesagt, die Verkündigungssituation überhaupt. „*Wir sollen als Theologen von Gott reden. Wir sind aber Menschen und können als solche nicht von Gott reden. Wir sollen Beides*, unser Sollen und unser Nicht-Können, *wissen und eben damit Gott die Ehre geben.* Das ist unsere Bedrängnis."[104]

Theologen sollen von Gott reden. Sie sollen nach Barth nicht den Menschen helfen zu leben, auch wenn diese ihnen dafür dankbar sein mögen, sondern sie sollen den Menschen von Gott erzählen, das sind sie ihnen als Theologen schuldig. Deswegen ist Gott in ihrem Reden auch nicht in den Hintergrund, „sondern allen methodischen Voraussetzungen, allen Wissenschaften zum Trotz in den *Vordergrund*" zu stellen.[105]

Nur so läßt sich auch für Barth eine theologische Fakultät an der Universität verstehen. Eine religionswissenschaftliche Fakultät hätte keinen Sinn, da sie nur sage, was ohnehin schon gesagt sei. Aber eine theologische Fakultät hat ihren Sinn, sofern sie von Gott spricht – als Verunsicherung und Beunruhigung. Sie erzählt von etwas außerhalb allen wissenschaftlichen Legitimierungszwanges.

Diese Aufgabe der Theologen, von Gott zu reden, gelingt ihnen immer wieder nicht. Es trotzdem versuchend, können Theologen, so sagt Barth, drei Wege gehen. Und die meisten versuchen wirklich, alle drei Wege zu gehen. Aber sie kommen auf keinem von ihnen wirklich zum Ziel. „Der erste ist der *dogmatische* Weg."[106] Dieser Weg ist für Barth immer noch besser, als biblische Gechichte und geistesgeschichtliche Frömmigkeit zu pflegen. Gegen die Orthodoxie ließe sich für Barth manches sagen, aber sie weiß wenigstens, wovon zu reden wäre, weil sie nicht von der Vergöttlichung des Menschen, sondern von der Menschwerdung Gottes spricht. Andererseits wird hier die Frage des Menschen durch die Antwort einfach niedergeschlagen. Die Menschen

103 Zur Dialektik in diesem Vortrag siehe M. Beintker, Die Dialektik 25-31.

104 K. Barth, Das Wort als Aufgabe 158.

105 Ebd. 162f.

106 Ebd. 167.

können nicht so einfach gegen alle Vernunft glauben, auch wenn sie es gerne wollten.
„Der zweite Weg ist der *kritische*."[107] Hier wird deutlich von der Menschwerdung Gottes geredet. Ja sogar so deutlich, daß der Mensch zu sterben aufgefordert wird. Gott soll nicht mehr ein anderes Gegenüber sein, sondern alles Sein erfüllen. „Falle dies [sc. das eigene Sein des Menschen] endlich und zuletzt dahin, dann werde es gewißlich zu der Geburt Gottes in der Seele kommen. Der Weg der Mystik, auch er wahrhaftig bemerkenswert!"[108] Bemerkenswert ist dieser Weg, weil hier Gott im Zentrum steht und nicht der Mensch. Deswegen heißt dieser Weg für Barth der kritische, weil der Mensch als Mensch überwunden werden muß. Niemand kann nach Barths Meinung ganz auf diesen Weg verzichten. Er ist auch notwendig als Korrektiv zum kulturellen Wahn. Daß dieses Nichts, in das der Mensch sich nach Barth fallen lassen soll, tatsächlich Gott ist und nicht Nichts, wird zwar behauptet, doch ist es nach Barth nicht zu zeigen. So wird die Frage des Menschen letztlich gar nicht beantwortet, sondern nur riesengroß gemacht. Letztlich wird so nicht Gott Mensch, sondern der Mensch nur noch mehr Mensch. Die Frage des Menschen wird nicht beantwortet. Das Kreuz wird aufgerichtet, aber von Auferstehung ist nicht die Rede.
„Der dritte Weg ist der *dialektische*."[109] Er ist im Sinne Barths der beste Weg, und er ist auch der Weg Luthers und der Reformation. „Daß Gott (aber wirklich Gott!) Mensch (aber wirklich Mensch!) wird, das ist da gleichmäßig gesehen als jenes Lebendige, als der entscheidende Inhalt eines wirklichen von Gott Redens."[110] Dieser Weg weiß um die jeweilige Engführung in den beiden anderen Wegen. Diese läßt sich sachlich im Reden nicht vermeiden. Barth räumt ein, daß auch der Dialektiker die wahre Mitte nicht ausdrücken kann. Wenn er sie beschreiben will, wird er entweder zum Dogmatiker oder zum Mystiker, d. h. Kritiker. So kann er nur das Ja am Nein deutlich machen und das Nein am Ja. Auf diese Weise aber wird er immer noch nicht über Gott reden können, sondern er wird Zeugnis ablegen von Gott.
Dabei ist er allerdings methodisch gesehen darauf angewiesen, daß ihm die Frage nach Gott schon entgegengebracht wird. Diese weckt er nicht erst, sondern er setzt sie voraus. „Denn *wenn* dialektisches Reden sich uns bedeutsam und zeugniskräftig erwies – und an einigen Unterrednern Platos, des Paulus und der Reformatoren scheint es sich als das erwiesen zu haben –,

107 Ebd. 169.
108 Ebd. 169.
109 Ebd. 171.
110 Ebd. 171.

dann nicht auf Grund dessen, was der Dialektiker tut und kann, nicht auf Grund seines Behauptens, das in der Tat fragwürdig ist, fragwürdiger als der entrüstete Zuschauer solcher Kunst ahnt, sondern auf Grund dessen, daß in seinem immer eindeutigen und zweideutigen Behaupten die lebendige Wahrheit in der Mitte, die Wirklichkeit Gottes *selbst* sich behauptete, die Frage, auf die es ankommt, schuf, und die Antwort, die er suchte, ihm *gab*, weil sie eben Beides, die rechte Frage und die rechte Antwort *war* ... Aber diese Möglichkeit, die Möglichkeit, daß Gott *selbst* spricht, wo von ihm gesprochen wird, liegt nicht auf dem dialektischen Weg als solchem, sondern dort, wo auch dieser Weg *abbricht*."[111] Dem Dialektiker als solchem geht es also nicht besser als anderen Theologen, eher noch schlechter. Dies gilt jedenfalls insofern, als bei ihm die Not des Redens von Gott am deutlichsten wird. Gerade darin liegt aber seine Stärke.

„*Wir sollen Beides*, daß wir von Gott reden sollen und nicht können, *wissen und eben damit Gott die Ehre geben*."[112] Die Aufgabe von Gott zu reden ist ebenso unmöglich wie notwendig. „So gewiß wir irgendeinen Weg gehen müssen und so gewiß es sich wahrhaftig lohnt, wählerisch zu sein und nicht den ersten besten Weg zu gehen, so gewiß müssen wir bedenken, daß das Ziel unsrer Wege das ist, daß Gott selber rede, und dürfen uns also nicht wundern darüber, wenn uns überall am Ende unsrer Wege und wenn wir unsre Sache noch so gut gemacht hätten, ja dann am meisten, der Mund *verschlossen* wird."[113] Dieses ‚*verschlossen*' erinnert sehr an das μύειν, von dem sich der Begriff Mystik ableitet. Es zeigt Barth in deutlicher Nähe zu der selbstkritischen Position einer negativen Theologie.

1.2 ERSTE SCHRITTE ZU EINEM EIGENEN THEOLOGISCHEN ANSATZ

Während die zuletzt besprochenen Vorträge noch aus Barths Zeit als Pfarrer stammen bzw. dort schon vorgeplant waren und auch inhaltlich eine starke Anlehnung an das Pfarreramt haben, ist nun sein Wirken als Professor näher zu untersuchen. Es spiegelt neben einem bleibenden Bezug zum Pfarreramt

111 Ebd. 174.

112 Ebd. 175.

113 Ebd. 177.

vor allem die Frucht seines Bemühens wider, nach den Wurzeln des Reformiertentums zurückzufragen. Die vorhandene Aversion gegen den modernen Protestantismus, der bisher stärker von der Frage des Glaubensvollzuges her angegriffen wurde, drückt sich nun in dem Bemühen um die historisch-theologischen Grundlagen einer Gegnerschaft zum modernen Protestantismus aus.
Nachdem Barth in der Dialektischen Theologie vor allem Kritik an den Theologen und theologischen Systemen geübt hat, bemüht er sich nun, ein eigenes, positives Konzept zu entwickeln, wie Theologie seiner Meinung nach zu betreiben ist.
Dazu gehören neben der Rückfrage nach der reformierten Lehre auch historische, biblische und exegetische Fragen. Vor allem aber sind Barths Auseinandersetzungen mit Brunner über dessen Schleiermacherbuch und Barths Prolegomena zu nennen. In ihnen versucht er, die hermeneutisch-methodischen Grundlagen für seine dogmatische Theologie zu legen. Barth kommt aber insgesamt in dieser Zeit noch nicht zu einem ihn befriedigenden Konzept.

1.2.1 Rückbesinnung auf die reformierte Lehre

Im September 1923 hielt Karl Barth einen Vortrag für die Hauptversammlung des reformierten Bundes in Emden mit dem Thema: ‚*Reformierte Lehre, ihr Wesen und ihre Aufgabe*'. In diesem Vortrag wird die wachsende Bedeutung des Rückgriffs auf die Tradition deutlich und ihr methodischer Grund reflektiert. Die Grundlagen für Barths eigenen theologischen Ansatz beginnen sich herauszukristallisieren. Barth setzt sich in seinem Vortrag mit der damaligen Strömung in der reformierten Kirche auseinander, die darin besteht, sich möglichst nicht theologisch auf ihr Erbe zu besinnen. Zur Erklärung dieses Phänomens nennt Barth drei Gründe:
Zunächst sei der Begriff ‚Lehre' etwas anderes als ‚Leben' und sei in der theologischen Diskussion derzeit angeblich weniger gut und wichtig. Das Theologische erscheint als ‚unfruchtbar'. Außerdem wird nach Barths Meinung weniger als früher über die Lehre gesprochen, weil der Wille innerhalb der Reformierten, sich näherzukommen, schneller in Erfüllung zu gehen scheint, wenn man sich auf taktische und vermittelnde Fragen beschränkt, wie es in Zürich auf der Tagung geschehen ist. Als dritten und letzten Punkt diagnostiziert Barth ein großes Vakuum in Fragen der Lehre bei den reformierten Kirchen. „Ich glaube mich nicht zu irren, wenn ich sage, daß dies

auch dort gilt, wo man nicht so pietätslos oder – nüchtern war, die überlieferten Lehrnormen geradezu durch Abschaffung als obsolet zu erklären."[114] Doch für Barth ist „die Rede von dem Vorwärtsdrängen zum praktischen Erproben der alten Wahrheiten an neuen Verhältnissen ... eine *Scheinlösung*".[115] Der Inhalt der Predigt ist wichtig. Gleichzeitig wird die Sachauseinandersetzung auch schon mit Blick auf ein Gespräch mit ‚Rom' begründet. Auch Calvin hat erst die Institutio geschrieben und dann kirchenpolitische Briefliteratur.

Reformierte Theologie heißt für Barth Rückwendung zum Anliegen der Reformation. Deswegen kritisiert Barth einige Gründe, reformiert zu sein, und stellt ihnen seiner Meinung nach angemessenere Argumente für das Reformiertentum entgegen.

„Lehr*autorität* ist ihr [sc. der reformierten Lehre] in keinem Sinn die christliche Geschichte, sondern *Schrift* und *Geist*, die für sie *beide* (auch die Schrift!) jenseits der christlichen Geschichte stehen."[116]

Gründe, warum jemand reformiert sein *kann*, gibt es nach Barth viele. Der ein oder andere z. B. „lobt sich sein Reformiertentum wegen der herben gesunden *abnegatio nostri,* die für das Innerste des calvinischen Menschen so bezeichnend erscheint und in der sich doch auch schon etwas von der Glut der Mystik Tersteegens ankündigt ..."[117] Doch diese vielen Wahrheiten, so gut sie sein mögen, sind für Barth nicht zwingend, sondern führen nur zu der *Möglichkeit*, reformiert zu sein. Er betont dagegen die eine Wahrheit, die den Reformierten schon immer ergriffen hat. „Die reformierten Bekenntnisse unterscheiden sich von der Augustana u. a. dadurch, daß sie, in gemessenenen Abstand gegenüber dem *einen Gegenstand* aller Lehre sich begebend, nicht auf die Karte *einer Lehre* alles setzen, sondern, theologisch weniger kunst- und eindrucksvoll mit der Beziehung aller Lehre auf den einen Gegenstand sich begnügen, daß sie es Gott, nicht ihrem Gottes*gedanken*, sondern Gott *selbst*, Gott *allein* in seinem durch Schrift und Geist verkündigten *Worte* überlassen, *die* Wahrheit zu sein."[118] Dieser hermeneutische Standpunkt ist Barth wichtiger als alle Eigenarten und alle Systematik dieser reformierten Lehre.

Einen weiteren Grund, warum manche reformiert sind, sieht Barth in der Frömmigkeit der Reformierten. Nun ist die Frömmigkeit Calvins, der es mit

114 K. Barth, Reformierte Lehre 180.

115 Ebd. 181.

116 Ebd. 186.

117 Ebd. 188.

118 Ebd. 189.

Gott gegen die halbe Welt gewagt hat, auch für Barth beeindruckend. Doch hat sie dennoch hinter der Sache zurückzutreten. „Die Größe der Väter bestand gerade darin, daß sie den Schlagbaum sahen, der aller menschlichen Größe und ihrer eigenen zuerst, höchst konkret in die Quere gelegt war, daß sie so *wenig* mit sich selbst beschäftigt waren, daß ihre Bekenntnisse so gar nicht Darstellungen ihrer immerhin beachtenswerten innern Erlebnisse sein wollten, sondern, und das ist etwas anderes: *testificationes conceptae intus fidei*"[119] Die inneren Erlebnisse als solche werden von Barth also nicht kritisiert, solange sie nicht Gegenstand des Bekenntnisses werden.

Diese Antworten weisen Barth auf das *Schriftprinzip* hin. „*Doctrina* ist das durch die Krisis, die erbarmungslose Läuterung und Reinigung des in der Schrift bezeugten Gotteswortes hindurchgegangene christliche Menschenwort."[120] „*Gott* redet, nicht nur im Evangelium, sondern auch im Gesetz, nicht nur im Neuen, sondern vollgenugsam auch im Alten Testament, nicht nur von Sündenvergebung und ewigem Leben (obwohl schon im ‚Paradeis' auch *davon*!) sondern auch, und mit gleichem Ernst von der Ordnung unseres zeitlichen Daseins, nicht nur als der offenbare und freundliche, sondern auch und immer wieder als der verborgene und schreckliche Gott, nicht nur Glauben, sondern auch (und das ist nicht ganz dasselbe, aber es ist *auch* von Gott) Gehorsam fordernd."[121] Dieser erste Grund ist nicht mehr zu begründen. „... Geist wird nur durch Geist, Gott nur durch Gott erkannt. Weder mechanisch-rational, noch erlebnishaft-irrational ist die Berufung auf diesen Grund gemeint – was hat die Kategorie der Offenbarung mit *diesen* Kategorien zu schaffen? – sondern als schlichte Beugung vor Gottes Selbstkundgebung: *Summa scripturae probatio passim a Dei loquentis persona sumitur* (Calvin)."[122]

Die Selbstbegründung des Wortes Gottes ging verloren. „Die große Misere des modernen Protestantismus setzte ein: Erstarrung der von ihrem erzeugenden Ursprung gelösten Doktrin in der *Orthodoxie*, Flucht in die ebenso irrtümlich mit diesem Ursprung verwechselte christliche Erfahrung im *Pietismus*, Reduktion der nicht mehr verstandenen und in der Tat nicht mehr verständlichen Doktrin auf moralisch-sentimentale Maximen in der *Aufklärung*, endlich Reduktion auch der christlichen Erfahrung auf die Gegebenheit einer höchsten Erscheinung des allgemeinen religiösen Instinktes bei

119 Ebd. 192.

120 Ebd. 194.

121 Ebd.

122 Ebd. 195.

Schleiermacher und seinen Nachfolgern links *und* rechts."[123] Die Reformierten sind nicht mehr durch *Gottes Wort* reformiert, und das ist für Barth der Grund, warum man um die Frage nach der reformierten Lehre sonst herumgeht. Die Selbstbegründung des Wortes ‚Gottes' will Barth also wieder zur Geltung bringen. Damit bahnt sich der Konflikt mit der damals herrschenden liberalen Theologie an.

1.2.2 Der Streit mit Adolf von Harnack um die Methoden der Exegese

In den ersten beiden Heften der Zeitschrift ‚*Christliche Welt*' des Jahres 1923 diskutierten Adolf von Harnack und Karl Barth über Notwendigkeit und Eigenart *wissenschaftlicher* Theologie. In dieser Auseinandersetzung wird Barths Stellung zur Theologie als rein rationaler Wissenschaft aufgrund seines Verständnisses des Reformiertentums deutlich. Zunächst stellte A. von Harnack ganz allgemein ‚*Fünfzehn Fragen an die Verächter der wissenschaftlichen Theologie unter den Theologen*'. Diese Fragen betrafen die Vertreter der Dialektischen Theologie und vor allem Karl Barth, der sich dann auch angesprochen und zu einer Erwiderung veranlaßt sah.
A. von Harnack schreibt am Ende seiner ersten Erwiderung auf K. Barth: „Ich bedaure aufrichtig, daß Ihre Antworten auf meine Fragen nur die Größe der Kluft zeigen, die uns trennt".[124] Die Antworten Barths auf die Fragen Harnacks zeigen diese Kluft in der Tat dadurch sehr eindrucksvoll, daß sie sich nicht auf derselben Argumentationsebene bewegen wie die Fragen, und dies gilt auch wieder für die Replik Harnacks auf Barths Erwiderungen. Ohne auf alle Fragen und Antworten im einzelnen einzugehen, sollen die beiden verschiedenen Perspektiven auf die eine Sache an einigen Punkten deutlich gemacht werden.
Das Thema der Fragen eins bis drei ist die *Offenbarung und ihr Verständnis*. Harnack geht dabei davon aus, daß es genauer wissenschaftlicher Untersuchungen bedarf, um den Sinn des in der Bibel auf verschiedene Weise Gesagten zu verstehen. Was Offenbarung ist und was Inhalt der Offenbarung ist, darf nicht einfach „allein der subjektiven ‚Erfahrung' bzw. dem ‚Erleben' des Einzelnen überlassen" werden.[125]
Dem entgegnet Barth, daß die ‚Wissenschaftlichkeit' der Theologie letztlich

123 Ebd. 197.

124 K. Barth, Ein Briefwechsel mit A. v. Harnack 17.

125 Ebd. 7.

nichts anderes sein könne als „ihre Gebundenheit an die Erinnerung, daß ihr Objekt *zuvor Subjekt* gewesen ist und immer wieder werden muß".[126] Der Inhalt der Offenbarung sei weder durch Erlebnis noch durch Wissenschaft, sondern lediglich im Geiste zu haben und „unterscheidet sich *in der Tat* nicht von ‚unkontrollierbarer Schwärmerei'".[127]

Der zweite Fragenkomplex Harnacks, Frage vier bis sechs, zielt auf das *Weltverständnis*. Wenn doch das Gotteserlebnis so gänzlich anderer Natur ist, wie kann dann Weltflucht vermieden werden, die bei Jesus so eigentlich nicht zu finden ist?

Den Gegensatz nimmt Barth nicht zurück, sondern entgegnet: „Der von Gott erweckte Glaube wird die Notwendigkeit eines mehr oder weniger ‚radikalen' Protestes gegen *diese* Welt nie ganz vermeiden können, so gewiß er eine Hoffnung ist auf das verheißene Unsichtbare."[128] Andernfalls würde man versuchen, „mit Hilfe des verflachten Schöpfungsgedankens das Kreuz zu umgehen".[129] Die Überwindung dieses Gegensatzes bleibt für Barth ein Wunder des unbegreiflichen Gottes.

Die Fragen sieben bis neun beziehen sich auf die *Errungenschaften der Kultur*. Richtungweisend ist A. v. Harnacks siebte Frage: „Wenn Gott alles das schlechthin nicht ist, was aus der Entwicklung der Kultur und ihrer Erkenntnis und Moral von ihm ausgesagt wird, wie kann man diese Kultur und wie kann man auf die Dauer sich selbst vor dem Atheismus schützen?"[130]

Dem hält Barth sein ‚Schlüsselerlebnis' entgegen, daß das Kriegserlebnis als Gotteserlebnis gedeutet worden ist. Mit dem Evangelium hat das nichts zu tun, und ob diese Aussagen die Kultur vor Atheismus schützen oder ihn durch falschen Polytheismus erst hervorrufen, gibt Barth als offene Frage zurück, und er unterstreicht: „Der Weg von der alten zur neuen Welt ist *kein* Stufenweg, *keine* Entwicklung in irgendeinem Sinne, sondern ein neues Geborenwerden."[131]

Die nächsten drei Fragen Harnacks kritisieren, daß auch die Erkenntnis ‚*Gott ist Liebe*', nicht zu einer Beruhigung des unruhigen Christen führen darf, noch daß es dadurch echte Tugenden gäbe, an die man sich halten könne.

126 Ebd. 10.

127 Ebd.

128 Ebd. 10.

129 Ebd. 11.

130 Ebd. 8.

131 Ebd. 12.

Dem entgegnet Barth, daß Christen gerade noch nicht im *Besitz* dieser Erkenntnis Gottes sind. Erst er kann sie dereinst ruhig machen und erkennen lassen, was wirklich eine Tugend und was wirklich schön und gut ist. Vorher wissen sie es nicht. Es wäre „nämlich *Abfall* des Menschen von *Gott* und Verlorensein in eine Gottähnlichkeit", ohne Paradoxien zu reden, schon genau wissend, wie Gott wirklich ist.[132]
Im letzten Fragenkomplex geht es Harnack noch einmal um die *Unverzichtbarkeit der kritischen Vernunft.* Für Harnack wäre sonst dem ‚gnostischen Okkultismus' Tür und Tor geöffnet, die Person Jesu als *gemeinsame* Mitte und die Überzeugungskraft der Theologie verloren.
Wie zu erwarten entgegnet Barth, indem er der kritischen Theologie vorwirft, eine „besondere ‚religiöse' Erkenntnisquelle" entdeckt zu haben, die keine ist.[133] Die Person Jesu als gemeinsame Mitte wird für ihn auch nicht durch Wissenschaft, sondern durch den Heiligen Geist gewährleistet, und so verliert die Theologie letztlich auch an Überzeugungskraft, wenn sie sich auf allgemeine wissenschaftliche Methoden zurückzieht, statt „Zeuge des *Wortes* von der Offenbarung" zu sein.[134]

1.2.3 Die Vorlesung über Schleiermacher 1923/24

Karl Barth hat sich in seinem theologischen Werdegang immer wieder mit Schleiermacher auseinandergesetzt. Er tat dies nicht folgsam, sondern im Protest. Er konnte Schleiermacher ‚nicht mehr so recht glauben'. Diese Haltung war insofern schon etwas Besonderes, als Schleiermacher viel galt und fast alle Theologen in gewisser Abhängigkeit von ihm standen. Andererseits war es aber auch Karl Barth, der Schleiermacher immer wieder einen ganz besonderen Platz in der Theologie zugestand. Während Emil Brunners Kritik wesentlich ‚vernichtender' gewesen ist, hat Barth stets viel Respekt vor Schleiermacher gezeigt und davor gewarnt, zu schnell mit diesem Mann ganz fertig zu werden.[135] Diese Warnung hat er vor allem später wiederholt, als seine eigenen Schüler meinten, die Theologie Schleiermachers nun endgültig vergessen zu können.[136] Diese Mischung aus Kritik und Respekt, die

132 Ebd.

133 Ebd. 12.

134 Ebd. 13.

135 Vgl. J. Davison, Can God speak, bes. 189f.

136 K. Barth, Die Theologie Schleiermachers 1-12; K. Barth, Die protestantische Theologie VI.

Barth Schleiermachers Theologie entgegenbringt, gilt auch dessen Mystikverständnis. Dieses hat Barth stärker beeindruckt als das irgendeiner anderen Tradition. In der vorliegenden Untersuchung werden einige Beispiele für den Gebrauch des Begriffs ‚Mystik' bei Schleiermacher angeführt, die auch in etwa seiner Grundkonzeption entsprechen.

Das Besondere an dem Einfluß Schleiermachers formulierte Barth so: „Paulus und die Reformatoren *studiert* man, mit den Augen Schleiermachers aber *sieht* man, und in seinen Bahnen *denkt* man ... Schleiermachersche Methode, Schleiermachersche Voraussetzungen sind heute bewußt oder unbewußt, gewollt oder ungewollt das charakteristische Ferment so ziemlich aller theologischen Arbeit."[137]

Bevor zur Darstellung einzelner für unser Thema interessanter Passagen übergegangen werden kann,[138] ist eine Bemerkung zu Barths Hermeneutik angebracht. Dietrich Ritschl schreibt in seinem Vorwort zu Barths Schleiermachervorlesung eine methodisch treffende und bedeutsame Notiz. „Schleiermacher wird in der Vorlesung von seiner Einwirkung auf das 19. Jahrhundert her interpretiert, auch wenn dies nicht das deutlich ausgesprochene Programm ist. Kaum ein Satz – sieht man von den gelegentlichen Hinweisen auf die Herrenhuter Familientradition Schleiermachers ab – wird den theologischen oder philosophischen Alternativen des zu Ende gehenden 18. Jahrhunderts gewidmet. Auch zu einer eigentlichen Analyse der Romantik und der Denk- und Sprachbedingungen Schleiermachers soll es nicht kommen. Verzichtet wird auch auf eine ausgeführte Auseinandersetzung mit anderen Interpreten."[139] Dieses Vorgehen Barths ist wohlüberlegt. In einer Vorrede sagt er zu seinen Studenten, „der Zweck meiner Vorlesung ist nicht der, Sie gegen den allverehrten Schleiermacher scharf zu machen, sondern ihn mit Ihnen sehen, kennen und verstehen zu lernen, nicht, Sie zu der Anmaßung anzuleiten, fertig mit ihm zu sein, sondern bescheiden mit ihm ‚anzufangen', überhaupt nicht über ihn abzuurteilen, sondern ihn zu begreifen, wie er nun einmal war und offenbar sein mußte".[140] Auf eine historische Einordnung als Grundlage der Darstellung hat Barth etwa im Gegensatz zu seiner Calvinvorlesung verzichtet, mit der Begründung, daß sich dies bei einer negativen Voreinstellung

137 K. Barth, Die Theologie Schleiermachers 1.

138 J. Davison, Can God speak 200, nennt unabhängig von unserem Frageinteresse drei wichtige Punkte der Kritik Barths an Schleiermacher: „the relativisation of revelation; the depersonalisation of God; and the anthropologising of theology".

139 K. Barth, Die Theologie Schleiermachers IX.

140 Ebd. 6.

vom eigenen systematischen Standpunkt her auf die korrekte Darstellung des Betroffenen negativ auswirken könnte.[141]
Der Begriff ‚Mystik' spielt bei der Interpretation Schleiermachers für Barth insgesamt keine so große Rolle. Die Auseinandersetzung ist sicherlich nicht daran festgemacht wie etwa bei Emil Brunner. Worum es Barth vielmehr geht, sind Grundzüge des theologischen Denkens, nicht ein bestimmter Begriff. Da wir aber der Bedeutung des Begriffs ‚Mystik' bei Barth nachgehen wollen, beschäftigen wir uns hier nicht mit der inhaltlichen Auseinandersetzung, sondern gehen nur der Verwendung des Begriffs nach, der interessanterweise nicht in das Register der Edition aufgenommen worden ist, obwohl er immerhin über zehn Mal vorkommt und gerade in der Auseinandersetzung Barths mit Schleiermacher, wenn nicht von überwiegender Bedeutung, so doch auch nicht unwichtig ist.

1.2.3.1 Predigten und Weihnachtsfeier

Bei der Darstellung der *Sonntagspredigten* gibt Barth als eine der Schwierigkeiten Schleiermachers mit der *Christologie* den *Absolutheitsanspruch* an. Diese Schwierigkeit bekommt wiederum aus mehreren Einwänden Nahrung. Einen stellt Barth wie folgt vor: „Wir hörten bereits in jener vorletzten Frühpredigt (2. Sonntag p. Epiph. 1834, VI 188): Wir können ‚leicht in Versuchung kommen zu sagen, das Licht ist doch nicht das rechte gewesen, die Menschen bedürfen noch eines anderen, was ihnen nicht kommen kann von außerhalb, sondern tief aus ihrem eigenen Innern'. Hier haben wir es offenbar mit dem *mystischen* Einwand gegen die absolute Bedeutung der Erscheinung Christi zu tun."[142] Wir sehen, daß Barth bei dieser Beschreibung Schleiermachers von einem Einwand gegen die Absolutheit des Christusgeschehens, nämlich der Notwendigkeit einer zweiten Offenbarungsquelle, die innerlich spricht, ausgeht. Diesen kann er problemlos mit dem Wort *mystisch* beschreiben. In einer solchen Eigenart und Funktion ist Mystik für Barth nicht akzeptabel.
In der '*Weihnachtsfeier*' läßt Schleiermacher den Gastgeber Eduard sagen, „daß er sich weniger an die ‚*mythischen* Lebensschreiber Christi' halten wolle [gemeint sind die synoptischen Evangelisten, 1826: ‚die mehr äußerlichen Lebensbeschreiber'] als an den *mystischen* (Johannes), ‚bei dem fast (gar) nichts Geschichtliches vorkommt [1826: ‚bei dem gar wenig von einzelnen Begebenheiten vorkommt'], auch kein Weihnachten äußerlich, in

141 Ebd. 8f.

142 Ebd. 48.

dessen Gemüt aber eine ewige kindliche Weihnachtsfreude herrscht. Dieser gibt uns die geistige und höhere Ansicht unseres Festes' (52)."[143]
Bei Barths Besprechung der *Karfreitagspredigten* Schleiermachers tritt der Begriff Mystik in Verbindung mit dem Tod (Jesu) in einer nach Barth für Schleiermacher typischen Form auf. „Der Sinn des Todes Christi erschöpft sich nach Schleiermacher eben darin, daß er der Gipfel ist dessen, was der Mensch in der Beziehung auf Gott vollbringen kann, in dem Aufgehen seines menschlichen Willens in dem göttlichen (wie die Menschwerdung nach ihm nichts Anderes bezeichnet als den Triumph der menschlichen Natur, ‚erhöhte Menschlichkeit'). Es ergibt sich von diesem Sinn des Kreuzes aus, was sich vor der mystischen Anschauung der Vereinigung von Gottes- und Menschenwillen zu allen Zeiten ergeben hat: einerseits die *Deklassierung* aller nicht-mystischen, vermeintlich äußerlichen, in Wirklichkeit: aller kontingenten Beziehung zwischen Gott und Mensch, andererseits die Aufrichtung eines *Ideals*, eines freilich höchst geistig und lebendig geschilderten Gesetzes, dem wir nachzustreben, uns anzugleichen haben. Endlich als die Mitteilung dieses Heilsgutes an uns die Eingießung und Aufnahme desselben Gehorsams, der in Christus war, *in uns*, zweifellos dasselbe, was einst in der Reformationszeit Lutheraner und Reformierte als die Irrlehre des *Andreas Osiander* von der iustitia essentialis gemeint haben, aus der evangelischen Kirche ausscheiden zu müssen. Der Kirchenvater des 19. Jahrhunderts hat sie in optima forma wieder zu Ehren gebracht."[144]
Auf diese Deutung des Kreuzestodes durch Schleiermacher geht Barth dann bei der Interpretation der *Osterpredigten* noch einmal ein. Er wirft ihm generell vor, daß er kein Verlorensein des Menschen kennt und demzufolge auch keine echte göttliche Rechtfertigung. Die Behauptung der *Scheintodhypothese* hinsichtlich Tod und Auferstehung Jesu ist dann nur konsequent. „Wie ja auch die Weihnacht letztlich nichts Anderes bietet als die Anschauung des vollkommenen Menschen in seinem *Sein*, der Karfreitag dieselbe in seinem in der mystischen Vereinigung mit Gott gipfelnden *Tun*."[145]

143 Ebd. 126.
144 Ebd. 166.
145 Ebd. 187.

1.2.3.2 Wissenschaftliche Arbeiten

Nicht nur in seinen Kommentaren zu Schleiermachers Predigten spielt der Begriff Mystik bei Barth eine Rolle, sondern auch in Barths Anmerkungen zu Schleiermachers Werk ‚*Der christliche Glaube nach den Grundsätzen der evangelischen Kirche im Zusammenhang dargestellt*'.

Nachdem Barth Schleiermachers drei Sprachformen in der Verkündigung dargelegt hat,[146] kritisiert er gerade den von Schleiermacher hergestellten Zusammenhang von christlichem Glauben und evangelischer Kirche. Hier setzt Barths eigentliche Kritik an. Er spricht davon, daß es „Schleiermachers mystischer Agnostizismus [ist], der in dieser Lehre von den drei Formen zur Auswirkung kommt. Wir verstehen von hier aus das früher Gesagte: der Charakter der Einleitung als des Ortes, wo nicht der Wahrheitsbeweis für das Christentum, wohl aber der für das Gefühl angetreten wird, der Charakter des zweiten Teils mit seinem Relativismus von Sünde und Gnade, der Charakter des ersten Teils, wo die Einheit des spezifisch christlichen Gefühls mit dem in der Einleitung als wahr oder doch als wirklich erwiesenen Gefühl überhaupt nachgewiesen wird."[147]

Schleiermacher nimmt nach Barth drei Stufen des Selbstbewußtseins an: „1. die *tierartig verworrene*"[148], die dem Tier und dem einschlafenden Menschen zu eigen ist; „2. die *sinnliche*"[149], in der Gefühl und Anschauung auseinandertreten; „3. das *schlechthinnige Abhängigkeitsgefühl*"[150], in dem sich das fühlende Subjekt wieder mit dem sich in der Anschauung Entgegengesetzten identisch zusammenfaßt. Barth bezeichnet dies als „Aufstieg vom Wachtraum über das gegenständliche Bewußtsein zum mystischen Alleinheitsgefühl"[151]. Er bezeichnet die dritte Stufe auch als „mystische Ekstase".[152] Aber in dieser Ekstase sieht Barth nur einen Ausdruck des eigenen Gefühls und nicht ein besonderes Verhältnis zu Gott.

146 Die erste Form ist der *dichterische* Ausdruck des innerlichen Gefühls, die zweite nennt Schleiermacher die *rednerische*, die mit bewegtem Interesse auf einen bestimmten einzelnen Erfolg der Verkündigung aus ist. Die dritte Form ist die *darstellend belehrende*. Hierzu gehören dogmatische Sätze, die nach Barths Meinung didaktische Funktion haben und ein widerspruchfreies System bilden sollen. K. Barth, Die Theologie Schleiermachers 366f; F. Schleiermacher, Der christliche Glaube §§ 15-19, bes. § 16 der Einleitung (ed. M. Redeker, Berlin 1960) 1, 105-125.

147 K. Barth, Die Theologie Schleiermachers 374f.

148 Ebd. 388.

149 Ebd.

150 Ebd. 389.

151 Ebd.

152 Ebd.

Für Barth ist bei Schleiermacher der *moderne Protestantismus* im Grunde beschreibbar als „Mystischer Quietismus ..., möchte er zugleich Kulturreligion, Hebel, Ferment und Ziel aller menschlichen Tätigkeit, aller Freude und alles Schmerzes sein."[153] In dieser allgemeinen kulturellen Ausrichtung ist diese Richtung für Barth kaum mehr christlich zu nennen. Zwar räumt Barth hier ein, eine „Theologie vom Menschen aus ist an sich nichts Unmögliches", sie müßte dann aber ähnlich wie bei Kiekegaard ansetzen, mit der ‚Krankheit zum Tode', „an der der Mensch in bezug auf Gott leidet. Schleiermachers Theologie aber will, von der Aufgabe einer *christlichen* Theologie *noch* weiter entfernt als Kierkegaard, unter dem Vorwand christlicher Theologie ein *Triumphlied* des Menschen anstimmen, *seine* mystische Vereinigung mit Gott und *seine* Kulturtätigkeit *gleichzeitig* feiern, und daran scheitert sie und muß sie scheitern."[154] Demgegenüber wäre es nach Barth Aufgabe einer christlichen Theologie, den Spruch ‚Bete *und* arbeite' in Gott zu suchen und von ihm her den Menschen zuzusagen. „Man muß also [in] §9,2, wo das Wort *Christentum* steht, in Gedanken immer ergänzen: Schleiermachersches, modern-protestantistisches Christentum, das, nachdem es aus dem Taumelkelch der Mystik soeben einen tiefen, wenn auch nicht ungehemmt freudigen Zug getan, 1. ehrlich genug ist, sich einzugestehen, daß es schon aus historischen Gründen unter dem Namen des *Christentums* so nicht weitergeht, 2. wie mit unsichtbaren Händen festgehalten an der kontingenten Wirklichkeit des Christentums ohne den Namen des Christentums auf seiner eingeschlagenen Bahn nicht weiterlaufen will, 3. in gewisser Verlegenheit sich bewußt wird, daß der moderne Mensch ohnehin bloß mit Mystik nicht auskommt und daß es an der Zeit ist, an ein Komplement zu denken. So also kommt das Christentum zu der Würde einer theologischen Religion, und daß es, wie gezeigt, als solche von dem apologetischen Wahrheits- und Wertbeweis nicht mehr erreicht wird, ist im Rahmen der *Dogmatik*, die es nun einmal mit der mystischen Seite, mit dem schlechthinnigen Abhängigkeitsgefühl zu tun hat, kein großer Schade."[155] Am Ende von Abschnitt 2 ‚Die Religionen' hält Barth fest, daß Schleiermacher unter Offenbarung lediglich die Ursache für das jeweilige Sosein der verschiedenen Religionen sieht. „Mag er sich nachher 800 Seiten lang ungehindert aussprechen, ohne sich um die Einleitung zu kümmern. Daß er nun irgendwo in der Mitte zwischen Mystik und Kulturreligion religionsphilosophisch eingegliedert, daß die Offenbarung im eigentlichen Sinn so ganz im Vorbeigehen, noch

153 Ebd. 410.

154 Ebd.

155 Ebd. 411.

bevor er sich dazu äußern konnte, *geleugnet* worden ist, darüber wird er sich ja gewiß nicht beklagen wollen."[156] Auch hier wird wieder deutlich, daß Barths Hauptkritik dem generellen Begründungszusammenhang bei Schleiermacher gilt. Barth sieht das Christentum letztlich auf einem Gefühl aufgebaut, und genau das ist für ihn nicht das Christentum. Dieses muß für Barth auf Christus aufgebaut sein und dem Glauben an ihn.
In der ersten Rede der *Reden über die Religion* beschreibt Schleiermacher nach Barth seine eigene Sendung. Er entwickelt „aus dem Urgegensatz des Realen und Idealen den Begriff des *Mittlers*, der, von der Gottheit gesendet, das Gleichgewicht zwischen Sinnlichkeit und Enthusiasmus hält und so die notwendige Brücke bildet zwischen dem endlichen Menschen und der unendlichen *Menschheit*. Begabt mit mystischer und schöpferischer Sinnlichkeit, strebt sein Geist in das Unendliche, um ringend nach Bildern und Worten von da wieder ins Endliche zurückzukehren, als Dichter oder Seher, als Redner oder Künstler."[157] Auch hier wird von Barth mit der ‚mystischen Sinnlichkeit' ein aktives Tun, ein Aufsteigen des Geistes in das Unendliche beschrieben. Mystik und Tod liegen meilenweit auseinander. Die Bedeutung der Gnade wird für Barth nicht grundlegend genug dargestellt.
Zum Schluß ist noch eine Stelle anzuführen, die von R. Otto als Schlüsselstelle und Hinweis auf Schleiermachers mystisches Verständnis der Seele interpretiert wird. Barth schließt sich hier an. Zunächst das Schleiermacherzitat: „Könnte und dürfte ich ihn doch aussprechen, andeuten wenigstens, ohne ihn zu entheiligen! Flüchtig ist er und durchsichtig wie der erste Duft, womit der Tau die erwachten Blumen anhaucht, schamhaft und zart wie ein jungfräulicher Kuß, heilig und fruchtbar wie eine bräutliche Umarmung; ja, nicht *wie* dies, sondern er *ist* alles dieses *selbst*. Schnell und zauberisch entwickelt sich eine Erscheinung, eine Begebenheit zu einem Bilde des Universums."[158] Barth kommentiert direkt im Anschluß wie folgt: „Bitte beachten Sie nun die Fußnote, die *R. Otto*, ein gewiß unverdächtiger Zeuge, zu dieser Stelle macht: „Dieser Satz ist der Schlüssel zu Schleiermachers Gedanken vom *Erleben des Ewigen*. Er meint damit zwar keine ekstatischen Entzückungen, kein visionäres Schauen, sondern das Innewerden des Unendlichen in und am Endlichen, d.h. des ewigen Wesens, Gehaltes, Grundes vor allem Sein und Geschehen um uns her, das dem anschaulichen Gemüte in unmittelbarem Erleben und Gefühl – in individuell unendlich verschiedener Weise – gewaltig und ergreifend aufgehen soll. *Doch aber setzt*

156 Ebd. 421.

157 Ebd. 440.

158 F. Schleiermacher, Über die Religion 2. Rede 73f. (ed. R. Otto, Göttingen 1906) S.47.

er damit ganz offenbar eine genuin mystische Veranlagung der menschlichen Seele voraus: nämlich aus sich heraus das Ewige, das Göttliche, in den zeitlichen Dingen zu spüren, *und so ihr eigener Prophet zu sein*, selber ‚eigene Wunder', ‚eigene Offenbarungen' zu erleben."[159] Barth fährt dann fort: „Eben gerade dies meine ich auch und möchte nur noch hinzufügen, daß eben diese Einheit von Anschauung und Gefühl, in der die menschliche Seele, mystisch veranlagt, wie sie ist, ihr eigener Prophet wird, nachher schlechthinniges Abhängigkeitsgefühl heißen und das Grundprinzip der angeblich christlichen Glaubenslehre werden wird."[160] Gegen diese Bedeutung des Gefühls als Grundlage des Christentums wehrt sich Barth. Insofern kritisiert er auch die Mystik, wenn sie als grundlegendes Gefühl verstanden wird und insofern die Offenbarung in Christus und den Glauben an ihn überflüssig macht.

1.2.4 Die Auslegung des Johannesevangeliums

Im Wintersemester 1925/26 hielt Barth in Münster eine vierstündige Vorlesung über das Johannesevangelium. Diese Vorlesung war ihm sehr wichtig und nahm ihn ganz in Beschlag. Er hielt die Vorlesung vertretungsweise 1933 in Bonn noch einmal. In dem ganzen Semester ist er nur bis zum 8. Kapitel gekommen. Wir wollen unser Augenmerk vor allem auf die Einleitung richten, in der er Augustinus zitiert, und auf die beiden einzigen Stellen, in denen er von Mystik spricht.

In der Einleitung interessiert Barth vor allem die Frage, inwiefern der Mensch als Mensch Hörer des Wortes Gottes sein kann. Nach längeren Zitaten von Augustinus[161] hält Barth als Quintessenz der Frage, inwieweit Johannes das Wort *Gottes* sagt, und inwieweit der Mensch als Mensch in der Lage ist, dieses als *Wort Gottes* zu hören, drei Punkte fest:
1. Das Evangelium kann nur verstanden und wissenschaftlich behandelt werden, wenn sein existentieller Bezug als Offenbarungstext zu dem Hörer als getauftem Christen in der Kirche mitbedacht wird. In einer anderen Weise als der Frohen Botschaft existiert es nicht.
2. Johannes vermittelt nur ein Licht, das er empfangen hat, das aber tut er, so

159 F. Schleiermacher, Über die Religion (ed. R. Otto, Göttingen 1906) 47 Anm. von R. Otto. Die Schrifthervorhebungen sind von Barth, nicht von Otto.

160 K. Barth, Die Theologie Schleiermachers 451f.

161 Augustinus, Tractatus in Ioannis Evangelium 1f. u. 5-7.

gut er kann, allerdings wird dabei nicht die ganze Fülle des Lichtes vermittelt. Der Christ steht, darauf weist Barth hin, vor dem historischen Problem, daß er sich an das Wort eines Menschen, des Menschen Johannes binden lassen muß. Wenn er dies tut und wenn es Gott gefällt, dann allerdings spricht Gott selbst zu ihm, und deswegen nur bindet sich der Christ an das Wort des Johannes.

3. Der Glaube ist nach Barth nichts anderes als die Erleuchtung, mit der die Schrift gelesen werden muß, wenn sie verstanden werden soll. Doch so, wie diese Erleuchtung nur von Gott kommt, so pflichtet Barth der Ermahnung Augustins bei, daß es noch etwas für den Menschen zu tun gibt: sursum corda, Erhebet eure Herzen! „Die Mystik des Neuplatonismus und die Aszetik der hellenistischen Mysterienreligionen reden jedenfalls auch zu uns, wenn wir uns von Augustin sagen lassen, was er darunter verstanden hat: Es gilt, von den Bergen, die wir mit Augen sehen, emporzusteigen, höher und immer höher zu dem Unsichtbaren, der die sichtbaren Berge geschaffen hat, wie Johannes selbst als Empfänger der göttlichen Gabe eben darin ein höchster Berg war, daß er über alles Geschaffene, über alle Himmel und Engel emporstieg zu dem ungeschaffenen Wort, das am Anfang war. Und damit unsere Herzen das können, bedürfen sie – denn sie sind fleischlich – der Reinigung, der Katharsis, und zur Reinigung der Enthaltsamkeit. Das sind uns zunächst fremde Töne. Aber ganz und endgültig können und dürfen sie uns unmöglich fremd bleiben."[162] Die Christen haben nach Barth also ihre Herzen zu erheben, damit Gott sie dann füllen kann. Mit dieser Einführung zeigt Barth, daß seine Einstellung dem sehr nahe ist, was man unter Mystik zu verstehen hat. Barth ist sich ja dieser Nähe auch sehr wohl bewußt, wie man dem ersten Satz dieses Zitats entnehmen kann. Ebenso räumt er an dieser Stelle ein, daß der Christ sich *dies* von der Mystik sagen lassen muß. Die Auslegung des Gesprächs Jesu mit der Frau am Jakobsbrunnen (Joh 4,1 bis 26) ist ein sehr gutes Beispiel, in dem deutlich wird, wie Barth einerseits eine Theologie vertritt, die sehr wohl mystische Züge beinhaltet, andererseits aber selber eine Vorstellung mit dem Begriff Mystik verbindet, die ihn zu diesem Begriff immer wieder auf Distanz gehen läßt. Er räumt ein, daß das Gegenüber zwischen Beter und Gott sich auflösen wird, daß der Geist Gottes selber im Beter sein wird. Barth betont dabei allerdings, daß der Mensch sich dies nicht anrechnen darf als Verdienst, weil letztlich der Geist Gottes es ist, der im Menschen wahrhaft glaubt und anbetet. „Die Stunde kommt, wo er, ohne aufzuhören, der Mensch zu sein – um προσκύνησις um

162 K. Barth, Erklärung des Johannes-Evangeliums 10.

Anbetung im Staube handelt es sich wahrlich nach wie vor –, der Offenbarung nicht mehr genüber, sondern in der Offenbarung steht, ἐν πνεύματι καὶ ἀληθείᾳ und *so* anbetet. Das hat mit mystischer Theifizierung natürlich gar nichts zu tun, wohl aber mit dem, was 3,3ff. die neue Geburt, die Geburt des Menschen von oben genannt wurde." Das in 3,5 mit πνεῦμα bezeichnete, so fährt Barth fort, ist *„Gott in Person, der bei den Menschen eintritt für sein eigenes Tun an ihnen, sich* ihnen möglich macht, wie er nach der ersten Definition möglich macht für *sich selber.* Das fatale Gegenüber von Mensch und Offenbarung in der religiösen προσκύνησις wird also aufgehoben, die προσκύνησις wird ἀληθινή dadurch, daß Gott den Menschen im Geist und in der Wahrheit gegenwärtig ist, so, daß in der erkannten Wahrheit der Geist ihnen wahr wird, sich offenbart."[163] Die Problematik einer solchen Deutung, wenn sie konsequent betrieben wird, liegt darin, daß es letztlich der Heilige Geist selbst im Menschen ist, der Gott anbetet, der Mensch also im Grunde gar nichts mehr damit zu tun hat. Daß Barth diese Stelle hier so gedeutet wissen will, ist unwahrscheinlich, da er ja vorher bei Augustin über die relative Bedeutung nachgedacht hat, die der Bereitung des Menschen, nämlich dem Erheben seines Herzens, zukommt. Der einzige Vorwurf, der hier tatsächlich an die Adresse der Mystik gemacht wird, ist der Vorwurf an den Menschen, selber sein zu wollen wie Gott. Ob die Mystik sich selber so versteht, ist fraglich.[164]

1.2.5 Die ersten Prolegomena

Die Stellung Karl Barths in der Göttinger Fakultät war keineswegs gleichberechtigt gegenüber den ordentlichen Professoren. Er wollte gerne eine Dogmatikvorlesung ankündigen, doch auf Betreiben Stanges sollte sie den Beisatz *reformierte* Dogmatik führen, denn sonst wäre sie als lutherische zu verstehen gewesen. Auf die Eingrenzung ‚reformierte' wollte sich Barth jedoch nicht einlassen, da er dann den ökumenischen Charakter preisgegeben hätte. Da sich Stange aber politisch gegen ihn durchsetzen konnte,[165] nannte Barth seine Vorlesung im Anschluß an Calvin ‚*Unterricht in der*

163 K. Barth, Erklärung des Johannes-Evangeliums 248f.

164 Die Perikope 4,27-42 wird von K. Barth, Erklärung des Johannes-Evangeliums, auf Seite 252 als nicht mystisch deklariert. Er weist demgegenüber darauf hin, daß Sämann und Schnitter nicht einer sind, sondern sich gegenüber stehen bleiben, so wie Gott und Mensch nicht verschmelzen.

165 Seine Auffassung wurde vom Kultusministerium Berlin bestätigt!

christlichen Religion'. Dabei handelte es sich nicht, wie manche vermuteten, um eine Annäherung an die Religionspädagogik, sondern um eine Übersetzung des Titels von Calvins Hauptwerk, der Institutio religionis christianae.[166]
Die Vorlesung ,*Unterricht in der christlichen Religion*' stellt den ersten systematischen Versuch Barths dar, den durch die Dialektische Theologie kritisierten Theologien einen eigenen Entwurf von Theologie entgegenzustellen. Interessanterweise versteht sich Barths Veranstaltung zwar als reformierte Vorlesung, doch ist sie auch ,ökumenisch', zumindest insofern, als sie verstärkt die Väter, die Scholastik,[167] die katholische und die griechische Theologie in ihre Überlegungen mit einbezieht. Bei der Auseinandersetzung mit der orthodoxen Theologie vermutet Barth in der Frage *des filioque* bei der griechischen Lösung eventuell einen „Reflex der stärker mystisch gerichteten Frömmigkeit des Ostens, die den Menschen an der Offenbarung im Sohne vorbei in direkte Beziehung zum ursprünglichen Offenbarer, zum ,principium et fons deitatis' setzen möchte".[168]
Zum Problemfeld der hypostatischen Union stellt Barth vier Sätze auf, die für ihn quasi als Bedingung dafür gelten, daß so etwas wie Menschwerdung Gottes möglich sein sollte. „1. Gott müßte ganz und gar *Gott sein* in dieser Verhüllung ... 2. Der Mensch, durch den Gott sich verhüllte und dadurch begreiflich machte, müßte ebenso ganz und gar *Mensch sein* ... 3. Dieses wirkliche *Gottsein und Menschsein* müßte so verbunden sein, daß weder das Eine in das Andere verwandelt noch mit ihm vermischt würde."[169] „4. Diese Einheit von Gottsein und Menschsein könnte ihrem Wesen nach nicht eine allgemeine und nicht eine vielfache sein, sondern nur eine einmalige. Nicht eine *allgemeine*: es hat schon die ganze Hybris gewisser Richtungen der Mystik und in den Spuren dieser Mystiker die Hybris des spekulativen Idealismus dazu gebraucht, um aus der Idee der Gottmenschheit ein allgemeines Prädikat der Humanität ... zu machen ... Aber die Einheit von Gottsein und Menschsein könnte auch keine *vielfache* sein. Es könnte nicht mehr als einmal geschehen, daß Gott dem Menschen als Mensch begegnet."[170]
Barth versteht also den Mystiker als einen anderen Christus und lehnt dies entschieden ab. Der Mensch bleibt immer nur der Mensch. Dies gilt

166 Vorwort von H. Reiffen, in: K. Barth, Unterricht Bd.1 VII-IX; E. Busch, Lebenslauf 168f.

167 Die Vorlesung beginnt mit einem Gebet des Thomas von Aquin.

168 K. Barth, Unterricht Bd.1 159.

169 Ebd. 169.

170 Ebd. 170.

insbesondere für das Gebiet der Rechtfertigung. Dem ist der Mensch durch nichts enthoben.
Im Kapitel ‚Glaube und Gehorsam' weist Barth darauf hin, daß dem Menschen ekstatisch-mystische Trance-Zustände widerfahren können, daß diese ihn aber nicht qualitativ aufwerten, sondern in seinem Sündersein vor Gott belassen.[171] Dabei wirft Barth Schleiermacher vor, daß durch seine Nähe von Gott und Mensch er selber in die Nähe des „Quietismus der Mystik" gerückt ist, weil Glaube und Gehorsam bei einer solchen Nähe zu Gott für den Menschen nichts mehr besagen.[172] Gehorsam ist jedoch gegenüber den Dogmen angebracht. Dabei gilt allerdings: „... so wenig man sich an den Explikationen, an den konkreten Mitteilungen und Forderungen, also an den Dogmen *vorbei* ins Allgemeine, Mystische und Unmittelbare flüchten darf, weil man sich sonst vor der Offenbarung selbst flüchtet, so wenig sind die Explikationen *selbst* die Offenbarung, so wenig stehen wir *damit* vor Gott, daß wir vor einer noch so vollständigen Summe von Offenbarungswahrheiten stehen."[173] Der Satz „nicht mehr ich lebe, sondern Christus lebt in mir"(Gal 2,20) soll nach Barth *ohne* alle Christusmystik interpretiert werden. Er besagt, daß es der Mensch noch so gut tun kann, es aber nicht gut genug tut, wenn es nicht Gott auch tut – in ihm für ihn. Daß diese Sichtweise für Barth nicht mystisch sein kann, liegt an seinem Vorverständnis von Mystik, nach dem diese immer Tat des Menschen ist.
Zur Erhellung des Zusammenhangs von Freiheit und Gehorsam beruft sich Barth auf Calvin. „Wenn nicht bei Luther, so doch bei Calvin ist es ganz deutlich, daß die Reformation von der einen Seite ebenso bestimmt als Kampf *für* Gottes Ordnung, für die Autorität der Kirche *gegen* Willkür, Eigenmächtigkeit und Verlotterung wie von der anderen Seite her als Kampf *für* die Unmittelbarkeit des Gewissens, für die Freiheit und Verantwortlichkeit des Einzelnen *gegen* die Tyrannis einer Pfaffenkirche [aufzufassen ist]. Daß das Freiheitsprinzip isoliert, undialektisch das Wesen des Protestantismus sei, das wird man, wenn man nicht Protestantismus mit Aufklärung oder Mystik verwechselt, so wenig zugeben, als ein kluger Katholik sich auf das Autoritätsprinzip versteifen wird."[174]
Hinsichtlich der hermeneutischen Frage stellt Barth fest, daß es kein Bibellesen ohne philosophische Voreinstellung geben könne. Dies müsse man

171 Ebd. 218.
172 Ebd. 233.
173 Ebd. 238f.
174 Ebd. 307f.

wissen und zugeben. Welche Denkvoraussetzungen jemand mitbringt, ist „in bestimmtem Sinn geradezu entscheidend, nämlich für die Feststellung der Schriftgedanken, dessen, was mit dem, was im Text gesagt *ist*, *gemeint* ist, gesagt *sein soll*. Gefühlswerte mystischer Art meint der Eine als den eigentlichen Inhalt der Bibel zu finden, eine halb idealistische, halb pietistische ethische Pragmatik der Zweite, ein himmlisch-irdisches Weltdrama der Dritte, während man bei dem Vierten den Eindruck hat, er meine – auch das beruht auf einer Philosophie –, daß die Bibel überhaupt nichts meine und sagen wolle."[175] Diese Bedingtheit menschlicher Rede gilt auch für die Weitergabe der biblischen Offenbarung. „Wie die menschliche Natur Christi *menschliche Natur* ist und bleibt, bleiben muß gerade in der Offenbarung des Logos, wie das historische Datum der heiligen Schrift *historisches Datum* ist und bleibt, bleiben muß gerade als Zeugnis von der Offenbarung des Logos, so ist und bleibt unser Reden von Gott *unser* Reden von Gott ohne alle Mystik, Verschmelzung, Verwandlung, *muß* es bleiben *gerade* als Mitteilung der Offenbarung."[176]

In § 16 von Band 1 des ‚*Unterrichtes in der christlichen Religion*' beschäftigt sich Barth mit dem ‚Wesen Gottes' und der grundsätzlichen Möglichkeit seiner Erkennbarkeit. Dort betont Barth, daß Gott nicht ein der Erkenntnis zur Verfügung stehender *Gegenstand* ist. „An die Stelle diskursiven Erkennens setzt darum das mystische Denken intuitives, ‚direktes, unbegriffliches, sich nicht kompromittierendes Denken',[177] an die Stelle der Mittelbarkeit die Unmittelbarkeit. Damit ist ihm aber, mag zu einer eindeutigen Identifizierung dieses direkten Erkennens mit der oben gestreiften, nur den Seligen zukommenden visio Dei per essentiam den alten Mystikern noch der Mut, den neuen schon der Anlaß gefehlt haben, der Vorwurf des ungehörigen, unstatthaften Hineinziehens der Eschatologie, des regnum gloriae in das regnum gratiae und mit ihm in das regnum naturae nicht zu ersparen: des An-sich-Reißens dessen, was Gott ist, der Pervertierung *seiner* Unmittelbarkeit zu einem An-sich-Bestehenden, mit dem der *Mensch* rechnen kann, der Subsumption *seiner* Unbegreiflichkeit unter den Begriff *unserer* Unbegreiflichkeit."[178] Der gegenüber der Mystik erhobene Vorwurf, sie mache sich Gott verfügbar, ist typisch für Barth. Doch auch hier klingen versöhnliche Töne mit an. „Mystik und mystisches Denken ist vielleicht eine Möglichkeit

175 Ebd. 316.

176 Ebd. 328.

177 Ebd. § 16.1 nach I. Spieckermann, Gotteserkenntnis 171.

178 I. Spieckermann, Gotteserkenntnis 172.

auch in der christlichen Kirche."[179] Auch I. Spieckermann greift diese Offenheit Barths gegenüber der Mystik im Rückbezug auf die oben erwähnte Kritik auf. „Vor dem Hintergrund dieser *eschatologischen* Motivierung des bereits innerhalb des Abschnitts über das Indirektheitsmoment der Erkennbarkeit Gottes in § 15 gegenüber der liberalen Unmittelbarkeit geäußerten Perversionsvorwurfs dürfte auch das in einem eigentümlichen ‚vielleicht' nun doch gegen Gogarten und Brunner angedeutete *mögliche relative Recht der Mystik* zwar nicht innerhalb der Dogmatik, wohl aber innerhalb der christlichen Kirche – gemäß der 1 Kor 12,4ff. und Rm 12,6ff. genannten Vielfalt der Gnadengaben ‚als Gaben des Heiligen Geistes (N.B.!)', ‚im Zeichen: τὸ αὔτο πνεῦμα ὁ αὐτός κύριος, ὁ αὐτὸς θεός (1 Kor 12,4ff.)' – zu verstehen sein."[180] Diese trotz aller Vorwürfe aufrechterhaltene Offenheit und Nähe zur Mystik wird verständlich durch die ablehnende Haltung zu einem spekulativen Intellektualismus. Ihm gegenüber wird das Geheimnis Gottes betont. „Gott *hat* sich offenbart, und nun *ist* das Geheimnis, vor dem der Mensch steht, seine Grenze, die unvermeindliche und unbeantwortbare Frage, in die sein Erkennen ausläuft, *an sich*, per se *Gottes* Geheimnis."[181]

1.2.6 Barths Kritik an Brunners Buch ‚Die Mystik und das Wort'

Der Aufsatz von Karl Barth zu Brunners Schleiermacherbuch ‚*Die Mystik und das Wort*' ist von besonderem Interesse, da hier einiger Aufschluß auch für Barths Verständnis von Mystik zu erwarten ist. Der Buchtitel ‚*Die Mystik und das Wort*' stellt vorweg schon grundsätzlich die Fronten klar. Der gute, protestantische Christ hört für Brunner auf das Wort Gottes. Schleiermacher hängt im Gegensatz dazu der Mystik an – und unterstellt sich somit nicht mehr dem Wort. Diese Gegenübstellung und ‚Abservierung' Schleiermachers will Barth aber nicht mitmachen.
In seiner Rezension gibt Barth zunächst das Schleiermacherbuch kurz wieder. Dabei kommt er auf den Titel zu sprechen. „Gemeint ist das biblisch-reformatorische ‚*Wort*', das *Gott spricht* im Gegensatz zu dem Schleiermacherschen Gefühl, das *der Mensch hat*, dem Heiligtum der alten

179 K. Barth, Unterricht Bd.1 § 16.1 nach I. Spieckermann, Gotteserkenntnis 172 Anm. 6.

180 I. Spieckermann, Gotteserkenntnis 172 Anm. 6.

181 K. Barth, Unterricht Bd.1 § 16.3 nach I. Spieckermann, Gotteserkenntnis 174f.

und neuen, der heidnischen und christlichen ‚*Mystik*'."[182] Dieser Gegenüberstellung entsprechen noch einige andere, die die moderne Religionsauffassung als Alternative zum christlichen Glauben darstellen. „Der Nerv dieser ganzen Kritik ... ist doch wohl die Eschatologie, das Bedenken des ‚Letzten', der Grenze, von der her der Mensch gerichtet und begnadigt wird, des Futurums Gottes, in dem ihm *alles* verheißen ist, aus dem er aber eben darum kein Präsens zu machen versuchen soll, bei Strafe ebenso sicher *alles* zu verlieren."[183] Und eben dies wirft Brunner nach Barth der *Mystik* vor, nämlich „den Versuch, sich um jenes Bedenken zu drücken, den Himmel auf Erden zu genießen, eine Theologie der Wirklichkeit *diesseits* der Todesgrenze, eine theologia gloriae trotz aller Hemmungen durch die christliche Tradition möglich zu machen."[184] Mystik wird hier verstanden als Ausweichen vor dem Letzten, als eigentätiges Handeln auf Erden, um eines Paradieses auf Erden willen, statt Gottes Handeln in der Ewigkeit abzuwarten.
Diese kritische Auseinandersetzung, die Brunners Buch nun einmal ist, ist nach Barths Meinung notwendig. Doch interessanterweise bedauert Barth, daß Brunner Schleiermacher nicht umfassender dargestellt hat, sondern von der Kenntnis Schleiermachers ausging. Dies lastet Barth aber nicht nur Brunner an, sondern bereits denen, die Schleiermachertexte schon als kanonische Bücher behandelten. Hinter der Kritik Barths an dem Mangel an Darstellung verbirgt sich aber auch eine gewisse Distanz zur Brunnerschen Gegenüberstellung von Wort und Mystik. So einfach empfindet Barth die Sache nicht. Nach einer grundsätzlich positiven Würdigung des Buches bringt er darum auch einige Kritik an.
Ein formaler Punkt betrifft den selbstsicheren Stil der Kritik in Brunners Buch. Barth geht mit Brunner darin überein, Schleiermacher die Nachfolge aufzukündigen, aber er hat das Kapitel Schleiermacher noch längst nicht so abgeschlossen wie Brunner. Er hätte es besser gefunden, wenn uns Brunner „statt mit der großen ‚Auseinandersetzungs'-Kelle anzurichten, uns einfach ein liebevoll minutiöses Bild seines Mannes gezeichnet hätte, mit den Augen eines Wissenden natürlich ... – aber nicht mit den Augen eines *alles*-wissen-Wollenden".[185] *So* überwunden ist Schleiermacher für Barth nicht. Auch I. Spieckermann betont Barths Kritik an der Haltung Brunners mit der er „gegen Schleiermacher vorgegangen war: als seien ‚das Wort' und die Eschatologie, von denen her Brunner Schleiermachers Mystik kritisiert,

182 K. Barth, Brunners Schleiermacherbuch 49.

183 Ebd. 50f.

184 Ebd. 51.

185 Ebd. 55.

auch nichts anderes als nur ein neuer Standpunkt, ein Prinzip, das man haben und mit dem man (ver)urteilen könne und nicht jene *kritische Grenze aller* Standpunkte und Prinzipien, von der aus gesehen unsere theologischen Gewährsmänner, (und noch vielmehr wir Angreifer selbst) Schleiermacher nicht nur – gegenüberstehen!'[186]"[187]
Barth hat auch seine Schwierigkeit mit der im Titel angelegten Festlegung Schleiermachers auf die Mystik. Schleiermacher läßt sich für Barth nicht auf die Formel ‚Mystiker' bringen. „Wenn es richtig wäre, die ganze Theologie Schleiermachers auf die *eine* Formel ‚*Mystik*' zu bringen, auf die sich die Anti-Kritiker nun stürzen werden, so verstände ich wirklich auch nicht recht, wie es möglich war, daß ein ganzes Jahrhundert theologisch von diesem Erbe leben konnte."[188] Noch vor dem mystischen stellt Barth bei Schleiermacher ein *apologetisches* Interesse fest, wodurch er erst das „Christentum ... ins Zinzendorfische und Hardenbergische und Schellingsche und ... kurzum ins ‚Mystische' übersetzt".[189] Man beachte, in welchem historischen Umfeld sich hier die Mystik befindet! Ein anderes, nicht aus der Mystik abzuleitendes Hauptproblem ist für Barth die ‚Kulturreligion'. „(. . . Was ist nun das Primäre in Schleiermachers Theologie? Die ‚Mystik' oder die Kulturreligion? Wer will da entscheiden?) Könnte man nicht ernstlich die These vertreten, daß Schleiermacher ‚im Grunde' eben doch nicht ‚Mystiker' sondern *Ethiker* – neuprotestantisch – aktivistischer Ethiker gewesen sei?!"[190] Einen ursprünglichen Zusammenhang zwischen Mystik und Ethik scheint Barth nicht zu sehen. Für ihn sind das offenbar zwei ganz verschiedene Dimensionen. Und insofern meint er, Schleiermacher nicht *nur* Mystiker sein lassen zu dürfen, sondern auch Ethiker.
Barth sieht auch sehr genau das Problem der unterschiedlichen Interpretation von theologischen Bezugsgrößen. Zum einen wirft er Brunner vor, Platon nur dann gegen *den* anerkannten Platointerpreten Schleiermacher ins Feld führen zu dürfen, wenn die offensichtlichen Unterschiede in der Interpretation Platons dargestellt und begründet worden sind. Dies gilt auch für die Lutherinterpretation. Barth weist auf ein Beispiel hin, das auch schon gegen ihn selbst verwendet worden ist: „‚Wenn ein Christ ansähet Christum zu kennen als seinen Herrn und Heiland, durch welchen er ist erlöset aus dem Tode und in seine Herrschaft und Erbe gebracht, so wird sein Herz gar

186 Ebd. 61.

187 I. Spieckermann, Gotteserkenntnis 172.

188 K. Barth, Brunners Schleiermacherbuch 56.

189 Ebd.

190 Ebd. 58.

durchgottet, daß er gerne wollt jedermann auch dazu helfen'? Daß der *Schein* in solchen Lutherstellen – und ich bin selber schon *noch* ‚schlimmeren' begegnet – *für* den pietistisch verdorbenen Neuprotestantismus spricht, das müssen wir doch einfach zugeben und daß es sich *bloß* um einen Schein handelt, das kann man nicht voraussetzen und noch weniger en passant beweisen."[191]
In einem dritten Punkt weist Barth noch einmal auf die Größe Schleiermachers hin und auf seine enorme, prägende Kraft. Wer theologisch gegen Schleiermacher ist, muß praktisch noch einmal ganz von vorne anfangen, eine neue Theologie aufzubauen. Auch dies hat Brunner für Barth zu wenig deutlich gemacht, welch ‚historisches *Loch*'[192] dann bleibt. Ein Neuanfang ist auch für Barth, darin ist er mit Brunner einig, nur von der Eschatologie her möglich.

1.2.7 Die zweiten Prolegomena

Der erste Versuch seiner Dogmatikvorlesung vom Sommersemester 1924 bis zum Sommersemester 1925 hat Barth noch nicht recht befriedigt. Eine Veröffentlichung hatte er daher für die Prolegomena des ‚*Unterrichts in der christlichen Religion*' nicht angestrebt. Den zweiten Zyklus vom Wintersemester 1926/27 bis zum Wintersemester 1927/28 begann er zu veröffentlichen als ‚*Die christliche Dogmatik im Entwurf*'. Barth hat dieser Veröffentlichung, zu der ihm Thurneysen geraten hatte, nur zögernd zugestimmt. Mit seinen Weggefährten der ‚Dialektischen Theologie' verband Barth aufgrund seines Bemühens, es nun positiv zu sagen, wie Dogmatik zu treiben sei, immer weniger. Die Unstimmigkeiten mit Bultmann, Brunner, Gogarten u. a. wurden jedoch noch zurückgehalten. Die beiden weiteren Bände sollten allerdings nie in den Druck gehen. Zwar hatte er dafür im Sommersemester 1929 ein Freisemester beantragt, doch nutzte er dieses dann vorwiegend zu Lesezwecken. Als nach einiger Zeit eine Neuauflage des ersten Bandes erforderlich wurde, war Barth schon entschlossen, stark redigierend in den Text einzugreifen. Deswegen hat er keine neue Auflage mehr in den Druck gegeben, sondern den Band später völlig neu bearbeitet und als ersten Band der Kirchlichen Dogmatik veröffentlicht.[193]
Wir wollen hier bei den Prolegomena für die christliche Dogmatik wieder

191 Ebd. 59 Anm.

192 Ebd. 62.

193 K. Barth, KD I/1 VIf.

nur dem expliziten Gebrauch des Begriffs Mystik nachgehen, und zwar vorwiegend bezüglich der Änderungen zur ersten Prolegomenavorlesung. Im Zusammenhang mit der Trinitätslehre weist Barth darauf hin, daß der ‚historische Jesus', die menschliche Natur Christi, nicht selbst zur Trinität gehört, sondern nur das Gefäß für den göttlichen Erlöser war. „Der ‚historische Jesus' ohne den Gehalt der göttlichen Autusie: der ‚schönste Herr Jesus' der Mystik und des Pietismus, der Weisheitslehrer und Menschenfreund der Aufklärung, der Inbegriff erhöhter Menschlichkeit Schleiermachers usf. – er ist ein leerer Thron ohne König, dessen noch so warme und aufrichtige Verehrung Kreaturvergötterung und nichts sonst bedeutet."[194] Auch hier wird Mystik sehr erlebnismäßig verstanden. Der ‚schönste Herr Jesus' ist einem schlesischen Volkslied entnommen. Interessant ist auch, daß hier Schleiermacher in der Aufzählung neben der Mystik extra aufgeführt wird. Pietismus und Mystik dagegen werden in einem Atemzug genannt.
In dieser Parallelstelle zur ersten Vorlesung über die Prolegomena, in der Barth in der Frage des Filioque einen „Reflex der stärker mystisch gerichteten Frömmigkeit des Ostens"[195] vermutet hat, der einen Weg zum Offenbarer an der Offenbarung vorbei sucht,[196] geht es, wie im ‚*Unterricht in der christlichen Religion*' um die Menschwerdung Gottes und den hierfür zu denkenden Rahmen. Diese Stelle ist, wie für diese Ausgabe üblich, in starkem Maße durch Zitate der Väter und der Tradition angereichert. Die wesentliche Aussagerichtung bleibt jedoch gleich. In besonderer Weise wird betont, daß die Verbindung von Gott und Mensch in Christus einmalig und gerade nicht wiederholbar ist. In der Anmerkung gibt Barth diesmal einige Hinweisstellen an. Zu seiner Behauptung: „es hat schon die ganze Hybris gewisser Richtungen der Mystik und, in ihren Spuren, des spekulativen Idealismus dazu gebraucht, die Gottmenschheit des *Wortes* in die Gottmenschheit des durch das Wort angeredeten *Menschen* umzudeuten",[197] gibt Barth zwei Textbeispiele von Meister Eckhart, in denen er die Aussage der Gottesgeburt ontologisch mißversteht. Der erste Textausschnitt ist aus Predigt 38: „Der mich vrâgete: war umbe beten wir, war umbe vasten wir, war umbe tuon wir alliu unseriu werk, war umbe sîn wir getoufet, war umbe ist got mensche worden, daz daz hoechste was? – ich sprache: dar umbe, daz got geborn werde in der sêle und diu sêle in gote geborn werde." Der zweite Textausschnitt ist Predigt 54b entnommen: „Wan swer komen wil in gotes

194 K. Barth, Die christliche Dogmatik Bd.1 176f.

195 K. Barth, Unterricht Bd.1 159.

196 Vgl. K. Barth, Die christliche Dogmatik Bd.1 288.

197 Ebd. 302.

grunt, in sîn innerstez, der muoz ê komen in sînen eigenen grunt, in sîn innerstez, wan nieman enmac got erkennen, er ensmüeze ê sich selben erkennen. Er sol treten in sîn niderstez und in gotes innerstez und sol treten in sîn erstez und in sîn oberstez, wan dâ loufet allez zesamen, daz got geleisten mac."[198] Desweiteren bemüht sich Barth, die Rückführung des deutschen Idealismus auf die Mystik anhand von Fichte und Schelling sowie zeitgenössischer Literatur von Lütgert und Schaeder zu verdeutlichen. Sowohl der moderne Protestantismus in seiner Traditionslosigkeit, als auch der Katholizismus in seiner Traditionsbezogenheit unterscheiden für Barth letztlich nicht mehr zwischen kanonischen und nichtkanonischen Schriften auf Kosten der inspirierten Schriften. Und dann zitiert Barth Thomas von Kempen: „Es ist letztlich der Übermut der *Mystik*, der aus *beiden* Auffassungen redet: ‚Non loquator mihi Moyses aut aliquis ex prophetis: sed potius tu loquere, Domine Deus, inspirator et illuminator omnium prophetarum; quia tu solus *sine eis* potes me perfecte erudire: illi autem sine te nihil proficient.'"[199] Hier tritt einerseits Barths Verständnis der Mystik als Inspirationsform zutage, die das göttliche Geheimnis ohne Propheten und letztlich ohne Schrift wissen will, und andererseits zeigt sich ein verstärktes Zur-Kenntnis-Nehmen verschiedener mystischer Traditionen der Geschichte. In ähnlicher Weise wird die Mystik noch einmal angeführt, wenn es um die Frage des heutigen Redens von Gott geht. „Wie die menschliche Natur Christi menschliche Natur ist und bleibt und die heilige Schrift ein konkretes Vielerlei, so ist und bleibt unser Reden von Gott ohne alle heimliche Mystik *unser* Reden, nur indirekt, nur im Glauben (und darum offenbar der Sündenvergebung sehr bedürftig!) identisch mit dem Reden Gottes selbst. Es bleibt auch hier – die Schwachheit unseres Redens sorgt dafür, wir sollen es aber auch wissen, daß dem so ist – dabei, daß die Offenbarung, die Selbstmitteilung der Offenbarung in der Gegenwart nun also, Offenbarung in der *Verborgenheit* ist, die zu eröffnen nicht unsere, sondern Gottes Sache ist."[200] Auch hier hat für Barth Mystik wieder etwas mit Offenbarung ohne Verborgenheit zu tun und gleichzeitig mit Menschenwerk statt Gotteswerk.

198 Ebd. Anm.

199 K. Barth, Die christliche Dogmatik im Entwurf Bd.1 458 Anm.; Thomas von Kempen, De imitatione Christi 3,2,1.

200 Ebd. 537f.

1.2.8 Ethikvorlesungen

Die Ethikvorlesungen Barths sind zu seinen Lebzeiten nicht als Buch veröffentlicht worden. Barth selbst hat vor diesem Schritt zurückgeschreckt, weil er in seinem ersten Entwurf, der zwischen dem dialektischen Anfang und der ausgereifteren KD steht, noch zu viele nichtdialektische Begründungszusammenhänge gesehen hat. Er meinte sich zu sehr von einer Schöpfungstheologie getragen zu sehen, unter Umständen eine Frucht seines regen Gedankenaustauschs mit Philosophen und auch katholischen Theologen. Für uns jedoch ist auch dieses Stück des Weges interessant, und wir fragen wieder, wie Barth in seinen Ethikvorlesungen den Begriff *Mystik* gebraucht hat. Dabei folgen wir in etwa Barths Gliederung, wenn wir der Darstellung von Barths Gedanken die Überschriften Schöpfung, Versöhnung und Erlösung voranstellen.

1.2.8.1 Schöpfung

Innerhalb seiner Überlegungen zur Ethik des Lebens weist Barth ausdrücklich positiv auf Albert Schweitzer hin. „Schweitzer hat als Gegenspieler Nietzsches unter den naturalistischen Ethikern das große Verdienst, mit der Kraft der Einseitigkeit zum ersten Mal umfassend und wuchtig auf den Punkt, auf den es ankommt, auf die notwendige Bestimmtheit eines guten Willens durch die Tatsächlichkeit des fremden Lebens als solchen hingewiesen zu haben." Barth lehnt aber ab, daß Albert Schweitzer den *Willen* zum Leben mit der *Ehrfurcht* vor dem Leben in einer ‚ethischen Mystik' verbindet.[201] Die Ethik Schweitzers stützt sich für Barth dann nämlich nicht auf den Gottesgedanken, sondern auf die letzte Einheit allen Lebens und spricht deswegen konsequenterweise von *Ehrfurcht* und nicht von *Liebe*. Im Rahmen einer – für Barth an sich fatalen – Mystik ist diese Rede dann glücklich konsequent.

Barth sieht für die Ethik und Moral im Krieg die große Gefahr, zur Ideologie zu werden. Deswegen müsse man sich als erstes darüber klar werden, daß Kriege um der eigenen Macht willen getrieben werden. Dies zu verschleiern, wäre eine politische Mystik. Letztlich kann es für ein Volk um nichts anderes gehen als um die Macht.[202]

Zur Frage nach dem Sonntag als siebtem Schöpfungstag, stellt Barth bezüglich der Theologie Ritschls fest, „daß es in Konsequenz ihres Kampfes gegen

201 K. Barth, Ethik I 231.

202 Ebd. 266f.

die Metaphysik und gegen die Mystik eigentlich keinen *Sonntag* geben dürfte, sondern nur Weltanschauung und Sittlichkeit, d. h. aber bürgerlichen Alltag".[203] Der ‚Tag des Herrn' ist jedoch biblisch.
Doch welche Rolle spielt der Glaube im Verhältnis von Schöpfer und Geschöpf? „Glaube überbrückt den Abstand des Geschöpfs vom Schöpfer, ohne ihn aufzuheben. Glaube behauptet ihn vielmehr, indem er ihn überwindet. Glaube ist der Schritt, aber eben immer der Schritt des Menschen zu Gott hin. Glaube ist im Gegensatz zu aller Mystik des Kopfes, des Bauches *und* des Herzens, im Gegensatz zu allem unkritischen mystischen Idealismus, ist damit gesagt, Bejahung Gottes unter uneingeschränkter, resoluter Bejahung der Endlichkeit, der Geschöpflichkeit, der Inkommensurabilität des Menschen ihm gegenüber."[204]

1.2.8.2 Versöhnung

Nach Barth bleibt Christus dem Glaubenden als innewohnendes Subjekt immer auch gegenüberstehen. Christus ist der König – die Christen das Volk. Darüber hinaus ist für Barth auch die geschichtliche Einmaligkeit dieses Jesus ein Grund, jede unio mystica abzulehnen. „Sollte die Indifferenzierung zwischen Gott und Mensch der Mystik wesenhaft sein, so ist zu sagen, daß gerade diese unio (mystica) alle Mystik ausschließt. Christus bleibt in ihr ein *Anderer*. Er ist unser Nächster, unser Allernächster, aber gerade als solcher bleibt er uns *gegenüber*stehen. Gerade seine Menschheit sichert ihm die *Würde* des Hauptes, des Königs und Herrn."[205]
Barth bezeichnet mit der Geburt der *Moral* aus dem Geiste der *Mystik* das Anerkennen der „Mittelbarkeit *der* zeitlosen Wahrheit in *den* zeitlosen Wahrheiten unseres Denkens über ein dieser Wahrheit entsprechendes menschliches Handeln."[206] Diese Korrelation von Mystik und Moral nennt Barth das ‚beste Geisteserbe höherstehender Völker', hält es jedoch für den christlichen Glauben nicht für zuträglich, obwohl Kirche ohne sie nicht denkbar zu sein scheint. „Wo ist das Christentum wirklich gewesen ohne die *Mystik*, die Lehre und Praxis des Eingangs in eine zeitlose Gemeinschaft mit Gott, und ohne *Moral*, die Lehre und Praxis der allgemeinen Gesetzesbegriffe?"[207] Doch dieser Weg ist für Barth die ‚enormste aller Versuchungen'.

203 Ebd. 378f.

204 Ebd. 424.

205 K. Barth, Ethik II 64.

206 Ebd. 89.

207 Ebd. 91.

„Wir haben die Lehre vom Gesetz des ‚Deus nudus' und der zeitlosen Wahrheiten, vom Gesetz der Mystik und der Moral, den Gesetzesbegriff des Idealismus an keinem anderen Maßstab zu messen als an dem des *Glaubens* und seines *Gesetzes*. Aber an diesem haben wir ihn zu messen."[208]
„Man hat den Idealismus wohl als παιδαγωγὸς εἰς Χριστόν gedeutet. Als Idealismus, als in sich geschlossene Lebens- und Weltanschauung ist er das auf keinen Fall. Jene Bezeichnung geht bei Paulus Gal 3,24 auf das Gesetz *Gottes*. Und das eben fragt sich, ob das Gesetz der Mystik und der Moral das Gesetz Gottes ist, und gerade wenn es das etwa sein *wollte*, wäre zu sagen: daß es das sicher nicht ist."[209] Die allgemeine Verstehbarkeit des Gesetzes der Moral und der Mystik macht diese Barth so suspekt. Dies gilt insbesondere für ihre Nähe zum christlichen Glauben unter der Voraussetzung, daß Moral und Mystik die Christen besser verstehen dürfen, als diese sich selbst verstehen.
Neben der allgemeinen Zugänglichkeit, die für Barth der historischen Offenbarung widerspricht,[210] nennt er als zweites Unterscheidungsmerkmal den Versuch des Idealismus, die Wahrheit durch Begriffe zu ersetzen und zu verdrängen. Jede Theologie kann nur dialektisch sein, aber sie meint für Barth die dritte, die unzugängliche Dimension.[211]
„Auf dem Boden der Mystik und der Moral weiß man nicht, was Sünde ist. Jenes Unternehmen ist unternommen in einer merkwürdigen Unerschrokkenheit des Menschen vor sich selbst."[212] „Und darum können wir uns bei aller persönlichen Hochschätzung derer, die dort stehen, nicht auf den Boden der Mystik und der Moral stellen, müssen ihn als Boden für eine gute Theologie [für] ungeeignet erklären. Das Gesetz des Glaubens ist das Gesetz der *Offenbarung* Gottes."[213] Jede Kenntnis und jedes Suchen Gottes in einem Gottesbegriff außerhalb der tatsächlichen Offenbarung in Jesus Christus lehnt Barth radikal ab. „Ihr Inhalt wäre dann doch wieder jene zeitlose Wahrheit der geistigen Welt und ihr Vollzug mindestens ebenso unsere eigene wie Gottes Tat. Wir stünden dann, wie christozentrisch wir uns auch gebärden wollten, auf dem Boden der Mystik und der Moral, wo sich Gemeinschaft mit Gott auch abgesehen vom konkreten Vollzug der göttlichen Offenbarung realisieren läßt. Eben darum hat ja auch *Luther* seine

208 Ebd. 92.
209 Ebd. 93.
210 Vgl. ebd. 98.
211 Vgl. ebd. 99.
212 Ebd. 116.
213 Ebd. 117f.

bedingte Warnung vor der 'speculatio maiestatis' nicht im Allgemeinen, sondern im Zusammenhang seiner *Rechtfertigungslehre* ausgesprochen. Als tollkühn gefährliches Menschenwerk ..., das in der christlichen Theologie sich nicht wiederholen dürfte, wie er es in der Mystik und Moral des Mönchtums sich wiederholen sah."[214]

Barth unterscheidet im Abschnitt über die Autorität Gehorsam gegenüber Christus als Erinnerung an das eigene Sündersein von einer Erziehung, die eben dieses Sündersein wegerziehen will. „Profane Erziehung wäre sicher eine solche, in der der Versuch gemacht würde, mich aus einem Sünder zu einem Heiligen und Gerechten zu machen, mich meine Grenzen vergessen zu lassen, statt sie mir einzuschärfen, mich zu vergotten, statt mich auf Erden – auf dieser dunklen sündigen Erde – an meinen Platz zu stellen. Profan ist alle Erziehung, sofern sie enthusiastisch, sofern sie in dem beschriebenen Sinn idealistisch ist, sofern sie auf Mystik und Moral hinzielt statt auf Gehorsam, sofern sie mich nicht nur eines Besseren, sondern offen oder heimlich eines Besten belehren will."[215] „Wirkliches Lernen heißt *Gehorsam* lernen, den Gehorsam, den wir Gott schuldig sind."[216] Hier kommt Barth nochmals darauf zurück, daß es die Aufgabe der Erziehung ist, zum Besseren, aber nicht zum Besten zu erziehen, denn das Beste ist Sache Gottes, die nicht in unsere Hand gelegt ist. „Das kann kein Mensch dem anderen geben, daß er sein Herz Gott schenkt und daß darum und darin seine Seele wirklich gerettet ist aus dem Chaos. Das schafft und das weiß Gott ganz allein, wenn es geschieht. Erziehung, die das wissen und schaffen wollte, könnte nur antichristliche Erziehung sein. Solche gibt es freilich. Es gibt Erziehung zur Mystik und zur Moral der Gottähnlichkeit."[217]

Der Demut widmet Barth einen eigenen Abschnitt. Aller Gehorsam und alle Selbstverleugnung, so sie denn geschieht, ist nicht des Menschen Verdienst, ist nicht von ihm vollbracht, kann er nicht Gott gegenüber zur Geltung bringen. „Die Virtuosen der östlichen und westlichen asketischen Mystik haben es redlich in ihrer Weise versucht. Aber man wird sich kaum einreden wollen, daß das komplizierte Kunststück der von ihnen empfohlenen und technisch beschriebenen Entwerdung mit der Selbstverleugnung, die Gott von uns haben will, mehr als den Namen und den Schein gemeinsam habe. Wenn wir uns, mit oder ohne Mystik, wirklich selbst verleugnen, dann werden wir nie sagen können, daß wir das getan haben, sondern daß Gott aus

214 Ebd. 119.
215 Ebd. 202.
216 Ebd. 203.
217 Ebd. 211.

lauter Gnaden das in unserem Tun gefunden hat."[218] Auch hier setzt Barth wieder voraus, daß es in der Mystik um machbare technische Kunststücke geht und nicht um eine Geisteshaltung.

1.2.8.3 Gewissen

Im Kapitel Gewissen des Abschnitts ,Erlösung' distanziert sich Barth zwar von Mystik, Pietismus u. ä., doch stellt er sie immerhin als Möglichkeiten dar, denen gegenüber man sich verantworten muß. „Es ist das große Anliegen alles dessen, was man zusammenfassend als die Bestrebungen einer *christlichen Innerlichkeit* bezeichnen kann, was uns in seinem Kern als Anliegen eben des Gewissens im besonderen Sinne verständlich werden kann. Das, dieses geschäftige Warten auf den Herrn, meinte doch offenbar die *Mystik* aller Zeiten und aller Spielarten mit ihrem Drängen auf die Pflege des mit Christus in Gott verborgenen Lebens des Menschen [vgl. Kol 3,3], meinte das *Mönchtum* des katholischen Mittelalters, soweit ... die Pflege der vita contemplativa sein Kennzeichen war, meinte das alte *Luthertum* eines *Paul Gerhardt* etwa mit dem, was *Troeltsch* seinen innerweltlichen Aszetismus genannt hat, meint die *Kirche des Ostens* mit ihrer die gegenwärtige Weltgestalt ebenfalls von innen in Frage stellenden Demut vor dem absoluten Wunder des zukünftig-gegenwärtigen auferstandenen Christus."[219]
„Wer für den Pietismus etwa nur Mißbilligung übrig haben sollte, der sehe wohl zu, wie *er* denn etwa dem Anliegen, das hinter dem Pietismus steht, gerecht zu werden denkt, ob seine Mißbilligung nicht etwa davon herrührt, daß er selber dieses Anliegens noch nicht gewahr geworden ist, obwohl es wahrlich auch ihn angeht. Wir brauchen weder Mystiker noch Mönche noch ,Befiehl du deine Wege'-Christen noch russisch-Orthodoxe noch auch Pietisten zu werden. Wir können gute Gründe haben, das alles nicht werden zu wollen. Wir werden uns aber nicht verhehlen können, daß wir durch unser Gewissen gerade in der Richtung aller dieser Möglichkeiten oder Unmöglichkeiten zur Verantwortung gezogen sind."[220] An dieser Stelle wird deutlich, daß Barth bei aller verbaler Ablehnung bestimmter von ihm gesehener Eigenarten der Mystik doch ein Anliegen hinter der Mystik sieht, demgegenüber man Rechenschaft abzulegen hat, weil es als solches nicht verkehrt, sondern wahr ist und erst in konkreten Präsentationen für Barth abzulehnen ist. Ob diese konkreten Präsentationen tatsächlich so zu verste-

218 Ebd. 271.
219 Ebd. 406f.
220 K. Barth, Ethik II 408f.

hen sind, wie Barth sie versteht und deswegen ablehnt, werden wir im dritten Teil dieser Arbeit zu untersuchen haben.

1.3 DIE KONSOLIDIERUNGSPHASE

Auch nach seinem Wechsel nach Bonn (1930-1935) hatte Karl Barth viele Hörer, und die Evangelisch-theologische Fakultät erlebte eine Blütezeit. Mit seinen Kollegen verstand sich Barth bis auf wenige Ausnahmen sehr gut. Er war inzwischen eine bekannte Persönlichkeit und hatte seine Linie nach den ersten Versuchen, die im letzten Kapitel dargestellt wurden, im wesentlichen gefunden. Nun kam er in die neue Position, sie begründen, auszubauen und ihre Konsequenzen bedenken zu müssen sowie praktische kirchenpolitische Verantwortung zu übernehmen.[221] In dieser Stellung begann Karl Barth denn auch sein theologisches Hauptwerk, die Kirchliche Dogmatik (KD).
Dieses Werk, an dem er bis zu seinem Tode arbeitete, repräsentiert die Theologie seiner ‚Konsolidierungsphase'. In diesem Teil geht es allerdings nicht in erster Linie um eine Auseinandersetzung mit dem Inhalt der KD. Diese ist der systematischen Analyse im zweiten Teil vorbehalten, da es sonst zu vielen Doppelungen kommen würde und der Rahmen der Darstellung in der Entwicklung der Theologie damit gesprengt wäre.
In diesem Kapitel geht es also um Barths Arbeiten unmittelbar vor der Kichlichen Dogmatik, insbesondere um sein Anselmbuch, den Arbeiten parallel zur KD, seiner Auseinandersetzung mit Brunner, einigen kleineren Vorträgen und Arbeiten und seine Diskussion mit Bultmann. Den Abschluß bildet dann ein Rückblick mit Barth auf seine Theologie. Dabei wird deutlich, daß Barth selber seine Arbeit nie als völlig abgeschlossen angesehen hat, sondern auch zum Schluß in der Theologie immer ein Suchender blieb.

221 Auf die kirchenpolitische Tätigkeit und die Barmer Erklärung soll hier nicht näher eingegangen werden. Sein Kampf gegen eine natürliche Theologie kommt allerdings auch in seiner Antwort an Brunner zum Ausdruck. Vgl. auch die Literaturangaben in Punkt 1.3.2 der vorliegenden Arbeit.

1.3.1 Fides quaerens intellectum

Für den Weg von den Prolegomena der christlichen Dogmatik zur Kirchlichen Dogmatik spielt die Beschäftigung mit dem Problem der Grundlage der Theologie als Wissenschaft eine wichtige Rolle. Barth stand hier im ständigen Gespräch mit Heinrich Scholz. Ein besonderer Punkt zur Klärung dieses Problems war für Barth die Beschäftigung mit Anselm von Canterbury.[222] Ihren bedeutendsten literarischen Niederschlag fand diese Beschäftigung in einer Untersuchung zu Proslogion 2-4, die er unter dem Titel ‚*Fides quaerens intellectum*' 1931 der Öffentlichkeit vorlegte. „Verhältnismäßig Wenige, zu denen z. B. *Hans Urs von Balthasar* gehört, haben bemerkt, daß jene Beschäftigung mit Anselm für mich alles Andere als ein Parergon war, wieviel ich mir dabei vielmehr – ob ich nun den Heiligen historisch mehr oder weniger richtig verstand! – angeeignet oder, meinem eigenen Stern folgend, zum Bewußtsein gebracht habe. Den Meistern ist es wohl entgangen, daß man es in diesem Anselmbuch wenn nicht mit *dem*, so doch mit *einem* sehr wichtigen Schlüssel zum Verständnis der Denkbewegung zu tun hat, die sich mir dann eben in der ‚Kirchlichen Dogmatik' mehr und mehr als die der Theologie allein angemessene nahegelegt hat."[223] Karl Barth fand Anselm von Gaunilo, von Thomas von Aquin und auf seine Weise auch von Kant falsch oder zumindest nicht ausreichend gut gedeutet. Er wollte Anselm jetzt stärker in den Kontext seines Beweisverständnisses und des ganzen Textes von Proslogion 2-4 stellen.[224]

Wir können hier nicht die ganze Denkbewegung von Barth auf den Spuren Anselms nachvollziehen, sondern nur die wichtigsten Punkte festhalten. Im Schlußwort wird deutlich, was Anselm Barth bedeutet: „Gott *gab* sich seinem Erkennen zum Gegenstande, und Gott *erleuchtete* ihn, daß er ihm als Gegenstand erkennbar wurde. Ohne dieses Ereignis kein Beweis der Existenz, d. h. der Gegenständlichkeit Gottes! Aber in der Kraft dieses Ereignisses ein Beweis, der des Dankes wert ist. Die Wahrheit hat gesprochen, *nicht* der glaubenwollende Mensch. Der Mensch könnte immer auch nicht glauben wollen. Der Mensch könnte auch immer ein Tor sein. Wir hörten: es ist Gnade, wenn er es nicht ist. Aber auch wenn er es wäre: si te esse nolim credere, die Wahrheit *hat* gesprochen: unüberhörbar, unwiderleglich, unvergeßlich, so, daß es dem Menschen verboten und insofern unmöglich ist, sie nicht zu erkennen. Gerade als Wissenschaft des Glaubens vom Glauben

222 Barth hielt z. B. verschiedene Seminare über Anselm.

223 K. Barth, Fides quaerens intellectum 6.

224 Ebd. 2f.

hat die Theologie ein Licht, das *nicht* das Licht des Glaubens des Theologen ist."[225] Nicht der Mensch ist es, der sich Gott zu eigen macht. Sondern Gott spricht die Wahrheit, und der Mensch bekommt die Gnade im Glauben, die Existenz Gottes zu erkennen.
Eine interessante Stelle zum Begriff *Mysterium* findet sich auf Seite 68. „Anselms Theologie ist einfältig. Das ist das schlichte Geheimnis seines ‚Beweisens'. Anselm ist nicht in der Lage, die christliche Erkenntnis als ein esoterisches Mysterium zu behandeln, als einen Vorgang, der das nüchterne Licht profanen Denkens zu scheuen hätte."[226] Die christliche Erkenntnis hat das Licht der Vernunft nicht zu scheuen, doch kann die Vernunft allein mit ihrem Licht keine Erkenntnis bringen. Gleichwohl ist Erkennen mit der Vernunft nachvollziehbar und insofern nicht ein esoterisches Mysterium, das schlichtweg nicht mehr verstanden werden könnte.

1.3.2 Gottes Wille und unsere Wünsche

In diesem Vortrag vom Januar 1934, den Barth im Anschluß an die Hauptversammlung der Reformierten in Barmen gehalten hat,[227] geht er intensiv auf die Bedeutung der damaligen Ereignisse für die Theologie und die Kirche ein. Dabei sieht er wie schon vorher das Positive der Entwicklung der kirchlichen Diskussion in der Offensichtlichkeit, mit der die eigentlichen Inhalte des Glaubens vernachlässigt werden. So ist eine echte Chance zur Umkehr gegeben. Dies betont er auch in dem Vorwort, das der Barmer Erklärung und dem Vortrag in der Zeitschrift ‚*Theologische Existenz heute*' Heft 7 vorangestellt ist.[228] Gegenüber allen tagespolitischen Fragen weist Barth wieder auf die Notwendigkeit der intensiven Beschäftigung mit Jesus Christus und der Heiligen Schrift hin. In dieser Entscheidungssituation sieht Barth ein klares Angebot Gottes, dem die Christen sich nicht verschließen sollten.[229] Doch den Willen Gottes können sie nur mit einer erneuerten Vernunft erkennen. Der Wille Gottes soll geschehen und nicht ihrer, und wie der Wille Gottes ist, können sie im Neuen Testament ablesen. Sie sollen auf das Wort hören.[230]

225 Ebd. 174.

226 Ebd. 68.

227 Vgl. K. Barth, Texte; W. Krötke, Christus im Zentrum; G. Hunsinger, Barth.

228 Vgl. K. Barth, Gottes Wille 3-6 und K. Barth, Texte.

229 K. Barth, Gottes Wille 17f.

230 Vgl. ebd. 19.

Doch ihre eigenen Wünsche liegen den Christen nach Karl Barth „unendlich viel näher“ als der Wille Gottes. So „ist es tatsächlich, daß auch zwischen unseren besten und reinsten Wünschen und dem Willen Gottes immer noch eine unendliche Ferne besteht, jene Ferne, die eben nur durch die Nähe des Wortes Gottes überwunden wird.“[231] Das Wort Gottes verkündet den Menschen ihr Heil in Gottes Willen und nicht die noch so laute und noch so lautere irdische Stimme. Sie können sich nicht selber helfen.

Daran anschließend kommt Barth auf die Möglichkeit bzw. Notwendigkeit eines inneren Anknüpfungspunktes zu sprechen. Er formuliert die Frage in einem Gedicht Goethes:

„Wär nicht das Auge sonnenhaft,
Die Sonne könnt es nie erblicken;
Läg nicht in uns des Gottes eigne Kraft,
Wie könnt uns Göttliches entzücken?“[232]

Barth versteht die Frage des Gedichts allerdings als eine Frage nach dem „ersten Wort Gottes“, der „natürlichen Offenbarung“, in welcher für Barth menschlicher und göttlicher Wille zusammenfallen.[233] Diesen Gedanken führt er weiter in den Gegensatz von Gottes erster und zweiter Offenbarung, und gibt dann natürlich der Schrift den Vorzug. „Wenn vor dem Wort, das der Herr ist, noch ein anderer Mensch übrig bleibt als der, der mitsamt der Stimme seines tiefsten Inwendigen und allen ihren Echos tot war und ist wieder lebendig geworden, wenn vor diesem Wort übrig bleibt ein Mensch mit einem sonnenhaften Auge und mit einer Gottesstimme in seinem Blut oder in seinem Gewissen, ein Mensch, der schon von Gott herkam, als ihm Gott begegnete, ein Mensch, dem Gott ein alter Bekannter ist – wenn das wahr ist, dann gibt es jene Einheit oder Übereinstimmung zwischen dem Willen Gottes und unseren Wünschen. Wenn das nicht wahr ist – und ich sage jetzt kurz und ohne Beweis: das ist nicht wahr! –, dann ist die Lehre von der natürlichen Offenbarung falsch, dann stimmt es nicht mit jener Einheit oder Übereinstimmung, dann können wir Gottes Willen und unsere Wünsche auf keinen Fall in einem Atem nennen.“[234]

Die Christen brauchen nach Barth ihre Wünsche nicht zu verachten oder abzutöten. Ihre Wünsche wachsen nicht aus Gottes Willen, aber sie sind von

231 Ebd. 23.

232 K. Barth, Gottes Wille 25. Das Gedicht hat Goethe einer Passage der Abhandlung Plotins ‚Über das Schöne‘ nachempfunden. Vgl. dazu K. Albert, Mystik und Philosophie.

233 K. Barth, Gottes Wille 25.

234 Ebd. 27.

ihm umfangen. Mit ihrem Leben und ihren Wünschen haben sie vor Gottes Gericht zu bestehen. Doch kann man nicht von dem Gericht sprechen, ohne an die Gnade Gottes zu denken, mit der er allem begegnen kann, das an sich zu leicht und zu wenig ist, um ein positives Gewicht in der Waagschale zu sein.

Die generelle Einigung, die auf der Synode erreicht worden war, spielte für Barth, wie auch der Vortrag ‚*Gottes Wille und unsere Wünsche*' gezeigt hat, eine wichtige Rolle hinsichtlich seiner Einstellung gegenüber jeglicher ‚Natürlicher Theologie'. In dieser Natürlichen Theologie sah er das Unheil, das die ‚Deutschen Christen' anrichteten. Für Barth gab es keinen Anknüpfungspunkt für die Gnade Gottes im Menschen außer dem, den die Gnade sich selber setzt. Die Konsequenz dieses Kampfes von Karl Barth und dieser Rückendeckung durch seine Interpretation der Barmer Erklärung trieb ihn dann im Herbst des Jahres zur Abfassung einer Streitschrift gegen seinen ehemaligen Weggefährten und Freund Emil Brunner mit dem provokanten Titel ‚*Nein!*'.

1.3.3 Nein zu Emil Brunners Buch ‚Natur und Gnade'

Brunner steht Barth zwar nahe, aber für Barth macht „er die falsche Denkbewegung, von der die Kirche heute bedroht ist, an der entscheidenden Stelle" mit.[235] Für Barth ist Brunner mit ‚*Natur und Gnade*' ein Wegbereiter einer neuen Vermittlungstheologie, gegen die sich Barth so vehement wehren zu müssen meint.[236] Barth definiert die Aufgabe der Theologie demgegenüber vielmehr so: „Wir müssen es wieder lernen, die Offenbarung als *Gnade* und die Gnade als *Offenbarung* zu verstehen und uns damit von aller ‚rechten' oder ‚unrechten' theologia naturalis in immer neuer Entscheidung und Bekehrung entschlossen abzuwenden."[237] In bezug auf Brunner bestreitet Barth, „daß schließlich nur meine genialische ‚Einseitigkeit' (S.44), meine mangelnde Kenntnis Calvins (S.22f.), meine Meinung, gleich Wilhelm Tell als der Starke am mächtigsten allein zu sein (S.7) einer Verständigung, d. h. meinen Beitritt zu der Brunnerschen Lehre, im Wege seien".[238]

235 K. Barth, Nein! 4.

236 Ebd. 6.

237 Ebd. 8.

238 Ebd.

Barth sieht sich von Brunner mißverstanden in der Art und Weise, wie dieser seinen Standpunkt beschreibt, so z. B. wenn Brunner behauptet, Barth nehme gegenüber der Gottebenbildlichkeit, der Schöpfungs- und Erhaltungsgnade, der Neuschöpfung als Vollendung eine ablehnende Haltung ein. Barth hält dem vielmehr entgegen, dieses Thema der natürlichen Theologie nicht als Thema zu akzeptieren. „Brunner mutet mir, indem er mir diese Thesen zuschreibt, abgesehen von allen Ja oder Nein schon eine Grundhaltung und Grundeinstellung dem ganzen Problem gegenüber zu, die wohl die seinige aber nicht die meinige ist. Ich könnte es nämlich nicht für sinnvoll halten, auch nur der Negation der ‚natürlichen Theologie' eine solche systematische Betrachtung zu widmen, wie sie in diesen Thesen vorliegt."[239] Unter natürlicher Theologie versteht Barth vielmehr „jede (positive *oder* negative) angeblich theologische, d. h. sich als Auslegung göttlicher Offenbarung ausgebende *Systembildung*, deren *Gegenstand* ein von der Offenbarung Gottes in Jesus Christus – deren *Weg* also ein von der Auslegung der hl. Schrift grundsätzlich verschiedener ist ... Denn ‚natürliche Theologie' existiert gar nicht als ein Etwas, das innerhalb dessen, was ich für wirkliche Theologie halte – und wäre es auch nur um seiner Negation willen – selbständiges Thema werden könnte."[240] Die Ablehnung der natürlichen Theologie ist für Barth somit kein Glaubensinhalt, sondern eine ‚hermeneutische Regel' für jeden, der sich dem Evangelium verpflichtet weiß. Eine wie auch immer geartete Beschäftigung mit natürlicher Theologie ist für Barth immer Abwendung von der eigentlichen Sache der Theologie, der Rede von Gott, statt dessen wird dann wieder vom Menschen geredet.
Barth weist darauf hin, daß er sich mit Brunner dennoch grundlegend in verschiedenen Punkten einig weiß. „Es geht um die Lehre, daß in allen Fragen der kirchlichen Verkündigung allein die Schrift Richterin sei. Es geht um die Botschaft von der souveränen, frei wählenden Gnade Gottes, der dem Menschen, der aus sich selbst nichts tun kann zu seiner Errettung, dem Menschen, dessen Wille nicht frei, sondern geknechtet ist, sein Heil aus freiem Erbarmen schenkt ... Es geht darum, daß die Botschaft der Kirche nicht zwei Quellen und Normen hat, etwa die Offenbarung *und* die Vernunft, oder das Wort Gottes *und* die Geschichte ..."[241] Dieser Grundsatzerklärung stimmt Barth zu, aber es ist für ihn die Frage, ob Brunner selbst diesen von ihm aufgestellten Maßstab erfüllt in dem, was er sagt. Dem ersten

239 Ebd. 11.
240 Ebd. 11f.
241 E. Brunner, Natur und Gnade 5f.; K. Barth, Nein! 15.

Eindruck nach, sagt Barth, geht dies wohl kaum, da Brunner als natürliche Theologie eine „‚Offenbarungsmächtigkeit‘ (S. 15) oder ‚Wortmächtigkeit‘ (S. 18f., 41) oder ‚Wortempfänglichkeit‘ (S. 18) oder ‚Ansprechbarkeit‘ (S. 18f.)“ kennt.[242]

Barths Kritikpunkte gegenüber Brunner

Zunächst bemängelt Barth, daß für Brunner trotz aller Sünde die formale Gottebenbildlichkeit erhalten geblieben ist. In ihr liegt die ‚Offenbarungsmächtigkeit‘ des Menschen nach Brunner begründet. Gleichwohl ist auch für Brunner die *im*ago de*i* materialiter verloren, so daß eine ‚Werkgenossenschaft‘ zwischen Gott und Mensch hinsichtlich der Offenbarung nicht Thema ist.[243]

Der zweite Punkt, an dem sich Barth stößt, ist die Erkennbarkeit Gottes aus der Welt. „‘Die Schöpfung der Welt ist zugleich Offenbarung, Selbstmitteilung Gottes‘ (S. 12). Und ihre Erkennbarkeit als solche ist durch die Sünde zwar gestört, aber nicht zerstört.“[244] In ihrer ganzen Größe ist auch diese Offenbarung nur durch Christus erkennbar. Später sagt Brunner nach Meinung Barths dann sogar, daß der wirkliche Gott, „tatsächlich auch ohne Christus, auch ohne Heiligen Geist von jedem Menschen erkannt wird. ‚Es gibt‘ wirklich – die Frage ist (und sogar auch noch von der Schrift aus!) ein für allemal bejahend zu beantworten: ‚zweierlei Offenbarung‘ und zwar zweierlei Offenbarung des einen Gottes und nur danach kann weiterhin noch gefragt werden, ‚wie sich die beiden Offenbarungen, die aus der Schöpfung und die aus Jesus Christus zueinander verhalten‘ (S. 13).“[245] Einer Stufung der Gotteserkenntnis (mit und ohne Christus) stimmt Barth nicht zu, da ja jede Gotteserkenntnis unvollkommen, aber dennoch heilbringend sei. Für Barth ist damit die Grenze von einer formalen zu einer materialen Gottebenbildlichkeit überschritten.

Als dritten Kritikpunkt nennt Barth die Erhaltungsgnade, von der Brunner redet als von einer besonderen der Gnade durch Christus voranlaufenden Gnade, was Barth nicht versteht. Barth erkennt eine ‚erhaltende Gnade‘ an, will sie aber nicht von einer ‚allgemeinen Gnade Jesu Christi‘ unterscheiden.[246] Ohne die Gnade Christi bedeutet für Barth die reine Erhaltung des

242 K. Barth, Nein! 16.

243 Vgl. ebd. 16f.

244 Vgl. ebd. 17.

245 Ebd. 19.

246 Vgl. ebd. 20.

Istzustandes nicht eigentlich eine Gnade.[247] Und „ist die Erhaltung unserer Existenz als solche und sind die Bedingungen dieser ihrer Erhaltung – Brunner nennt z. B. den Staat – nicht immerhin so an unsere eigenen menschlichen Möglichkeiten gebunden, daß man von dieser ‚Gnade' jedenfalls nicht sagen könnte, der Mensch könne aus sich selbst nichts dazu tun?"[248] Doch dann kommt es für Barth zur Vorstellung eines Zusammenwirkens von göttlicher *causa materialis* und menschlicher *causa instrumentalis* statt gut reformatorisch von der *sola gratia* zu reden.[249] So zu reden, aber hatte Brunner noch zu Beginn seines Buches versprochen.

Als Konkretisierung dieses Zusammenwirkens versteht Barth Brunners Rede von der relativen Erkennbarkeit sittlicher Ordnungen durch die Vernunft. Auch Nichtchristen sehen die Ehe als eine gute Regelung an und bemühen sich, sie im Leben zu verwirklichen. So werde deutlich, daß Gottes Schöpfungsordnung durch Vernunft ein Stück weit einsehbar sei. Barth jedoch wendet sich gegen so gefundene und bestätigte Teile einer Schöpfungsordnung. Wer sucht was aus und bestimmt es als Schöpfungsordnung? Damit sei jeder Willkür Tür und Tor geöffnet. Man müsse demgegenüber doch wieder auf die Heilige Schrift selber zurückgreifen.

„Brunners Anliegen in der ganzen Sache wird nun sichtbar: Es gibt (S.18f.) einen ‚Anknüpfungspunkt' für die Erlösungsgnade ... der Anknüpfungspunkt ist ‚die auch dem Sünder nicht abhanden gekommene formale imago Dei, das Menschsein des Menschen, die humanitas' (S.18)."[250] „Unter ‚formaler imago Dei' hätten wir schon dort verstehen müssen: den Menschen, der den Willen Gottes auch ohne Offenbarung ‚irgendwie' und ‚einigermaßen' erkennen und tun kann. Wären wir damals schon so klug gewesen, das zu merken, so hätten wir uns das Staunen über die Belanglosigkeit der Feststellung, daß der Mensch der Mensch sei, sparen können."[251] Für Barth ist die Rede vom Menschsein des Menschen entweder belanglos, oder sie spricht von einer Mächtigkeit des Menschen, Gott – zumindest eingeschränkt – ohne dessen Zutun und dessen Gnade zu erkennen. Auf die Vorstellung einer vorlaufenden Gnade, die es überhaupt ermöglicht, in Jesus den Christus zu sehen, vermag sich Barth nicht einzulasen. Da bricht er das

247 Vgl. ebd. 21.

248 Ebd.

249 Vgl. ebd. 22.

250 Ebd. 24f.

251 Ebd. 26f.

Gespräch mit Brunner, mit den Katholiken und erst recht mit den Deutschchristen ab und beruft sich auf das Prinzip *sola scriptura – sola gratia.*[252] Bei der Frage, woher der Christ die Gnade hat, von Gott erkennen zu dürfen, was er erkennen kann, weist Barth darauf hin, „daß die legitime Beantwortung von Brunners Anliegen in der Lehre von Christus, vom Heiligen Geist, von der Kirche zu suchen sein könnte".[253] Barth begrüßt es, daß sich Brunner nun an Gal 2,20 ‚Nicht mehr ich lebe, sondern Christus lebt in mir' und an 1 Kor 2,10f. ‚Denn uns hat es Gott enthüllt durch den Geist' erinnert. Es folgt ein längeres Zitat, in dem es um die Frage nach dem Empfänger und seinem Bewußtsein geht. Es wird deutlich, daß sich Karl Barth bei der Wahl zwischen Selbstbehauptung des Subjekts und mystischem, also von Gott und seinem Geist ergriffenem, Bewußtsein zumindest deutlich für das Offenhalten der zweiten Möglichkeit ausspricht. Brunner sagt, das „Subjekt als solches und seine Selbstbewußtheit werde auch im Glaubensakt nie aufgehoben. Glaube sei nicht Mystik. Der Glaubende werde nicht Christus. Nur in uns, aber ohne daß es zu einer Identität zwischen ihm und uns komme, finde durch den Heiligen Geist ein Akt des göttlichen Selbstbewußtseins statt. Wir empfingen zwar den Heiligen Geist, aber unsere Personalidentität bleibe erhalten."[254] Soweit Barths Beschreibung von Brunners Standpunkt. Wer jetzt Zustimmung von Barth erwartet, wird enttäuscht. Barth verteidigt demgegenüber die Mystik! Er fährt fort: „Wer wollte dem allen in der Hauptsache nicht zustimmen, auch wenn er vielleicht gegenüber einer allzu schweizerischen Nüchternheit zugunsten der armen Mystik geltend machen wollte, daß der Akt des echten Glaubens sich vielleicht doch auch manchmal in mystischen Bewußtseinsvorgängen vollzogen hat und auch vollziehen durfte und darf."[255] Demnach darf es also möglich sein, daß unsere Personalidentität nicht erhalten bleibt, es also zu einem Akt der Verschmelzung, der Vereinigung, der Unio kommt. Deutlicher kann man eine Offenheit für die Mystik nicht ausdrücken.

Nach seiner Verteidigung der Mystik kommt Barth wieder auf seine eigentliche Auseinandersetzung mit Brunner, nämlich auf den ‚Anknüpfungspunkt' zurück. „Was er zu beweisen hatte, war das, daß in jenen Stellen etwas gesagt sei darüber, daß das Leben eines Menschen in Christus durch den Heiligen Geist ein Kennen und Respektieren des wahren Gottes seinerseits schon zur *Voraussetzung* und daß es in dieser Voraussetzung seinen *Anknüpfungs-*

252 Vgl. ebd. 27.

253 Ebd.

254 Ebd. 28.

255 Ebd.

punkt bei diesen Menschen habe.“[256] Barth weist dann im folgenden darauf hin, daß in Gal 2,20 und 1 Kor 2,10 von einem solchen Anknüpfungspunkt nichts gesagt wird, daß die Weisheit des Menschen, die er vor der Kenntnis Christi als Gekreuzigtem hat, Weisheit der Welt ist und nichts zur Gotteserkenntnis beiträgt. Für Barth können für die Neugeburt des Menschen „‚formale‘ Eignung dazu als die *uninteressanteste* und seine ‚materiale‘ als die *unmöglichste* Sache von der Welt schlechterdings keine Probleme sein“.[257]
Barth hält Brunners Calvininterpretation vom Ergebnis her für faktisch falsch. Gleichzeitig ist Brunners Zeichnung des römisch-katholischen Standpunktes in der Gnadenlehre nach Barths Meinung stark verzeichnet. „Jeder katholische Theologe, der etwas von seiner Sache versteht ..., muß und wird Brunners Darstellung als Gesprächsunterlage einfach darum ablehnen, weil es auch und gerade nach der durch Thomas bestimmten katholischen Theologie (die doch als solche immerhin auch fast den ganzen Augustin in sich hat!) faktisch nie anders zur wahren Erkenntnis Gottes aus Vernunft und Natur kommt als auf Grund der zuvorkommenden und vorbereitenden Gnade. Von einem Auseinanderhalten von Natur und Gnade ‚durch eine saubere Horizontale‘ (S.33) kann da gar keine Rede sein.“[258]
Brunner interpretiert nach Barth Calvin vom Duktus her völlig falsch, auch wenn er ihm nicht direkt widerspricht. Brunner gibt als Calvins Lehre etwas aus, was dieser zwar noch nicht direkt geleugnet hat, was aber nach Barth auch nicht auf seiner Linie liegt. Barth interpretiert Calvin, indem er ihn noch radikalisiert. „Wir sind heute, wenn wir wirklich die ‚reformatorische‘ Linie gegenüber dem Katholizismus und gegenüber dem Neuprotestantismus innehalten wollen, zweifellos auch in der Gnadenlehre, etwa bei der Bestimmung des Verhältnisses von Rechtfertigung und Heiligung, nicht in der Lage, die Sätze Luthers und Calvins zu wiederholen, ohne sie gleichzeitig schärfer auszuziehen, als sie selbst es getan haben.“[259] Daß ihm Brunner da nicht zustimmt, nimmt Barth ihm persönlich übel.
Zusammenfassend gibt folgendes Zitat gute Auskunft über den theologischen Standpunkt Karl Barths im Gegensatz zu Brunner: „Der Heilige Geist, der vom Vater und vom Sohne ausgeht und also als Gott geoffenbart und geglaubt ist, bedarf keines Anknüpfungspunktes als dessen, den er selber setzt. Man kann über sein ‚Anknüpfen‘ beim Menschen immer nur rück-

256 Ebd. 28.
257 Ebd. 30.
258 Ebd. 33.
259 Ebd. 37f.

wärtsblickend reflektieren und dieser Rückblick wird immer und ausschließlich der Rückblick auf das geschehene *Wunder* sein."[260]

1.3.4 Die ersten Arbeiten im ,Exil'

Für Barth selbst spitzte sich die Lage in Deutschland nach 1933 schnell zu. Die ,Bekennende Kirche' verlor ihren Kurs nach einer zweiten Bekenntnis-Synode am 19./20. Oktober 1934 in Berlin-Dahlem. Als Barth wieder mit seinen Bonner Vorlesungen begonnen hatte, entbrannte im Reichsbruderrat eine Diskussion darüber, wie man dem Staat besser gefallen und von der Illegalität in die Legalität rutschen könne. Dies geschah zur ,Rettung der Volkskirche' und drängte Barth aus der Bekennenden Kirche heraus, bedeutete in gewisser Weise sogar deren Ende.[261] Nach einigem Hin und Her mußte Barth seine Lehrtätigkeit in Bonn aufgeben, weil er den Beamteneid nicht ohne Zusatz leisten wollte. Auch hierin zeigt sich seine Linie der Trennung zwischen Staat und Kirche. Der Staat hat nicht das Recht, bedingungslosen Gehorsam zu fordern, wenn nicht das Gewissen des Christen dabei geachtet wird. Barth glaubte, mit seiner Weigerung sowohl der Kirche als auch dem Staat einen guten Dienst zu tun, wie sein Zitat aus der Apologie des Sokrates belegt. So mußte Karl Barth von seiner Wahlheimat Deutschland ins ,Exil' in seine Heimat gehen.[262]
Die erste Zeit seines Vorlesungsverbotes nutzte Barth allerdings, um in Holland Vorlesungen zu halten, die im Büchlein ,Credo' zusammengefaßt sind. Zum einen ist das Thema klar von dem Text des Credos her vorgegeben. Zum anderen grenzen die uns interessierenden Stellen dicht an das über sein Nein zu Brunner Gesagte an, so auch der Hinweis von Barth anläßlich der Schöpfung, daß Gottes Schöpfung nicht selber Gott oder göttlich ist. „Himmel und Erde sind *nicht selber Gott*, nicht etwa eine göttliche Zeugung oder Emanation, nicht etwa, wie die Gnostiker und Mystiker es immer wieder haben wollten, direkt oder indirekt identisch mit dem Sohne oder Worte Gottes."[263] Hier wehrt sich Barth also gegen jede ontologische Gottgleichheit, die in dem Geschaffensein des Menschen durch Gott begründet ist, und wirft gleichzeitig den Mystikern Pantheismus vor.
Als Barths Widerspruch gegen seine Entlassung am 14. Juni überraschender-

260 Ebd. 56.

261 Vgl. E. Busch, Lebenslauf 266f.

262 Vgl. ebd. 268-275.

263 K. Barth, Credo 31.

weise stattgegeben wurde, konnte er dennoch nicht weiter in Bonn lesen, denn der Minister versetzte ihn in den sofortigen Ruhestand. Gleich darauf bekam Barth einen Ruf nach Basel. Als er endgültig Bonn verließ, legte er seinen Schülern nahe, ihre Theologie auf der Exegese aufzubauen.[264]

Ein neuer Abschnitt im Wirken Karl Barths beginnt nach seiner Rückkehr in die Schweiz. Dort wurde ihm zwar zunächst nicht geringeres Interesse entgegengebracht, aber seine Fragestellung, geprägt durch den Kampf der Kirche in Deutschland um ihre Eigenständigkeit, fand bei den Liberalen wenig Anklang. Nach seinem Vortrag ‚*Das Bekenntnis der Reformation und unser Bekennen*' erntete er heftige Kritik aufgrund seiner starken Kirchlichkeit und seiner Betonung des Bekenntnisses. Wegen dieser für ihn typischen Haltung fand er sich bald am Rande des theologischen Geschehens und wenig beachtet.

Am 7.10.35 hielt Barth nochmals einen Vortrag in Deutschland: ‚*Evangelium und Gesetz*'. Dieser Vortrag wurde in der Folgezeit quasi als Barths Vermächtnis an Deutschland betrachtet. Das Gesetz folge dem Evangelium, weil es sich andersherum nicht um das Gesetz Gottes handeln würde, sondern um unser eigenes. So gesehen könne das Gesetz als Anweisung zum Handeln nur die Folge des Evangeliums, der Offenbarung Gottes sein. „Wer zu unserem Thema recht reden will, der muß zuerst vom *Evangelium* reden. Denken wir hier sofort an jene 430 Jahre Abstand, in dem das Gesetz nach Gal 3,17 der Verheißung folgte. Es *muß* ihr folgen, aber es muß ihr *folgen*."[265] Evangelium und Gesetz können wir uns nicht selber sagen, sondern wir müssen es uns sagen lassen. Wort Gottes ist formal immer Gnade. „Das Wort Gottes bewährt diese seine Form darin, daß es auch inhaltlich, was es auch sage, eigentlich und letztlich *Gnade* ist: *frei souveräne* Gnade".[266] Im Zusammenhang mit der Ohnmacht des Menschen kommt Barth auf die Stelle Gal 2,19f. zu sprechen: „Der Stand und Gang des *Menschen* unter der Gnade ist danach zu bestimmen als der Stand und Gang eines solchen, für dessen Menschsein Jesus Christus mit seinem angenommenen, gehorsamen und verherrlichten Menschsein *eintritt* und zwar, weil der Mensch selber und von sich aus zum Glauben gar keine Willigkeit noch auch Fähigkeit hat, *ganz und gar* eintritt, so also, daß des Menschen eigenes Menschsein, wie Paulus gern sagt, tot ist, lebendig aber nur, indem er ‚in Christus' ist, d. h., indem Jesus Christus sein Subjekt geworden ist. ‚Ich bin mit Christus gekreuzigt. Ich lebe, aber nun nicht ich, sondern Christus lebt

264 E. Busch, Lebenslauf 272.

265 K. Barth, Evangelium und Gesetz 3.

266 Ebd. 4.

in mir. Denn was ich jetzt lebe im Fleisch, das lebe ich in dem Glauben des Sohnes Gottes (ganz wörtlich zu verstehen: ich lebe – nicht etwa in meinem Glauben an den Sohn Gottes, sondern darin, daß der Sohn Gottes glaubte!), der mich geliebt hat und hat sich selbst für mich dargegeben' (Gal 2,19f.)."[267]
In seiner Lehrtätigkeit versuchte Barth, die *Kirchliche Dogmatik* zu entfalten und voranzutreiben.[268] Im Sommer 1937 war dann der Band I/2 der KD abgeschlossen. Schon in Band I/1 hatte er sich gegen den Vorwurf, nun doch ein geschlossenes System zu bieten und scholastisch zu denken, gewehrt und entgegnet, daß es angesichts der „Trinität und Jungfrauengeburt – eine ganze dritte Dimension (sagen wir einmal: die Dimension des – mit religiös-sittlichem ‚Ernst' nicht zu verwechselnden – *Geheimnisses*)"[269] gebe, die dem modernen Protestantismus abhanden gekommen sei. Gegenüber den systematischen Vorüberlegungen ging es im zweiten Band um die für Barth vergleichsweise einfachere Darstellung Gottes.[270] Dabei grenzte Barth sich nach vielen Seiten ab. Gegenüber den Liberalen betonte er, Gott werde in der Kirche erkannt, gegenüber der natürlichen Theologie – wie Barth sie versteht –, Gott werde im Glauben aus Gnade analog erkannt, und gegenüber den Religionskritikern, wies Barth darauf hin, daß Gott tatsächlich erkannt werde, weil es ihn tatsächlich gebe.
Mit dem Band III der KD über die Schöpfung betrat Barth Neuland. Dabei stellte er zunächst fest, daß der Glaubensartikel von der Schöpfung ein *Glaubens*artikel ist. Die Schöpfung spricht also nicht aus sich vom Schöpfer, sondern nur für den Glaubenden. So verwahrt er sich konsequent gegen eine falschverstandene natürliche Theologie. Dabei ist die Schöpfung für ihn der äußere Grund des Bundes, und der Bund der innere Grund der Schöpfung.[271]
Nach Ende des Krieges machte sich Barth vielerorts Gedanken um einen guten Neuanfang. 1946 und 1947 verbrachte er zwei Gastsemester in seiner alten Wirkungsstätte Bonn. Die Vorlesungen wurden in den Trümmern des zerstörten Kurfürstenschlosses gehalten, aus denen später die Universität entstand. Barth las ohne lange Einleitung die ‚*Dogmatik im Grundriß*'. Auch hier betont er, daß der Mensch von sich aus jedenfalls keine Möglichkeit der Begegnung mit Gott habe. „Wenn wir uns Rechenschaft geben würden über das, dessen wir Menschen fähig sind, so würden wir uns vergeblich bemü-

267 Ebd. 7f.

268 Vgl. E. Busch, Lebenslauf 280.

269 K. Barth, KD I/1 IXf.

270 Vgl. E. Busch, Lebenslauf 297f.

271 Vgl. ebd. 330.

hen, etwas ausfindig zu machen, was gewissermassen eine Disposition für das Wort Gottes genannt werden könnte. Ohne irgendeine Möglichkeit unsererseits tritt die große Möglichkeit Gottes auf den Plan und macht möglich, was von uns aus unmöglich ist. Es ist Gottes Geschenk, Gottes freies, von unserer Seite durch nichts vorbereitetes Geschenk, wenn wir ihm begegnen und in der Begegnung mit ihm sein Wort hören dürfen."[272]

Im zweiten Artikel über den Glauben an Jesus als den Christus, als den Sohn Gottes, betont Barth, daß dieser Artikel eigentlich der grundlegende und der erste ist. „Von dieser Mitte des christlichen Glaubensbekenntnisses aus ist das, was es über Gott den Vater und Gott den Heiligen Geist aussagt, als ergänzende Aussage zu verstehen. Wenn die christlichen Theologen abstrakt und direkt eine Theologie Gottes des Schöpfers entwerfen wollten, dann sind sie immer in die Irre gegangen ... Und dasselbe geschah, wenn die Theologen zu einer Theologie des dritten Artikels vorstoßen wollten, zu einer Geist-Theologie, einer Theologie des Erlebens im Gegensatz zur Theologie vom hohen Gott im ersten Artikel."[273] Dies wirft er dann insbesondere Schleiermacher vor. Er wollte es allein mit dem Geist wagen, ohne von Christus auszugehen. Das konnte in Barths Augen nur schiefgehen. Auch vor der Christologie hat es die Kombination der beiden Begriffe Gott und Mensch im Mythos schon gegeben. „Der Mythologie ist die Vorstellung der Inkarnation nicht fremd."[274] Doch in den Mythen geht es um eine zeitlose Wirklichkeit: „Tag und Nacht ... Tod und Leben".[275] Im Christentum geht es dagegen um diesen einen konkreten Menschen, in dem Gott Mensch geworden ist. Dies ist schon formal etwas ganz anderes.

In dem Glauben an diesen konkreten Christus als Herrn der Gläubigen sieht Barth auch einen Unterschied zur *Mystik*. „Wenn wir sagen, daß Gott unser Herr und Meister ist, dann denken wir Christen eben nicht in der Weise aller Mystik an ein undefinierbares und letztlich unbekanntes göttliches Etwas, das als Gewalt über uns steht und uns beherrscht, sondern wir denken an diese konkrete Gestalt, an den Menschen Jesus Christus."[276]

1947 hielt er im Sommer wieder an vielen Orten Deutschlands Vorträge, unter anderem ‚*Christus und wir Christen*'. Dieser Vortrag sollte die Grundlegung des Glaubens noch einmal deutlich machen an einem Ort und zu einer

272 K. Barth, Dogmatik im Grundriß 19.

273 Ebd. 76.

274 Ebd. 79.

275 Ebd.

276 Ebd. 104.

Zeit, zu der Grundlegungen nach Barths Meinung sehr wichtig waren.[277] Denn Staat und Gesellschaft hätten nicht so versagt, wenn nicht die Christen versagt hätten. Dabei führte er u. a. aus: „*Wir Christen sind Menschen, die vor Anderen nur dies voraus haben, daß sie Gottes Erbarmen in Christus zu erkennen und zu erfahren anfangen dürfen.*“[278] Diese beginnende Erkenntnis und Erfahrung führt beim Christen aber nicht zur Überheblichkeit ob seines Christseins. Er weiß, daß er nur vom Erbarmen Gottes lebt. „Wo man Gott so kennt – und wir Christen dürfen ihn so kennen –, da ist es zu Ende mit des Starken, des Reichen, des Mächtigen Stolz, aber auch mit aller Überheblichkeit des Geistesmenschen, des Mystikers, des Moralisten und des Frommen. Sie sind dann gegenstandslos.“[279] Für Barth ist der Mystiker also ein Fertiger und ein Überheblicher, weil Selbstsicherer. Demgegenüber betont er, daß jeder Christ immer nur anfangen könne und Anfänger sei.
1947/48 setzt Barth auch die Arbeit an seiner Anthropologie fort. Dabei bezieht er sich des öfteren, allerdings meist nicht explizit, auf Bultmanns Entmythologisierungsansatz. An der Entmythologisierung interessiert und ärgert ihn insbesondere das existentialistische Schema.[280] Im Früjahr 1948 ist Bd III/2 der KD ‚*Die Lehre vom Geschöpf*‘ abgeschlossen. Dabei hat Barth weniger als in Band II auf die Exegeten und die ältere Tradition zurückgegriffen. Seiner Meinung nach war zu vieles neu zu sagen.[281] Insgesamt war er nach seinen Deutschlandaufenthalten von dem Treiben der Kirche dort so enttäuscht, daß er zunächst nicht mehr dorthin ging. In seinen Augen wurden die gleichen Fehler wie damals jetzt wieder von neuem begangen. Die Bekennende Kirche, so wie sie sich zeigte, und Bultmann als Alternative dazu reizten ihn beide höchstens im negativen Sinne des Wortes.
1949 wurde Band III/3 der KD fertig. Zum Druck gelangte er jedoch erst später, als klar war, daß die ‚*Ethik der Schöpfung*‘ einen eigenen Band beanspruchen würde. Die Arbeit an dem entsprechenden Material, das dann später unter III/4 erschien, begann Barth im Sommer 1949, als die Entmythologisierungsdebatte in aller Munde war. Trotzdem sprach er gern von den Engeln, aber im Gegensatz zu manchen Lutheranern der Nachkriegszeit nur ungern von den Dämonen.[282] 1950 intensivierte sich auch das Gespräch mit Rom. Während er zunächst auch einige erfreuliche Entdeckungen machte,

277 Vgl. K. Barth, Christus und wir 3.

278 Ebd. 6.

279 Ebd. 7.

280 Vgl. E. Busch, Lebenslauf 360.

281 Vgl. ebd. 363.

282 Vgl. ebd. 378.

war er über die Aussage der katholischen Kirche über die Gottesmutter Maria nicht sehr erfreut und sah eine Tür zum Gespräch zuschlagen. Trotzdem waren ihm einige katholische Freunde lieb und teuer, etwa von Balthasar, Hâmer, Bouillard, Maydieu. In diesem Zusammenhang stellt Barth fest: „Es tat der Kirche nie gut, sich eigenwillig auf *einen* Mann – ob er nun Thomas ... oder Luther oder Calvin hieß – und in seiner Schule auf *eine* Gestalt ihrer Lehre festzulegen. Und es tat ihr überhaupt nie gut, prinzipiell rückwärts statt vorwärts zu blicken."[283] Der Band III/4 wurde 1951 fertig und beinhaltet die Ethik der Schöpfungslehre.[284] Zentraler Gegenstand ist die ‚Freiheit der Kinder Gottes'. Besondere Beachtung schenkt Barth auch der Bedeutung des Feiertages. In der Ruhe des Feiertages drückt sich aus, daß der Mensch *zuerst* glauben muß, daß Gott es schon in seine Hand genommen hat. Anschließend kann und soll der Mensch dann hingehen und in diesem Sinne selber handeln.
Nach KD Band III/4 wandte er sich der Versöhnunglehre KD Band IV/1 zu. Dabei wollte er nicht mehr isoliert von Werk oder Person Jesu Christi sprechen, sondern immer beides in Verbindung miteinander sehen.[285] Die fortgesetzte Auseinandersetzung mit Bultmann verlief zwar gegensätzlich, aber immerhin höflich. Barth war mißtrauisch, weil er meinte, den Menschen beim Existentialismus wieder in die Mitte gerückt zu sehen. Insgesamt lehnte er es ab, sich weiter mit der hermeneutischen Frage auseinanderzusetzen.[286]

1.3.5 Die Diskussion mit Bultmann um die Entmythologisierung

1952 veröffentlicht Barth eine kleine Schrift mit dem Titel ‚*Rudolf Bultmann. Ein Versuch ihn zu verstehen*'. Es handelt sich um einen Extrakt des im Wintersemster 1951/52 durchgeführten Seminars ‚Kerygma und Mythus'. Die Schrift ist relativ bekannt geworden, da die Theologie Bultmanns in der Folgezeit zu großer Bedeutung kommen sollte. Um das Denken Barths zu verstehen, bieten seine Gedanken zum Ansatz Bultmanns eine große Hilfe. Es geht um die methodische Vorentscheidung in der Theologie und die Frage nach dem Verhältnis von Vernunft und Glaube. Auch wenn es in dieser

283 K. Barth, KD III/4 IX.

284 Vgl. E. Busch, Lebenslauf 390.

285 Vgl. ebd. 392.

286 Vgl. ebd. 400-404.

Diskussion nicht primär um Mystik, sondern um Mythos geht, ist Barths Position in dieser Fragestellung auch für unser Thema interessant, weil sie sein Glaubensverständnis erhellt. Deshalb ist hier näher und im Zusammenhang umfassender auf die Antwort Karl Barths einzugehen.
Wenn der Mythosbegriff Bultmanns gelten soll, fragt sich Barth, ob die Botschaft selber dann noch zum Zuge kommen kann. Kann man vom Heilsgeschehen als Geschehen an sich oder von der raum-zeitlichen Erfahrung der Auferstehung noch sprechen? Ist dem Menschen dann das Wort Gottes wirklich entgegengetreten? Ist er von Gott aus Gnade auch *gegen* seinen Widerstand erlöst worden? Nach Bultmann dürfte man so nicht mehr reden, doch gerade das möchte Barth gern. So scheint ihm Bultmann fast ein wenig ‚doketistisch'.[287] Für Barth ist mythische Rede letztlich unverzichtbar, um das besondere Entgegenkommen Gottes zu artikulieren.

1.3.5.1 Die Botschaft als Kerygma

Für Bultmann ist, nach Barth, das Neue Testament als Botschaft zu verstehen und nur als das, nicht etwa als historisches Zeugnis oder Aussagen über Gott o. ä. Diese Botschaft ist einzigartig. Ihr Inhalt ist Gottes Wort und Gottes Tat, die einst ergangen sind. Sie gilt aber für jeden und für jedes Jetzt neu. Die Botschaft stellt den Hörer vor die Entscheidung. Indem man die Botschaft richtig versteht und lebt, versteht man sein eigenes Leben richtig. Doch dieser Darstellung kann sich Barth nicht ganz anschließen. Zwar kann er noch den Zusammenhang zwischen ‚Botschaft hören' und ‚ihr gehorsam sein' sehen, doch verneint er, daß man sich in diesem Akt selbst besser erkenne und verstehe. Für Barth werde man, im Blick auf Gott, also von sich weg, sich selber immer rätselhafter.[288]
Wenn Bultmann behauptet, daß das Neue Testament selber historisch geworden ist und daher der Rekonstruktion seiner ursprünglichen Gestalt und der Übersetzung bedarf, so stimmt ihm Barth zu. Doch darüber hinaus betont er gegen Bultmann, daß die Botschaft selber schon, von ihrem Selbstverständnis, fordert, verstanden zu werden. Für Barth muß Bultmann sozusagen schon alles wissen, wenn er sich um eine Übersetzung in die heutige Zeit als erstes müht statt um das tiefere Verständnis der Texte. Hierin besteht für Barth ein Unterschied![289]
Die ‚Entmythologisierung' soll den Charakter der Botschaft als Kerygma

287 K. Barth, Rudolf Bultmann 39-41, bes.41.

288 Ebd. 10-12.

289 Ebd. 12-15.

auch für den heutigen Menschen transparent machen. Für Barth ist Entmythologisierung gegenüber dem positiven Gehalt von Bultmanns Exegese und seinem positiven Auslegungsprinzip zweitrangig. Zwar soll Mythologisches weniger wegfallen als vielmehr transformiert werden, doch ist damit die Botschaft für Barth kaum wiederzuerkennen. Dies geht für Barth am eigentlichen Inhalt der Botschaft vorbei. Aber er sieht auch, daß es sich nach Bultmann dennoch um Heilsgeschehen handeln soll. Die mythische Redeweise müsse nur in eine existentielle übersetzt werden.[290] Damit steht Bultmann für Barth zwischen den ‚Liberalen', die wichtige Elemente der Heilsbotschaft wegfallen lassen und den Orthodoxen, die sie nicht transformieren.[291] Diese Interpretation des Kerygmas geht für Barth allerdings zu sehr vom Menschen aus.

1.3.5.2 Der Mensch im Mittelpunkt

Für Barth steht bei Bultmann das Kerygma in einer Weise im Vordergrund, daß für ihn die Andersartigkeit Gottes nicht mehr hinreichend zur Geltung kommt. Nicht zuwenig, sondern zuviel wird ihm Wort und Tat des unbegreiflichen Gottes für die Interessen des heutigen Menschen interpretiert und angepaßt. Die Bedenken sind hier also ähnlich wie seinerzeit gegen Brunner. Nach Barth handelt es sich bei Bultmanns Philosophie, also seiner existentialen Interpretation, um eine „Herausstellung des sich im Neuen Testament in mythologischer Form aussprechenden menschlichen – des spezifisch christlich-menschlichen Selbstverständnisses".[292] Da hierbei sowohl das im Neuen Testament eigentlich Gemeinte an den Tag tritt, als auch vom heutigen ‚nichtmythologischen' Menschen verstanden werden kann, handelt es sich für Barth um eine verlockende Methode. Deswegen ist diese Methode auch von vielen begrüßt worden. Doch die Vorteile dieses Modells werden durch eine *philosophische Vorentscheidung* und eine Geschlossenheit des Systems erkauft. Barth wendet sich ausdrücklich gegen eine Kanonisierung der Existentialphilosophie. Für ihn wird nicht deutlich, wie man im Rahmen dieses Vorverständnisses vom ‚*Christus*geschehen' reden und hierin eine ‚Tat

290 Mit dieser existentiellen Redeweise, in der das Kerygma den Menschen zur Entscheidung ruft, ist nach H. Ott, Entmythologisierung 498, der Gedanke der ‚Rechtfertigung allein durch den Glauben' gut getroffen. Doch bemängelt H. Ott, Entmythologisierung 499, auch, daß die ‚Ehre Gottes', das ‚Reich Gottes' und etwa die ‚Vorsehung' gegenüber diesem Rechtfertigungsgedanken vollkommen in den Hintergrund getreten sind.

291 K. Barth, Rudolf Bultmann 34f. A. Vögtle, Entmythologisierung 900f., sieht die Kritik an der Entmythologisierung im Vorwurf einer substantiellen Verkürzung des Kerygmas.

292 K. Barth, Rudolf Bultmann 42.

Gottes' sehen kann.[293] Barth lehnt jede philosophische Vorüberlegung, Hermeneutik und jedes Vorverständnis prinzipiell ab. Dies gilt für jeden Text. Man soll ohne Vorverständnis an ihn herangehen oder sein Vorverständnis wenigstens vom Text her wieder in Frage stellen lassen. Richtiges Verstehen ist nur in der „Schule des Heiligen Geistes" möglich.[294] Gerade um diese Umkehr des Verstehens ging es Barth beim Aufbruch zur neuen Theologie.[295]

Das neutestamentliche Kerygma spricht dem oben Gesagten nach wesentlich von der alten und neuen Bestimmtheit des Menschen. „Der Mensch erfährt (1) als Hörer der Botschaft sich selbst als den, der er war und ist und als den, der er sein soll und wird, er erfährt sich (2) im Glauben an die Botschaft als im Übergang vom einen zum anderen und er erfährt sich (3) in diesem Übergang als Gegenstand von Gottes Heilstat, konkret geredet: in seinem ‚Sein in Christus'."[296]

Barth möchte diese auch für ihn mögliche Redeweise vom ‚Übergang' nicht zur prinzipiellen Redeweise erhoben sehen, wie er dies bei Bultmann sieht, denn dann ist ihm das zu subjektiv, nicht objektiv genug von Gott geredet, zuviel vom Menschen geredet, als ob Gott nur das ist, was der Mensch von ihm erfährt.[297]

Aber wie sieht Barth diesen Übergang bei Bultmann nun genau? Der Mensch ist insofern Sünder, als er sich allein um diese Welt sorgt und gerade in diesem Sorgen um sich selber scheitert. Barth versteht hier nicht nur Bultmann, sondern auch die Tradition nicht, die eine Sündenlehre in Absehung von Gottes Tun kennt. Der Mensch ist zum Glauben und zum Vertrauen auf das Unverfügbare aufgerufen, zur ‚eschatologischen Existenz'.

Barth weist hier auf das Fehlen der geschenkten Gnade Gottes hin. Keine Rede ist auch von Christus, der uns diesen Weg voranging. Die Rede von Christus und von Gnade soll erst nach der Darstellung der ‚christlichen Existenz an sich' hinzukommen, und dies, findet Barth, ist die verkehrte Reihenfolge.

293 Ebd. 43-45.

294 Ebd. 59.

295 Vgl. ebd. 59f.

296 Ebd. 18.

297 Dieses Bedenken wird von vielen geteilt, z. B. von A. Vögtle, Entmythologisierung 900f. Wenn Kerygma nur als existentielle Anrede verstanden wird, liegt ein Vorverständnis zugrunde, daß die Botschaft Jesu objektiv nicht gelten läßt. Jedwede Wissensvermittlung in der Offenbarung ist damit ausgeschlossen.

Zwei Dinge spielen bei der Darstellung der Botschaft durch Bultmann eine wichtige Rolle.

Das *Kreuz*: Der Glaubende übernimmt das Kreuz Christi. Das historische Ereignis gewinnt für ihn Bedeutung, weil auch sein uneigentliches Sein gekreuzigt wird. So kommt er zu seiner eigentlichen Existenz.

Barth kritisiert, daß dem Kreuz Christi seine Bedeutung nicht an sich zukommt, sondern erst in der Aneignung durch den Gläubigen, daß man sich nicht im Glauben an die Bedeutung des Kreuzes an etwas hält, daß *gegen* einen und *ohne* einen sich vollzogen hat.[298] Barth ist beunruhigt durch die „Nähe zu allerhand katholischer Todesmystik ... Bultmann hat einmal (Kerygma und Mythos, 1948, 1. Bd., S.50) geschrieben: ‚Nicht weil es das Kreuz Christi ist, ist es das Heilsereignis, sondern weil es das Heilsereignis ist, ist es das Kreuz Christi'."[299] Dieser Satz macht Barth große Schwierigkeiten. Er sieht darin die objektive Bedeutung des Kreuzes angegriffen.

Die *Auferstehung*: Mit der Auferstehung ist bei Bultmann „das Ostergeschehen als das Offenbarwerden der Bedeutsamkeit des Kreuzes" gemeint.[300] Von einer eigentlichen Begegnung mit dem Auferstandenen kann für Barth bei Bultmann dann keine Rede mehr sein. Die Rede von der Auferstehung ist nicht Ursache des Glaubens, sondern etwas, was hinzukommt. Diese Reihenfolge kann Barth nicht verstehen, denn dann ginge Christus für ihn ja nur seiner Auferstehung *in uns* entgegen.

Für Barth besteht die Christologie bei Bultmann also aus dem ontischen Kreuzesgeschehen und der noetischen Auferstehung. Die *Absicht* Bultmanns ist es, für Barth aber gleichwohl, Kreuz und Auferstehung für wichtig zu halten. Auf diese Absicht führt Barth auch die Differenz mit dem Liberalen Jaspers und seinem theologischen Schüler Buri zurück.[301]

298 K. Barth, Rudolf Bultmann 27.

299 Ebd. 27f.

300 Ebd. 28. Die Frage nach der ‚Realität' der Auferstehung ist in der Tat eines der wichtigen Themen in der Auseinandersetzung. Der Hinweis auf den Verlust der *Historizität* der Auferstehung gegenüber dem Kreuzesgeschehen darf aber nicht vergessen lassen, daß das Kreuz auch nur im *Glauben* ein Punkt der *Heils*geschichte ist. Barth empfindet, so gesehen, sein Unbehagen zu Recht schon bei Bultmanns Interpretation des Kreuzes. Vgl. K. Barth, KD III/2, 531-537, bes. 532f.

301 K. Barth, Rudolf Bultmann 30.

1.3.6 Nach 70 Jahren: ein Blick auf die neue Menschlichkeit

Nach der Auseinandersetzung mit Bultmann sind neben der Weiterarbeit an der KD nur wenige neue für die vorliegende Fragestellung wichtige Vorträge und Veröffentlichungen zu verzeichnen. Allgemein rückte Barth etwas von seiner Betonung der Christologie ab, sprach verstärkt neben der Göttlichkeit auch von der Menschlichkeit Gottes und wies auf die Einseitigkeit so mancher Position und Behauptung seiner früheren Jahre hin.

Im März 1955 hielt Barth verschiedene Vorträge auf einer Tagung in Wuppertal-Elberfeld. Sein Freund Hans Iwand plädierte in einem Vortrag stark für eine „christologische Konzentrierung der ganzen Theologie".[302] Dabei rechnete er auf die Unterstützung Karl Barths. Doch er, der so oft von Christologie und Christozentrik gesprochen hatte, zeigte in seiner Einstellung einen gewissen Wandel. „Und ich wurde aufgefordert, mich zu äußern, und habe dann gesagt: Mir sei manchmal bei dem Wort ‚Christologie' nicht wohl. Es geht nicht um Christologie, auch nicht um Christozentrik und christologische Orientierung, sondern es geht um *Ihn selber.* Und alle Beschäftigung mit Christologie – und ich habe mich auch ein bißchen damit beschäftigt – kann doch nur kritische Hilfsarbeit sein, um zu dem Punkt vorzudringen, wo es dann geschehen mag, daß es heißt wie bei den Jüngern auf dem Berg der Verklärung: ‚Sie sahen niemand denn Jesum allein'."[303]

„Eines von dem, was er auf seinem langen Weg bestimmt gelernt zu haben glaubte, war dies: ‚Theologie ist unter allen Umständen eine schöne, eine freudige Aufgabe ... Als ich als junger Mensch damit anfing, war ich auch oft bekümmert und grämlich bei der Sache. Später konnte ich einsehen, daß man durch die Theologie, wenn man sie richtig anfaßt, an einen Ort geführt wird, der – aller Schwierigkeiten, aller mühsamen Arbeit, die ihn da erwartet, ungeachtet – ein heller Ort ist, an dem der Mensch bei aller Sehnsucht nach dem Sehen ‚von Angesicht zu Angesicht'(1 Kor 13,13) *leben* kann: für sich *und* für Andere."[304] Gerade zu seinem 70. Geburtstag blickte Barth noch einmal zurück, auch auf den Wandel in seiner Art, Theologie zu treiben. Neu und besser konnte Barth inzwischen vom Menschen reden. „Ich meine seither gelernt zu haben, von Gott dem Schöpfer so zu reden, daß der Mensch als sein Geschöpf im Gegenüber und im Verhältnis zu ihm nicht unsichtbar, sondern erst recht sichtbar wird. Ich meine mich heute besser

302 E. Busch, Lebenslauf 426.

303 Ebd. 426.

304 Brief ‚An meine Freunde in Japan', 1956, zitiert nach E. Busch, Lebenslauf 435.

darüber ausdrücken zu können, daß es eben durch die Macht der freien, souveränen Gnade Gottes auch eine echte Freiheit des Menschen gibt: seine Freiheit zum Gehorsam, die Freiheit der Kinder Gottes."[305] Barth selber sieht sein Werk nach und nach entstanden und nicht von vornherein im einzelnen schon geplant. Er fühlte sich dabei stets „vor ein Neues [gestellt], das mehr nach mir griff, als daß ich nach ihm gegriffen hätte. Diesem Neuen suchte ich dann, so gut ich es konnte, standzuhalten."[306]

Im September 1956 hielt Karl Barth dann in Aarau den Vortrag ‚*Die Menschlichkeit Gottes*', in dem er nichts wesentlich Neues gegenüber der KD sagte. Doch wurde für viele erstmals deutlich, wie sehr er sich von seinem einstigen ‚Gott ist ganz anders' unterschied. 40 Jahren vorher hätte Barth hinter diesem Thema Schlimmes vermutet und nur über die Göttlichkeit Gottes gesprochen. Doch das damalige Wort war nicht das letzte. „Unsere Aufgabe ist *diese*: eben auf Grund der Erkenntnis der *Göttlichkeit* Gottes, eben von ihr her, die Erkenntnis seiner *Menschlichkeit*" zu bedenken.[307]

Barth beurteilt jetzt im Rückblick die damalige Theologie nach seiner Meinung objektiver, gerechter und besser als damals. Doch bleibt er dabei festzuhalten, daß diese Theologie am Ende war, weil sie „*religionistisch* und damit *anthropozentrisch* und in diesem Sinn: *humanistisch* geworden" war.[308] Dies wurde vielen an dem durch Kutter und Ragaz neu interpretierten Sozialismus klar, wurde an Blumenhardt und Overbeck klar, wurde Barth insbesondere klar am ethischen Verhalten der damaligen Theologen zu Beginn des ersten Weltkriegs und an den Bibeltexten selber, die von einem göttlichen Gott sprechen.

Jetzt steht für Barth eine ‚Retraktation' an, eine neue Ausrichtung des damaligen richtigen und notwendigen Neuansatzes. Denn der damalige Ansatz war schon allein deshalb einseitig, weil er nur kritisch war. „Alles, wie gut es auch gemeint sein und wieviel auch dran sein mochte, doch ein bißchen arg unmenschlich und teilweise auch schon wieder – nur eben nach der anderen Seite – häretisierend gesagt! Wie wurde da aufgeräumt und eben fast nur aufgeräumt! Wie wurde da alles, was auch nur von ferne nach Mystik und Moral, nach Pietismus und Romantik oder gar nach Idealismus schmeckte, verdächtigt und unter scharfe Verbote oder doch in die Klammer

305 Rede im Lambeth Palace, Juli 1956, zitiert nach E. Busch, Lebenslauf 435.

306 Brief an T. A. Gill v. 10. 8. 57, zitiert nach E. Busch, Lebenslauf 436.

307 K. Barth, Die Menschlichkeit Gottes 4.

308 Ebd. 5.

von faktisch prohibitiv klingenden Vorbehalten gestellt!“[309] Es ist schon richtig, betont Barth, es muß von Gott geredet werden. Aber es muß von dem Gott geredet werden, der mit den Menschen zusammen sein möchte. „Eben Gottes recht verstandene *Göttlichkeit* schließt ein: seine *Menschlichkeit*.“[310]

Im Rückblick meint Barth, man hätte damals besser mit dem zentralen Punkt der Schrift, Jesus Christus selber, geantwortet. Dann wäre es nicht abstrakt um Gott oder abstrakt um den Menschen gegangen, sondern um den Dialog beider. „So, in dieser *Einheit* ist Jesus Christus der Mittler, der Versöhner zwischen Gott und den Menschen. So tritt er vor den *Menschen*, Glauben, Liebe und Hoffnung heischend und erweckend, für *Gott* ein – und stellvertretend, genugtuend, fürbittend vor *Gott* für die *Menschen*.“[311] Bei der Frage der Menschlichkeit Gottes weicht Barth jetzt sogar von Calvin ab. Er deutet die Menschlichkeit Gottes als seine Freiheit und seinen freien Willen, sich den Menschen zuzuwenden.

Von da aus fragt Barth weiter nach unseren Entsprechungen zu der Menschlichkeit Gottes. „Hier dürfte der Begriff der Analogie in sein Recht treten.“[312] Der Mensch, *jeder* Mensch, ist für Barth durch die Zuwendung Gottes ausgezeichnet, aber wohlgemerkt, durch *Gottes* Zuwendung, nicht durch des Menschen Verdienst. „Diese Gabe, seine *Humanität*, ist durch des Menschen Sündenfall nicht ausgelöscht und auch in ihrer Güte nicht gemindert. Nicht weil er kraft seiner Humanität solchen Vorzug verdiente, ist der Mensch der zum Umgang mit Gott Erwählte. Er ist es allein durch Gottes Gnade.“[313]

Der Theologie ist damit ein bestimmtes Thema vorgegeben. „Sie hat sich, da Gott in seiner Göttlichkeit menschlich ist, weder mit Gott an sich, noch mit dem Menschen an sich, sondern mit dem dem Menschen begegnenden Gott und mit dem Gott begegnenden Menschen zu beschäftigen“.[314] Hier, darauf weist Barth hin, kann auch der Existentialismus eines Bultmann seinen Platz haben, sofern dort nicht vom Menschen und seiner Befindlichkeit allein geredet wird. Theologie geht immer auch den Menschen an, ist immer seine Sache und immer dialo-

309 Ebd. 8.
310 Ebd. 10.
311 Ebd. 11.
312 Ebd. 16.
313 Ebd. 17.
314 Ebd. 18.

gisch in Gebet und Predigt. Die Botschaft ist Kerygma, Anruf und Zuspruch. Gleichwohl wird „der *Sinn* und *Ton* unseres Wortes grundsätzlich ein *positiver* sein müssen.“[315]

Ist der Mensch für Barth nicht an sich gut, so hat doch Christus das Nein Gottes zu seinen Taten schon auf sich genommen. Zwar muß das Nein zur Sprache gebracht werden, aber es darf nie das letzte Wort sein. „Zur Menschlichkeit Gottes gibt es in dieser Hinsicht nur *ein* Analogon: die aufrichtende, und gerade so, aber auch nur so wirklich richtende Botschaft von der großen Freude, die dem Menschen von Gott bereitet ist und die er seinerseits an Gott haben darf“.[316] Barth plädiert für einen guten Sinn von Kol 1,19, wo von der Versöhnung τά πάντα die Rede ist.

Als letztes weist Barth im Unterschied zu der Zeit um 1920 auf die positive Bedeutung der Kirche hin. Gottes Heilswerk geschieht *pro nobis* und nur so *pro me*. Kritik an der Kirche – es wird immer berechtigte geben – sollte nicht distanziert von außen kommen. „Jesus Christus ist das Haupt seines *Leibes* und nur so auch das seiner Glieder ... Das Unser Vater ist ein *Wir*-Gebet und nur so auch ein Ich-Gebet.“[317]

Entsprechend machte Barth in dem Vortrag ‚*Evangelische Theologie im 19. Jahrhundert*‘ deutlich, daß er wohl daran festhalte, in der Theologie endlich wieder von Gott zu sprechen, daß aber gleichzeitig vom Menschen gesprochen werden müsse. „‚Theologie‘ heißt wörtlich: eine Wissenschaft und Lehre von Gott. Zur genauen Bezeichnung eines christlichen Unternehmens dieser Art müßte eigentlich der noch schwerfälligere Begriff ‚Theanthropologie‘ gebildet werden. Denn eine abstrakte ‚Lehre von Gott‘ kann im christlichen Bereich nicht in Frage kommen, sondern nur eine ‚Lehre von Gott und vom Menschen‘: vom Verkehr und von der Gemeinschaft zwischen Gott und dem Menschen.“[318]

Im Jahre 1960 veröffentlichte Karl Barth einen Artikel in der Festschrift für seinen Bruder, den Philosophen Heinrich Barth. Darin setzt er sich mit dem Verhältnis von Theologe und Philosoph auseinander. Dabei stellt er zunächst kurz fest, daß „die Probleme ihrer Forschung und Lehre an sich diesselben sind“.[319] Für Karl Barth darf keiner die Probleme und Fragen des anderen ganz vernachlässigen. Beide haben es auf ihre Weise jeweils mit der ganzen Wahrheit zu tun. Doch keiner von beiden kann deshalb „vom

315 Ebd. 22.

316 Ebd. 23.

317 Ebd. 25.

318 K. Barth, Evangelische Theologie 3.

319 K. Barth, Philosophie und Theologie 93.

Himmel herunter" reden.[320] Trotzdem ist der generelle Unterschied zwischen den beiden in der Denkrichtung zu sehen. Die des Philosophen verläuft von „unten nach oben", die des Theologen genau umgekehrt.[321] Das darf sich für Barth, den Theologen, wenn er Theologe bleiben will, nicht ändern. Dies liegt daran, „daß Jesus Christus die eine, ganze Wahrheit ist, durch die ihm der Weg seines Denkens und Redens ebenso strikt gewiesen, wie der philosophische Weg abgeschnitten ist."[322]

Der Band IV/4 der Kirchlichen Dogmatik ist nicht mehr ganz fertig geworden. Erwähnt werden soll eine Teilveröffentlichung in einer Festschrift für Ernst Wolf zum 60. Geburtstag mit dem Titel ‚*Extra nos – pro nobis – in nobis*' Hier versucht er eine Brücke zu bauen zwischen dem ‚pro me' der Bultmannianer und dem ‚in me' der Pietisten, wobei er allerdings die Bezugsperson in den Plural setzt: für und in *uns*. Gleichzeitig betont er, daß Gottes Heilshandeln seine Voraussetzungen ‚extra nos' habe.[323] Barth hatte jetzt, angeregt durch die KD IV/2 viele gute Begegnungen mit Pietisten, wobei sie allerdings mit seiner folgenden These Schwierigkeiten hatten: „Wir Gläubigen ... müssen immer wieder werden, was wir sind ... Die Anderen sind schon, was sie noch erst werden ... sollen."[324]

Im Wintersemester 1961/62, in dem Barth eigentlich schon seinen Abschied genommen hatte, mußte er sich mangels Nachfolger selber vertreten. Er las eine ‚*Einführung in die evangelische Theologie*', in der er auch Rechenschaft gab über seine Tätigkeit als Theologe.[325] Er zeigte sich dabei besonders aufgeschlossen und seiner eigenen Theologie gegenüber nicht unkritisch, jedenfalls betonend, daß auch Theologie-Treiben nicht Verdienst des Theologen, sondern Geschenk Gottes ist. „Es ist klar, daß auch evangelische Theologie als bescheidene, freie, kritische, fröhliche Wissenschaft vom Gott des Evangeliums nur im Machtbereich des Geistes, nur als pneumatische Theologie möglich und wirklich werden kann: nur im Mut des Vertrauens, daß der Geist die Wahrheit ist, die Wahrheitsfrage zugleich aufwirft und beantwortet. Wie kommt die Theologie dazu, Theologie, menschliche Logik des göttlichen Logos zu sein? Antwort: Sie kommt gar nicht dazu. Es kann

320 Ebd. 94.

321 Ebd. 99.

322 Ebd. 101.

323 E. Busch, Lebenslauf 461.

324 Ebd. 462.

325 Ebd. 471.

ihr aber widerfahren, daß dieser Geist zu ihr und über sie kommt, und daß sie sich dann seiner nicht erwehrt, sich seiner aber auch nicht bemächtigt, sondern nur eben freut, ihm nur eben Folge leistet."[326] In diesem Sinne wehrte sich Barth auch gegen die Vorstellung, seine Theologie oder überhaupt irgendeine Theologie könne fertig sein, etwas ein für allemal sicher haben.

Nach seiner Amerikareise, die sich an seine Emeritierung anschloß, hätte er Zeit gehabt, seine KD weiterzuschreiben. Doch hatte er jetzt deutlich weniger Elan als früher. Auch schätzte er seine Möglichkeiten, dem Existentialismus, demgegenüber er immer skeptischer wurde, Einhalt zu gebieten, immer geringer ein.[327] Zudem war seit 1965/66 Charlotte von Kirschbaum, seine treue Mitarbeiterin, der er viel verdankte, definitiv so geisteskrank geworden, daß sie für die weitere Arbeit an der KD ausfiel.[328] Den ethischen Teil der Versöhnungslehre KD Band IV/4 schrieb Barth nicht mehr zu Ende. Er veröffentlichte nur den Auszug über die Taufe, in dem er die Kindertaufe angriff. Mit diesem Beitrag, so war ihm klar, würde er wieder einmal ziemlich alleine dastehen.[329] Den Band V der KD über ‚Eschatologie' nahm er nicht mehr in Angriff. In einem Brief an W. Rüeg (6. 7. 61) skizzierte er aber kurz, wie der Inhalt hätte aussehen sollen. Dabei schloß er die Beschreibung mit den Versen des „guten alten Gellert", für den er früher einmal sehr viel weniger übrig gehabt hatte:

> „Dann werd' ich das im Licht erkennen,
> Was ich auf Erden dunkel sah,
> Das wunderbar und herrlich nennen,
> Was unerforschlich hier geschah,
> Dann schaut mein Geist mit Lob und Dank
> Die Schickung im Zusammenhang."[330]

Größere Veröffentlichungen tätigte Karl Barth nicht mehr. Aber unterbrochen von verschiedenen Krankheiten pflegte er besonders den Dialog mit den Katholiken und schrieb auch einige kleinere Aufsätze. In einem Brief an Christoph Barth hielt Karl Barth es sogar für wünschenswert, eine Theologie

326 K. Barth, Einführung in die evangelische Theologie 64f.

327 Vgl. E. Busch, Lebenslauf 477.

328 Vgl. K. Barth, KD IV/4 VIII.

329 Vgl. E. Busch, Lebenslauf 504.

330 Ebd. 506.

nicht wie geschehen von der Christologie, sondern von der Pneumatologie her zu entwickeln.[331] Man kann gerade an dieser Überlegung die Linie der Barthschen Entwicklung erkennen. Insgesamt war Karl Barth in seinen letzten Schaffensjahren in Konsequenz seines eigenen Ansatzes immer weniger fixiert auf die Betonung des Gegenübers von Mensch und Christus und immer offener für die Bedeutung des Wirkens des Heiligen Geistes im Menschen.

331 Vgl. ebd. 511.

2 KARL BARTHS VERSTÄNDNIS VON MYSTIK IM SYSTEMATISCHEN ZUSAMMENHANG

Nach der Darstellung der Entwicklung von Karl Barths Theologie in ihrer zeitbedingten Abhängigkeit ist nun das Material systematisch zu ordnen. Wie bereits deutlich geworden ist, hat Karl Barth keine Lehre der Mystik als solche vorgetragen. Demnach ist die von ihm dem Begriff Mystik beigelegte Bedeutung aus dem jeweiligen Gebrauch des Begriffs zu erheben. In diesem Teil kommen auch die Aussagen der KD zum Tragen, die im vorigen Teil fast gänzlich ausgespart waren.

Aufgrund des jeweiligen Kontextes, in dem Barth den Begriff Mystik gebraucht, lassen sich grob sechs Bedeutungszusammenhänge darstellen. Dem entsprechen die sechs Kapitel in diesem Teil der Arbeit. Da Mystik in der Theologie Barths nicht ein eigenes Thema ist, sind die begrifflichen Grenzen natürlicherweise unscharf.

In einem ersten Schritt wird Barths Stellung zur Religion dargestellt. Religion ist für Barths Theologie ein wichtiger Gegenbegriff zum Christentum, und in einer kritischen Sicht ist Mystik für ihn ein Teil der Religion. Über Barths Verständnis von Religion ist viel geschrieben worden. Darauf soll hier nicht ausführlich eingegangen werden. Sofern Barths Verständnis von Religion in unserem Kontext wichtig ist, wird es im Zusammenhang verständlich. In unmittelbare Nachbarschaft dieses ersten Kapitels gehört der Vorwurf Barths, die Mystik werte den Menschen ungerechtfertigt auf. Zusammen mit dem Vorwurf, die Mystik vertrage sich nicht mit der Offenbarung, spiegelt sich in diesen ersten Kapiteln am stärksten Barths generelle Distanz zu dem, was er mit Mystik bezeichnet.

Bei den Inhalten, die in den letzten drei Kapiteln zur Sprache kommen, treffen wir dagegen ein in vielen Nuancen differenziertes Verständnis von Mystik an. Dies gilt sowohl für die Frage nach der Identität in der Mystik als auch für die Rolle der Mystik im dialektischen Spannungsfeld. Im letzten Kapitel geht es um Barths eher positive Einstellung zur Mystik als Unterbrechung. Damit ist der Gebrauch des Begriffs Mystik bei Barth im wesentlichen abgedeckt.

2.1 KARL BARTHS STELLUNG ZUR RELIGION

Karl Barths Stellung zur Religion entspricht seiner Stellung gegenüber einer natürlichen Theologie, wie er sie in seinem ‚*Nein!*' zu Brunner ausgeführt hat. Er ist nicht gegen natürliche Theologie, sondern er weigert sich, zu diesem Thema überhaupt theologisch Stellung zu nehmen, weil es für ihn nicht theo-logisch ist, da für ihn Gott dort nicht zur Sprache kommt, sondern lediglich der Mensch.

„Barth zufolge gibt es keine ‚falsche' und keine ‚richtige' Religion, da die Religion als solche verkehrt ist. Alles Menschliche – und somit auch die menschliche Religiosität – ist eo ipso Äußerung des Bestrebens, die Kluft zwischen Schöpfer und Geschöpf zu überbrücken. Somit ist Religion stets unbedingt Gotteslästerung und Unglaube."[1] O. Herlyn zeigt die einzelnen Schritte Barths in seinem Verhältnis zur Religion auf. In einer systematischen Bestimmung der Religion[2] weist er zu Recht darauf hin, daß es bei aller bleibenden Kritik an der Religion für Barth doch möglich ist, in Analogie zum gerechtfertigten Sünder, vom Christentum als der wahren Religion zu sprechen. Der Gedanke der Rechtfertigung tritt im Laufe des Barthschen Werkes stärker in den Vordergrund, wird jedoch auf die Religion später nicht mehr ausdrücklich angewendet.[3]

Aus diesem Komplex der Stellung Barths zur Religion ist für die Frage nach dem Begriff Mystik zunächst Barths ausdrückliche Rede von Moral und Mystik als Teil der Religion wichtig. Außerdem soll das Verhältnis von Mystik und Eros untersucht werden. Als dritter Bereich ist Barths Darstellung von Mystik und Atheismus als Ende der Religion von besonderem Interesse. Diese drei Punkte werden deswegen näher ausgeführt.

2.1.1 Mystik und Moral als idealistischer Gegenpart des Gesetzes

Wir haben schon mehrfach darauf hingewiesen, daß für Barth das Gesetz von Mystik und Moral auf der einen, der idealistischen Seite steht, und das Gesetz Gottes auf der anderen. „Man hat den Idealismus wohl als παιδ-

1 E. Huovinen, Karl Barth 14; vgl. auch bei Barth selber: K. Barth, KD I/2 § 17, ‚Gottes Offenbarung als Aufhebung der Religion', bes. Absatz 2 ‚Religion als Unglaube'.

2 Vgl. O. Herlyn, Religion oder Gebet 47-65.

3 Ebd. 65.

αγωγὸς εἰς Χριστόν gedeutet. Als Idealismus, als in sich geschlossene Lebens- und Weltanschauung ist er das auf keinen Fall. Jene Bezeichnung geht bei Paulus Gal 3,24 auf das Gesetz *Gottes*. Und das eben fragt sich, ob das Gesetz der Mystik und der Moral das Gesetz Gottes ist, und gerade wenn es das etwa sein *wollte*, wäre zu sagen: daß es das sicher nicht ist."[4] Das Gesetz der Mystik und Moral ist nicht das Gesetz Gottes.

Auch bei der Beurteilung Schleiermachers faßt Barth in seiner Brunnerrezension Mystik und Moral (hier genauer: Ethik) zusammen, insofern sie beide nicht auf der ‚richtigen' Seite stehen. Er widersetzt sich der Brunnerschen Beurteilung Schleiermachers als Mystiker und hält dem eine Deutung Schleiermachers als Ethiker entgegen, ohne ihn damit vor Kritik in Schutz nehmen zu wollen. Nur müßte die Kritik an Schleiermacher nach Barth differenzierter ausfallen. „(... Was ist nun das Primäre in Schleiermachers Theologie? Die ‚Mystik' oder die Kulturreligion? Wer will da entscheiden?) Könnte man nicht ernstlich die These vertreten, daß Schleiermacher ‚im Grunde' eben doch nicht ‚Mystiker' sondern *Ethiker* – neuprotestantisch – aktivistischer Ethiker gewesen sei?!"[5] Die Kritik bleibt aber für Barth im wesentlichen gleich. Der Mensch maßt sich etwas an, was er von sich aus gar nicht tun kann. Und er hat ein Ideal und eine Norm, die ihm nicht von Gott gegeben worden ist. Diese Haltung Barths wird auch an seiner Kritik Albert Schweitzers deutlich.

Barth sieht Schweitzers Verdienst darin, auf das Recht des gegebenen Lebens hinzuweisen. Aber er kann ihm nicht darin folgen, „daß er unter dem ausdrücklichen Titel einer ethischen Mystik den *Willen* zum Leben und die *Ehrfurcht* vor dem Leben koinzidieren läßt ... Das bedeutet eine Verwischung des Unterschiedes zwischen Gebot und Gehorsam, zwischen Gott und Mensch, die natürlich nicht geht."[6] Gleichfalls bemängelt Barth die Begründung der Ethik im mystischen Erlebnis statt im Gottesgedanken. Nicht im Menschen, sondern ganz von Gott her hätte Barth gern die Begründung gehabt. Dieser Kritikpunkt findet sich bei Barth häufig.

Stark mit dem Gefühl, aber auf jeden Fall auch wieder mit den Interessen des Menschen verbunden, sieht Barth die politische Mystik. Sie verschleiert das Machtinteresse des Staates. Gerade bei der Begründung eines Krieges sollte man sich die tatsächlichen machtpolitischen Interessen eingestehen. Dann kann man, so Barth, auch ethisch besser über die Berechtigung des Krieges urteilen und, wenn er trotzdem noch berechtigt sein sollte, viel gedämpfterer

4 K. Barth, Ethik II 93.

5 K. Barth, Brunners Schleiermacherbuch 58.

6 K. Barth, Ethik I 231.

Stimmung zu Werke gehen, um zu tun, was dann zu tun ist.[7] Der Begriff Mystik erscheint hier wieder als ein idealistischer Gegenspieler zu dem, was Gottes Wille ist. In diesem Fall wird er meist (bewußt?) durch Menschen hervorgerufen, die sich ein Ideal aufstellen, das allerdings nicht dem Willen Gottes entspricht.

Mystik und Moral werden von Barth auch in der KD oft gemeinsam genannt. Damit will er nicht sagen, daß sie letztlich das gleiche wären. Aber für Barths Interesse stehen sie auf derselben Seite, nämlich gegenüber dem wahren Credo, gegenüber der Erkenntnis des Willens Gottes aus der Heiligen Schrift. „Gegenüber dem absoluten Dekret gibt es letztlich, wollen wir nun dennoch weiterdenken, wie wir gesehen haben, nur die Flucht in die Mystik oder in die Moral, d.h. aber in die selbsterwählte Heiligkeit."[8] Sowohl Mystik als auch Moral erscheinen hier als vermeintliche Möglichkeiten des Menschen. Er läßt sich dann nicht als Sünder die unverdiente Rechtfertigung von Gott zusprechen, sondern versucht je auf seine Weise, mit Gott ‚eins zu werden' oder sich die Rechtfertigung zu verdienen.

So sehr Barth darauf besteht, daß das Gesetz der Mystik und der Moral nicht das Gesetz Christi ist,[9] so muß er doch auch eingestehen, daß jene immer in der Geschichte der Kirche präsent waren, die Mystik war es vor allem als Angebot der Vereinigung mit Gott. „Wo ist das Christentum wirklich gewesen ohne die *Mystik*, die Lehre und Praxis des Eingangs in eine zeitlose Gemeinschaft mit Gott, und ohne *Moral*, die Lehre und Praxis der allgemeinen Gesetzesbegriffe? ... Denn nehmt der Kirche die Mystik, nehmt ihr die Moral, von was soll sie dann leben?"[10] Kirche scheint ohne Mystik als Vereinigungsangebot nicht realisierbar.

2.1.2 Mystik und Eros

In der Beziehung zwischen den Geschlechtern sieht Barth eine große Nähe zur Mystik gegeben. Er versteht dabei unter Mystik vornehmlich einen ekstatischen Zustand, der mit dem Gefühl der Verbindung mit einer Gottheit einhergehen kann. Er behauptet, „daß der Mensch vielleicht nirgends so wie hier mindestens an der Schwelle einer Art von natürlicher *Mystik* zu stehen scheint. Was regt ihn so auf, was bringt ihn – wie er meint – ob er ein

7 Vgl. ebd. 266f.

8 K. Barth, KD II/2 174.

9 Vgl. K. Barth, Ethik II 92.

10 Ebd. 91.

primitiver oder ob er ein hochkultivierter Mensch ist, so in *Ekstase*, so außer sich, so in *Enthusiasmus*, vermeintlich so hinein in den Grund und das Wesen alles Seins, so hinein in die Anschauung der Gottheit, ja in die Teilnahme an ihr, was erhebt ihn – immer vermeintlich – mindestens in die Nähe eines anderen Gottes und Schöpfers, wie eben das Urerlebnis der Begegnung von Mann und Frau?“[11]
Diesem, für Barth trügerischen Schein, hält er entgegen, daß der Mensch auch in dieser Hinsicht ganz Mensch sein darf und keiner Ekstase oder Mystik bedarf, wobei der Begriff Mystik hier wieder viel mit Entrückung zu tun hat. Der Mensch „*darf* sein in der Begegnung von Mann und Frau ... Er bedarf also keiner Ekstase und keines Enthusiasmus, er bedarf keiner Mystik, keines Rausches und keiner Vergottung, um diese seine Bestimmung wahr zu machen.“[12] Zur Normalität der Beziehung zwischen Mann und Frau gehört für Barth auch die Anerkennung des Eros, denn diese Begegnung ist nun einmal erotisch.[13]
Barth wendet sich also gegen eine Diskriminierung des Eros als solchem, aber er wendet sich auch sehr energisch gegen gewünschte Wechselbeziehungen von Eros und Religion. „Die christliche Diskriminierung des Eros als solchem ist zweifellos ein uralter Unfug.“[14] Gegen Walter Schubart[15] führt er aus: „Er meint offenkundig *auch* ihn [Gott], aber ihn nun doch nur als eine Figur eines ganzen Pantheons, nur als das eine auswechselbare Gesicht der Wirklichkeit, die auch – und vor allem! – das Gesicht der Gottheit Platos, der östlichen Mystik und je nachdem auch noch viele andere Gesichter tragen kann. So wundert man sich nicht, wenn Schubart erklärt: ‚Religion und Erotik haben dasselbe Ziel: Sie wollen den Menschen verwandeln, sie erstreben seine Wiedergeburt‘ (S. 237).“ Konsequent lautet Schubarts „Anweisung für die Herstellung jener Beziehung alles in allem schlicht dahin ..., daß die Erotik wieder religiös, die Religion wieder erotisch werden müsse. Um Schöpfung und Erlösung, um Anbetung und Verschmelzung, um Mystik, Ekstase und Rausch gehe es ja hier wie dort.“[16] Etwas später heißt es, wieder Schubart wiedergebend: „‚In der Liebestätigkeit spüren die Liebenden den Zusammenhang zwischen ihrem Bunde und dem göttlichen Atem des Alls‘ usf. (S. 84f.) Und wenn das ‚der Weg des Eros zu den Göttern‘ ist,

11 K. Barth, KD III/4 131.

12 Ebd. 133.

13 Vgl. ebd. 138.

14 Ebd. 138.

15 Vgl. W. Schubart, Religion und Eros.

16 K. Barth, KD III/4 139.

so gibt es umgekehrt – die Mystik aller Zeiten und Zonen ist der Zeuge – auch einen Weg des Göttlichen zur Erotik. ‚Die Vertiefung des religiösen Bewußtseins führt eine immer stärkere Erotisierung des gottmenschlichen Verhältnisses herbei‘ (S. 114).“[17]

Von der Verschmelzung in der Mystik zeugt auch eine kleine Notiz zu Schleiermachers Ehelehre, die von Barth natürlich nicht geteilt wird. „Nicht nur die himmlische und die irdische Liebe sollen nach ihm in der Ehe *identisch* werden, sondern – man sieht, wie jene sexuelle Mystik sich rächen kann! – innerhalb der irdischen Liebe auch die Lust und das Leid, das Denken, Wollen und Fühlen von Mann und Frau. Ihre Liebe zueinander wäre nach ihm erst dann vollkommen, wenn ihr Gegenüber in seiner Differenziertheit aufhörte, ein Problem, eine Aufgabe zu sein, weil es im Grunde aufhörte, ein differenziertes Gegenüber zu sein.“[18]

Die Trennung von Eros und Religion, vor allem aber die Abwertung des Eros überhaupt, also etwa in Beziehung zur Agape, ist für Barth allerdings zu seiner Zeit schon zu weit vorangetrieben geworden. Deswegen hält Barth eine *‚antikritische Zwischenrede‘*.[19] Hier wehrt er sich dagegen, daß die Gottesliebe als solche fast ganz ausgeschlossen werden soll, und nur noch die Nächstenliebe zählt. Zwar sieht auch er natürlich die, wie er sie nennt, Negativbeispiele einer reinen Gottesliebe, etwa in der mittelalterlichen Mystik, aber der von ihm beobachtete Gegenschlag geht ihm dann doch zu weit.

Über seine eigene mystik-kritische Stellungnahme schreibt er: „Nur kamen wir mit unserem Protest ein bißchen spät ins Feld, indem die letzte, eigentliche Blütezeit der von uns verpönten Gottes- und Jesusminne ja längst vorüber war, nur noch in Reminiszenzen und Repristinationen weiterlebte, während an lebendigen Mystikern und Pietisten größeren Formates eigentlich kein merklicher Überfluß vorhanden war, eine akute Gefahr von dieser Seite nicht eben drohte. Immerhin: es war nun einmal die Zeit des Aufräumens mit dem Neoprotestantismus angebrochen, und da wir bei der Frage nach dessen Wurzeln (historisch gewiß mit Recht) auch auf die Mystik und den Pietismus stießen, war es begreiflich, daß wir nach dieser Seite scharf-sichtig und ziemlich scharf werden mußten.“[20] Für Barth ist die Mystik also vor allem als Wurzel einer konkreten historischen Entwicklung zu kritisieren. Ob der kritisierte Neoprotestantismus

17 Ebd. 139.

18 Ebd. 213.

19 Ebd. 901.

20 K. Barth, KD IV/2 902.

aber tatsächlich der legitime Interpret und Nachfolger einer recht verstandenen Mystik ist, wird von Barth nicht eindeutig nachgewiesen und darf bezweifelt werden.

2.1.3 Mystik und Atheismus als Ende der Religion

E. Huovinen weist zu Recht auf den dialektischen Charakter der Barthschen Theologie hin, in dem letztlich auch die Aufhebung der Religion begründet liegt. „Einerseits liegt ‚der verborgene Abgrund' alles Menschlichen in der Ewigkeit und in Gott, andererseits wird Gott niemals in irgendetwas Zeitlichem präsent. Einerseits vertritt Barth eine transzendente Ewigkeitsmystik, sogar einen Panentheismus, demnach alles sein Sein in Gott, dem einzig Wahren, hat. Andererseits lehrt Barth einen in der Geschichte zutage tretenden Dualismus, dem gemäß alles Menschliche total von Gott getrennt ist. Von dieser Dialektik her werden die Gedanken Barths verständlich, daß Gottes ewige Wirklichkeit in der Negation des Menschlichen bzw. in der Aufhebung von Religion und Kirche, also im Nicht-Religiösen, offenbar werden kann."[21]
Wie in der ersten Zeit[22] spricht Barth auch in der KD über die Mystik mitunter im Rahmen eines dialektischen Spannungsfeldes. Doch ist inzwischen ein Perspektivenwechsel eingetreten. Während vormals die Mystik als kritische Partnerin der Dogmatik auftrat, tritt sie jetzt als dogmatische Partnerin des Atheismus auf. Während sie seinerzeit neben der Dogmatik etwas Positives und Wichtiges für den Glauben zu bieten hatte, gehört sie jetzt stärker mit dem Atheismus schon auf die Seite jenseits des Glaubens. Daran ändert dann auch ihre von Barth behauptete geheime Liebe zur Dogmatik nichts. Sie wird in diesem Zusammenhang auf die Seite der Religion gestellt.
Religion ist Götzendienst, auch auf jener höheren Stufe, auf der sie Werkgerechtigkeit und Götzendienst zu entlarven meint. Die Religion entwickelt sich dann entweder zum Atheismus oder zur Mystik und bleibt – wie Barth zu zeigen meint – in beiden Fällen letztlich bei sich selber. „Es handelt sich, um der Sache sofort ihren Namen zu geben, um die doppelte, aber letztlich einheitliche Problematisierung der Religion einerseits durch die *Mystik*, andererseits durch den *Atheismus*. Unsere Aufgabe ist zu zeigen, daß die Religion auch in diesen beiden vermeintlich höheren und scheinbar fremden

21 E. Huovinen, Karl Barth 18f.

22 Vgl. K. Barth, Das Wort als Aufgabe.

Formen im Guten wie im Bösen, in ihrem Erfolg wie in ihrem Mißerfolg durchaus bei sich selber bleibt."[23]

Die Alternative Mystik oder Atheismus ist nach Barth die gleichermaßen der Offenbarung widersprechende Konsequenz der Religion.

In §17 *Bd. I/2* der KD – ‚Von der Aufhebung der Religion durch die Offenbarung Gottes' – stellt Barth die Religion als eigentlich unmögliches Unternehmen dar. Da die Religion das eigentliche Interesse des Menschen nicht befriedigen kann, läuft sie von selbst auf ihr Ende zu. Sie tut dies kritisch entweder als Atheismus oder als Mystik. Zwar liegt der Mystik nach Barth nichts an Bilderstürmerei, aber auch „die Mystik bedeutet die grundsätzliche Lösung des Menschen von der ehemals ‚draußen' gesuchten Befriedigung des religiösen Bedürfnisses. Dennoch ist sie in ihrem Verhältnis zu diesem ‚draußen' die *konservative* Gestalt jener kritischen Wendung,"[24] eben weil sie sich im Gegensatz zum offenen Atheismus quasi heimlich gegen die Religion wendet, von der sie keine Erfüllung mehr erwartet. Nach außen hin kann sie diese sogar in besonderer Weise, etwa durch Mysterienkulte, fördern. Ja, der Mystiker braucht die Religion „als Text für seine Deutungen, ... als Äußeres, das er zu verinnerlichen hat ..."[25] Die Mystik will die Dogmatik und Ethik nicht abschaffen, sie braucht sie als Gegenüber, als das Material, das es auszulegen gilt. Und die Mystik will Freiheit für sich, um eigene Wege zu gehen. Johann Scheffler und Angelus Silesius waren daher konsequenterweise gleichzeitig Mystiker und ‚orthodoxe Fanatiker'. Dennoch, so behauptet Barth, verneint die Mystik ebenso wie der Atheismus die Religion, nur daß dieser im Gegensatz zu jener den öffentlichen Auftritt liebt, den Bildersturm. Der Atheismus verneint intensiver, aber nicht soviel, nur Gott und sein Gesetz, nicht aber auch das Ich und die Existenz, wie es die Mystik tut. Die Mystik „geht früher oder später immer aufs Ganze; sie problematisiert nicht nur den Gott, sondern vorsorglich auch den Kosmos und das Ich. Sie entwirft und exerziert ein Programm umfassender Negation und hält sich damit den Rücken frei, oder sie meint doch, daß sie das tun könne."[26] Doch gerade in der intensiveren Verneinung des Atheismus zeigt sich, daß sie nicht durchführbar ist, sondern wieder zu einer neuen Mystik und damit zu einer neuen Religion führt.[27] Im Gegensatz zur

23 K. Barth, KD I/2 343f.

24 Ebd. 348.

25 Ebd. 349.

26 Ebd. 351.

27 Vgl. ebd. 349-354.

Offenbarung bleibt für Barth die Mystik ein Teil der Religion und damit auch letztlich eine Tat des Menschen.

2.2 MYSTIK ALS UNZULÄSSIGE AUFWERTUNG DES MENSCHEN

Ein Punkt, der bei Barth immer wieder anklingt, ist sein Vorwurf an die Mystik, sie verleihe dem Menschen eine Bedeutsamkeit, die ihm so nicht zukommt. Das Verhältnis von Gott und Mensch wird für Barth hier verzerrt. Gott ist für ihn – zumindest in der ersten Zeit der Dialektischen Theologie – ganz Gegenüber und der Mensch ist ganz ungöttlich. Dabei weist Barth besonders darauf hin, daß der Mensch Gott nicht durch ein bestimmtes Tun in den Griff bekommen, und daß er sich auch nicht selber vor Gott rechtfertigen kann.

2.2.1 Die Fehleinschätzung des Kreatürlichen

Da Barth die mystische Gottesbegegnung des Menschen als Fähigkeit oder gar Werk des Menschen auslegt, ist es nur konsequent, wenn Barth der Mystik an verschiedenen Stellen vorwirft, den Menschen überzubewerten. Besonders in der Rezeption Schleiermachers stößt sich Barth an der Gleichzeitigkeit von *Mystik und Freude* an der Kultur und der kulturellen Leistung. Dadurch wird die Seite der Eigenleistung des Menschen gleichzeitig zur mystischen Komponente betont. Zur Beziehung zwischen den einzelnen und der Gesellschaft gehört bei Schleiermacher auch die Rede vom Mittler, die Barth so beschreibt: „Begabt mit mystischer und schöpferischer Sinnlichkeit strebt sein Geist in das Unendliche, um ringend nach Bildern und Worten von da wieder ins Endliche zurückzukehren, als Dichter oder Seher, als Redner oder Künstler."[28]
Die mystische und pietistische Verehrung Jesu als Menschenfreund bei Schleiermacher ist ein gutes Beispiel für die Verquickung von Erhöhung der Menschlichkeit und gleichzeitigem Feiern der Kultur. Barth wendet sich in seinem Vortrag ‚*Christliche Dogmatik im Entwurf*' schroff dagegen. „Der

28 K. Barth, Die Theologie Schleiermachers 440.

‚historische Jesus' ohne den Gehalt der göttlichen Autusie: der ‚schönste Herr Jesus' der Mystik und des Pietismus, der Weisheitslehrer und Menschenfreund der Aufklärung, der Inbegriff erhöhter Menschlichkeit Schleiermachers usf. – er ist ein leerer Thron ohne König, dessen noch so warme und aufrichtige Verehrung Kreaturvergötterung und nichts sonst bedeutet."[29]

Während Barth einerseits Gott und Mensch ganz gegenüberstellt, ist doch die Begegnung zwischen ihnen kontingent und nicht zu idealisieren. Die Mystik deklassiert nach Barth alles Kontingente und richtet ein Ideal auf. An der Wirklichkeit des Kreuzes in der Welt vorbei wird das Ideal einer Verbindung mit Gott senkrecht zur Zeit aufgestellt. So ergibt sich „einerseits die *Deklassierung* aller nicht-mystischen, vermeintlich äußerlichen, in Wirklichkeit: aller kontingenten Beziehung zwischen Gott und Mensch, andererseits die Aufrichtung eines *Ideals*, eines freilich höchst geistig und lebendig geschilderten Gesetzes, dem wir nachzustreben, uns anzugleichen haben."[30] Doch diesem mystischen Idealismus entspricht der Glaube gerade nicht. „Wir haben die Lehre vom Gesetz des ‚Deus nudus' und der zeitlosen Wahrheiten, vom Gesetz der Mystik und der Moral, den Gesetzesbegriff des Idealismus an keinem anderen Maßstab zu messen als an dem des *Glaubens* und seines *Gesetzes*."[31] „Glaube ist im Gegensatz zu aller Mystik des Kopfes, des Bauches *und* des Herzens, im Gegensatz zu allem unkritischen mystischen Idealismus, ... Bejahung Gottes unter uneingeschränkter, resoluter Bejahung der Endlichkeit, der Geschöpflichkeit, der Inkommensurabilität des Menschen ihm gegenüber."[32]

Der Zusammenhang von *Mystik und Gefühl* findet sich bei Barth insbesondere bei seiner Schleiermacherinterpretation. Zwar sieht Barth – im Gegensatz zu Brunner – in Schleiermacher nicht vor allem einen Mystiker, aber er interpretiert ihn ganz von der besonderen Bedeutung des Gefühls her. Das Gefühl ist für Barth bei Schleiermacher der Ausgangspunkt und kulminiert im schlechthinnigen Abhängigkeitsgefühl. Das letzte ist das Gefühl und es drückt sich aus oder nicht, und wenn es sich ausdrückt, ist es immer schon

29 K. Barth, Die christliche Dogmatik Bd.1 176f.

30 K. Barth, Die Theologie Schleiermachers 166.

31 K. Barth, Ethik II 92.

32 K. Barth, Ethik I 424.

minderer Qualität. Deswegen wirft Barth Schleiermacher einen „mystischen Agnostizismus“ vor, der nur die Bedeutsamkeit des Gefühls kennt.[33]
Auch auf Schleiermacher bezogen erscheint die Gegenüberstellung Mystik – Gefühl bei Barth wieder in der *Brunner-Rezension*, wo er den Gegensatz von Wort und Mystik bei Brunner mit eigenen Worten verdeutlicht: „Gemeint ist das biblisch-reformatorische ‚*Wort*‘, das *Gott spricht* im Gegensatz zu dem Schleiermacherschen Gefühl, das *der Mensch hat*, dem Heiligtum der alten und neuen, der heidnischen und christlichen ‚*Mystik*‘.“[34] Hier kommt gleichzeitig die Aufwertung des Menschen zum Zuge, der das Gefühl *hat*.
Barth versteht Brunners Schleiermacherbuch ‚*Die Mystik und das Wort*‘ als den Versuch, bei Schleiermacher die Alternative Mystik und Wort dahingehend zu entscheiden, daß er bei Schleiermacher nur von der Mystik spricht. Dies findet Barth zu einseitig. Uns interessiert hier natürlich vor allem, wie Barth in diesem Zusammenhang die Mystik versteht, deren einseitigen Gebrauch er bei der Beschreibung Schleiermacherscher Theologie ablehnt. „Was er [Brunner] bei ihm [Schleiermacher] findet, ist auf der ganzen Linie nicht das ‚Wort‘, sondern die ‚Mystik‘, d. h. den Versuch, sich um jenes Bedenken zu drücken, den Himmel auf Erden zu genießen, eine Theologie der Wirklichkeit *diesseits* der Todesgrenze, eine *theologia gloriae* trotz aller Hemmungen durch die christliche Tradition möglich zu machen. Das ist's, was Brunner Schleiermacher zürnt.“[35]
So greift Barth bei *Schleiermacher* auch nicht die Mystik als solche an, sondern sucht den für ihn entscheidenden ‚Fehler im System‘ schon bei der Grundeinstellung Schleiermachers, vor allem im „ganzen Ansatz seiner Christologie, die, wie wir immer wieder feststellen mußten, von allem Entweder-Oder, von einem Gegensatz von Himmel und Erde, Gott und Mensch, von einer Krisis vom wirklichen Tode zum wirklichen Leben *nichts* weiß, nichts weiß davon, daß die Überwindung dieser Gegensätze nicht Natur, sondern Wunder ist.“ So bietet Weihnachten letztlich nichts anderes „als die Anschauung des vollkommenen Menschen in seinem *Sein*, der Karfreitag dieselbe in seinem in der mystischen Vereinigung mit Gott gipfelnden *Tun*.“[36] Die mystische Vereinigung versteht Barth hier, als Schleiermacherinterpret, als Gipfel des menschlichen *Tuns*. Es ist sicher nicht bedeutungslos, daß Barth einen Großteil seines Mystikverständnisses von

33 K. Barth, Die Theologie Schleiermachers 374.

34 K. Barth, Brunners Schleiermacherbuch 49.

35 Ebd. 51.

36 K. Barth, Die Theologie Schleiermachers 187.

Schleiermacher her hat. Barths Mystikbegriff ist so quasi schon per se mit allen Mängeln des Schleiermacherschen Denkens behaftet. Nach Barths Verständnis versucht der Mensch, in der Mystik von sich aus zu Gott zu kommen. Schleiermachers Theologie will „ein *Triumphlied* des Menschen anstimmen, *seine* mystische Vereinigung mit Gott und *seine* Kulturtätigkeit *gleichzeitig* feiern, und daran scheitert sie und muß sie scheitern."[37] Die Vereinigung mit Gott als Werk des kulturtätigen Menschen ist für Barth eine undenkbare Kombination.

Barth wirft Schleiermacher vor, Gott und Mensch zu sehr auf einer Ebene zu sehen. Damit schade er dem Menschen, weil er von Gott erdrückt werde und weder Raum für Gehorsam noch für Pflicht mehr übrig bleibe. Das Stichwort ‚Friede' der späten Predigten kennzeichnet für Barth „etwas dem Quietismus der Mystik mindestens nahe Verwandtes".[38]

Die Mystik überhöht für Karl Barth das Diesseits durch das Jenseits. Im zweiten Römerbrief weist Barth darauf hin, daß eine rein lineare Geschichtsbetrachtung zu kurz greift. Das Licht, in dem diese Geschichte neu zu sehen ist, wird nur vom ängstlichen linearen Denken mystisch genannt. Es soll nicht mystisch genannt werden. Statt dessen setzt Barth Mystik und Mythos dem Glauben entgegen, der den Übergang vom Tod zum Leben darstellt, in dem die Geschichte zu sehen ist. Mystik und Mythos – hier in einen Topf geworfen – werden von ihm als ‚Überhöhung' oder ‚Vertiefung' oder ‚kosmisch-metaphysische Verdoppelung' dieser Welt verstanden.[39]

2.2.2 Menschliches Tun führt nicht zu Gott

Allen Versuchen des Menschen, zu Gott zu gelangen, hält Barth entgegen, daß menschliches Tun allein *menschliches* Tun, und Menschenwort trotz Mystik *Menschen*wort bleibt. Dies ist für Barth allenfalls im Glauben nicht so. Es „ist und bleibt unser Reden von Gott ohne alle heimliche Mystik *unser* Reden, nur indirekt, nur im Glauben (und darum offenbar der Sündenvergebung sehr bedürftig!) identisch mit dem Reden Gottes selbst."[40] Auch in seinem Vortrag ‚*Christus und wir Christen*' weist Barth darauf hin, daß der Christ immer von der Vergebung und dem Erbarmen Gottes abhängt. Deswegen kann der Mensch von sich aus auch nicht stark sein. Dies zu

37 Ebd. 410.

38 K. Barth, Unterricht Bd.1 233.

39 Vgl. K. Barth, 2. Römerbrief 117.

40 K. Barth, Die christliche Dogmatik Bd.1 537f.

vergessen, wirft Barth den ‚Frommen', ‚Moralisten', ‚Mystikern' und ‚Geistesmenschen' vor.[41] Mit unserer Kraft, mit unserer Stärke, mit unserem Tun kommen wir nicht zu Gott.
Aber Barth unterstützt in seiner Vorlesung über das Johannes-Evangelium Augustins Aufruf ‚Erhebt eure Herzen'. Dies soll der Mensch nach Barth ruhig tun, solange er weiß, daß er dadurch allein nicht gerechtfertigt ist, sondern nur durch das Entgegenkommen Gottes. ‚Reinigung' und ‚Enthaltsamkeit' sind für Barth in diesem Zusammenhang angebracht.[42]
Ohne näher auf den Begriff Mystik einzugehen, kritisiert Barth in der *KD II/1* Angelus Silesius, der Gottes Sein von seinem eigenen Sein abhängig macht. So darf man nach Barth die Liebe Gottes zu den Menschen nicht verstehen. Es „übersteigt der Begriff der Liebe Gottes jeden von uns mitzubringenden und vorauszusetzenden allgemeinen Begriff von Liebe. Auch hier und gerade hier muß dieser allgemeine Begriff nach der Besonderheit dieses Gegenstandes interpretiert werden. Gerade in dieser Hinsicht hat man sich vor einer unbedachten Umkehrung und also vor einer Bestimmung der göttlichen Liebe von einem allgemeinen Liebesbegriff her in acht zu nehmen. Die Entgottung Gottes würde die unausbleibliche Folge sein, wenn man sich hier nicht in acht nehmen würde."[43]
Nicht nur in der Entgottung Gottes, sondern auch in der Verwechselung des Menschen mit einem Engel sieht Barth eine Gefahr. So wirft er Peterson vor, daß sich der mystische Gnostiker gern über die Welt erhebe, um im Chore mit den Engeln Gott wirklich zu loben, und so seine Existenz von den Engeln sich sagen lasse und lerne statt von Christus. Damit sind für Barth nicht nur die Engel falsch verstanden, die ja das Interesse auf Gott und nicht auf sich richten sollen, sondern auch der Mensch wird nicht als Mensch verstanden, sondern als Engel, der er nicht ist, d. h. er wird hoffnungslos überbewertet.[44]
Ebenso wie die Zugehörigkeit des Menschen zu einem Engelchore lehnt Barth die Vorstellung einer mystischen Weihe in einem Mysterienkult ab. Barth führt das Wort Mystik sowohl auf μύειν (schließen), als auch auf μυεῖν (einweihen) zurück. Beide Bedeutungen faßt er so zusammen: „Mystik ist diejenige höhere Weihe des Menschen, die er dadurch erlangt, daß er der Außenwelt gegenüber sowohl passiv wie aktiv tunlichste Zurückhaltung übt,

41 Vgl. K. Barth, Christus und wir 7.

42 Vgl. K. Barth, Erklärung des Johannes-Evangeliums 10.

43 K. Barth, KD II/1 316; zur Stellung Jüngels in dieser Frage vgl. N. Klimek, Der Gott, bes. 44 bis 47.

44 Vgl. K.Barth, KD III/3 563f. u. E. Peterson, Das Buch 57-67.

oder: diejenige passive und aktive Zurückhaltung gegenüber der Außenwelt, die zugleich zu einer höheren Weihe des Menschen geeignet ist."[45] Gerade die direkt den Mysterienkulten entnommene Erklärung des Wortes Mystik von μυεῖν (einweihen) führt Barth zu dieser Überbewertung des Menschen, weil dieser durch die Mystik etwas verstehen soll, was er sonst nicht versteht und was ihn aufwertet. Dies lehnt Barth ab. Ähnlich kann die Rede von der Mystik bei Barth aber auch als simple Informationsmöglichkeit mißverstanden werden, wie es denn ‚drüben' wohl aussehe, als Vergewisserung des eigenen christlichen Weges. Es gab immer die Unsicherheit, ob der eigene Weg der einzige oder wenigstens der beste sei. Ob man nicht z. B. mit Mystik oder mit Hilfe eines Mediums ein wenig ‚hinüberschnüffeln' könnte, um Sicherheit zu gewinnen.[46]

2.2.3 Keine Selbstrechtfertigung des Menschen durch die Mystik

Barth versteht Mystik also an vielen Stellen als eine Tat des Menschen, die angeblich eine wie auch immer geartete Gewalt über Gott hervorbringt. Aus diesem Verständnis heraus verurteilt Barth die Mystik, und dieses Urteil ist letztlich begründet in der Frage der Rechtfertigung. Etwas als Tat des Menschen verstehen, heißt für Barth immer auch, etwas als Werkgerechtigkeit des Menschen verstehen. Gnade wird für ihn auf diese Weise machbar, und dagegen wehrt er sich.

In der Ethikvorlesung behauptet Barth, daß ein solches Verständnis der eigenen Tat, wie er es den Mystikern unterstellt, nur insofern möglich ist, als daß der Mystiker nicht um sein Sündersein weiß und keine Rechtfertigung kennt. „Auf dem Boden der Mystik und der Moral weiß man nicht, was Sünde ist. Jenes Unternehmen ist unternommen in einer merkwürdigen Unerschrockenheit des Menschen vor sich selbst. So kann man doch nicht in die Ferne und in die Höhe schweifen, so kann man sich nicht über sich selbst erheben wollen, so kann man nicht nach einem ‚ganz Andern' greifen, wenn man weiß, daß man den Strick verdient hat."[47] Zwar spricht Barth hier von

45 K. Barth, KD I/2 348. In der vorliegenden Arbeit wird die Entstehung und Bedeutung des Wortfeldes vor und nach seiner Übernahme in den christlichen Bereich im 3. Teil noch näher untersucht.

46 Vgl. K. Barth, KD IV/4 12.

47 K. Barth, Ethik II 116.

„persönlicher Hochschätzung" für alle, die auf dem Boden der Mystik und Moral stehen,[48] doch kommt dieser Boden für seine Theologie nicht in Frage. Er steht vielmehr auf dem Boden der Rechfertigungslehre. Diese als Gegenpart zur Mystik zu sehen, findet er schon von Luther bestätigt. Denn der hat „seine bedingte Warnung vor der ‚*speculatio maiestatis*' nicht im allgemeinen, sondern im Zusammenhang seiner *Rechtfertigungslehre* ausgesprochen. Als tollkühn gefährliches Menschenwerk, als bezeichnend für ‚*Turcae, Iudaei et omnes iustitiarii*' hat er sie beanstandet, daß in der christlichen Theologie sich nicht wiederholen dürfte, wie er es in der Mystik und Moral des Mönchtums sich wiederholen sah."[49]

Die Stellung des Menschen als *Sünder vor Gott* ist Barth, wie sich gezeigt hat, besonders wichtig. An ihr hält er fest, auch wenn dem Menschen „vielleicht erhöhte Stimmungen, moralische Aufschwünge, religiöse Erlebnisse und Begeisterungen, wer weiß, vielleicht sogar ekstatisch-mystische Trance-Zustände widerfahren. Das sind Unglücksfälle, hätte ich fast gesagt, denen sich u. U. niemand entziehen kann. Aber es müßte klar bleiben, daß das Alles keine qualitative Veränderung seiner *menschlichen* Stellung und Rolle in diesem Verhältnis bedeuten kann." Visionen und Trancezustände werten einen Menschen nicht auf.[50] Immerhin spricht sich Barth nicht generell gegen Erlebnisse und Zustände aus, sondern nur gegen eine bestimmte Interpretation hinsichtlich der daraus folgenden Stellung des Menschen gegenüber Gott. Diese Einstellung Barths zu erkennen, ist wichtig, damit seine Ablehnung einer falschen Interpretation nicht mit einer Ablehnung der Mystik als solcher verwechselt wird, weil er diesbezüglich begrifflich nicht immer scharf unterscheidet.

In seinem Vortrag ‚*Christus und wir Christen*' weist Barth nochmals darauf hin, daß die Mystiker wohl überheblich meinten, schon fertig zu sein. Der wahre Christ weiß jedoch um seine Abhängigkeit vom Erbarmen Gottes. „Wo man Gott so kennt – und wir Christen dürfen ihn so kennen –, da ist es zu Ende mit des Starken, des Reichen, des Mächtigen Stolz, aber auch mit aller Überheblichkeit des Geistesmenschen, des Mystikers, des Moralisten und des Frommen."[51]

Auch in der *KD I/1* liegt der Schwerpunkt des Vorwurfs gegen die Mystik in der Behauptung, daß es der Mensch sei, der sich in der Mystik selber Gottes

48 Vgl. ebd. 117.

49 Ebd. 119.

50 K. Barth, Unterricht Bd.1 218f.

51 K. Barth, Christus und wir 7.

vergewissert. Damit geht überein, daß der Mensch sein Sündersein vergißt, sein Gott-ganz-Gegenüberstehen, wie Barth es darstellt. Schaeder weist, für Barth ganz legitim, auf das Angesprochensein des Menschen durch das Wort Gottes hin.[52] Doch Barth kritisiert, daß dieser Prozeß etwas im Menschen verändern soll, das dieser nun sein Eigen nennt. „Dieser Mensch gewinnt nun, gewiß auf Grund seines Angesprochenseins durch das Wort, Eigenständigkeit und Eigeninteresse als Teilhaber an der Wirklichkeit des Wortes, so sehr, daß die Einführung des Begriffs der *Mystik* nun wenn nicht unentbehrlich, so doch naheliegend und wünschenswert wird."[53] Gleichzeitig gibt es hier auch eine bemerkenswerte Toleranz Barths gegenüber dem Begriff Mystik, wenn Schaeder von der ‚wirksamen Nähe Gottes' in der ‚Glaubensmystik' spricht. Die oben bemerkte Unterscheidung zwischen Mystik und ihrer Interpretation als Werkgerechtigkeit kommt hier klar zum Ausdruck. „Nicht indem er [Schaeder] den Begriff der Mystik einführt, wohl aber, indem er sie so definiert, indem er jene ‚Konjunktion' oder ‚Synthese' behauptet, ist der entscheidende Schritt geschehen."[54] Der Mensch ist nicht mehr nur Sünder, Gott ist ihm verfügbar geworden.
Dieser Vorstellung hält Barth entgegen, daß Gott für uns Mensch geworden ist und für uns die Strafe erlitten, sich für uns bewährt hat. „Wir können also unser eigenes Sein und Tun, sofern es uns nach wie vor gelassen ist, nicht mehr in uns selbst, sondern nur noch in ihm suchen. Es kann genau genommen unser Sein und Tun als solches nur noch dieses Suchen sein." Aber Barth warnt anschließend: „Versteht man dieses Suchen als eine besondere Kunst und Bemühung von solchen, die sich dieses Werk nun einmal vorgenommen und aufgeladen haben, oder auch als eine Wunderblume von Frömmigkeit, aufgegangen im Garten solcher, die dafür nun einmal besonders veranlagt und begabt sind – dann hat man es gewiß schon mißverstanden. Es liegen ja die Werke und Wunder etwa der mystischen Liebe zu Gott immer noch innerhalb unseres eigenen Seins und Tuns, das als solches vor Gott gewiß immer und in seiner Totalität als ein liebloses und unliebenswürdiges Wesen preiszugeben ist."[55] Werke und Wunder mystischer Liebe liegen für Barth also eigentlich noch innerhalb unseres eigenen

52 In der Tat betont E. Schaeder, Das Geistproblem 36, gegenüber Barth, daß es bei Paulus um „das in dieser jetzigen Weltzeit dem Menschen mögliche und bestimmte Haben Gottes" geht. Ob Barths Kritik an Schaeder berechtigt ist, braucht an dieser Stelle nicht erörtert zu werden. Welche Auffassung vom Begriff Mystik Barth in diesem Zusammenhang gewinnt, geht aus dem Text hervor.

53 K. Barth, KD I/1 222.

54 Ebd.

55 K. Barth, KD I/2 431.

Tuns. Barth setzt dem mystischen Suchen nach Gott aufgrund einer besonderen Begnadung das Sein des Christen als Suchenden und dabei gleichzeitig der Vergebung Bedürftigen gegenüber. Ob er damit wirklich ein Gegensatzpaar geschaffen hat, bleibt vorerst offen.

Daß für Barth in der Mystik die Werkgerechtigkeit eine große Rolle spielt, und daß es sich für ihn dabei um Götzendienst handelt, wird auch insofern deutlich, als Barth in der Mystik nur die Fortsetzung der Religion sieht. „Götzendienst und Werkgerechtigkeit ist alle Religion auch auf der vermeintlich höheren Stufe, auf der sie den Götzendienst und die Werkgerechtigkeit aus ihren eigenen Kräften und auf ihren eigenen Wegen überwinden zu wollen scheint." Mit diesen ‚eigenen Kräften' meint Barth die Mystik und den Atheismus, zu deren Rolle im Verhältnis zur Religion bereits einiges gesagt worden ist.[56]

Barth greift das *decretum absolutum* in der *KD II/2* an, weil es den Menschen letztlich über Gott im unklaren läßt und deshalb durch ein *decretum concretum* zu ersetzen ist, weil Gott in Christus sehr wohl konkret geworden ist. Deswegen braucht der Mensch auch nicht vor dem Geheimnis auszuweichen oder seinen eigenen Kräften zuviel zuzumuten. Sonst käme es zur „Flucht in die Mystik oder in die Moral, d. h. aber in eine selbsterwählte Heiligkeit, in den Götzendienst und in die Werkgerechtigkeit".[57]

Der *vita contemplativa* ist nach Barth Mißtrauen entgegenzubringen, weil es für sie keine Parallele in der Bibel gibt, die sich auf die Anschauung Gottes beschränkt. Dieser Weg entspringt vielmehr der mystischen Technik fremder Völker. Für Barth spielt die Betrachtung Gottes, wie es im mystischen Sprachgebrauch ausgedrückt wird, keine Rolle, statt dessen kann der Mensch Abstand von sich selbst gewinnen, wenn er sich selbst betrachtet, und so Ruhe empfangen.[58] „Verschaffen kann er sie [die Ruhe] sich überhaupt nicht. Er kann sie nur an jenem Ort, den er dazu allerdings beziehen muß, in Empfang nehmen. Seine Ruhe ist in Gott. Gott selbst ist seine Ruhe. Gott allein kann sie ihm geben. Gott ist aber – das ist der Irrtum von so viel Mystik – gerade kein weiterer Betrachtungsgegenstand. Gott entzieht sich vielmehr aller Betrachtung."[59] Auch hier kritisiert Barth nicht nur Gott als Betrachtungsgegenstand bei der Mystik, sondern auch die Vorstellung, daß man sich diese Ruhe und diese Betrachtung ‚verschaf-

56 Vgl. ebd. 343f.

57 K. Barth, KD II/2 174.

58 Vgl. K. Barth, KD III/4 643.

59 Ebd. 647.

fen' könnte. Ob und inwiefern gerade mit diesen beiden Punkten Mystik kritisiert oder unterstützt wird, muß sich erst noch zeigen.
Im *Rechtfertigungskapitel* der KD IV/1 greift Barth nicht die Christus- und Offenbarungslosigkeit der Mystik an, sondern er unterstellt ihr, die Rechtfertigung von sich aus nicht nur zu suchen, sondern auch herzustellen. Die Rede von der Nichtigkeit des Menschen, die Barth eigentlich auch naheliegt, wird von ihm in diesem Zusammenhang mit der Begründung abgelehnt, daß sie ein künstliches Tun des Menschen sei, um Rechtfertigung damit zu erzwingen. „Und vor allem ist hier nicht etwa an eine Anweisung zu jener mystischen Entleerung zu denken: jenes Eingehens in die Nacht des Lassens, des Schweigens, eines künstlich antizipierten Todes: auch dann nicht (und gerade dann nicht!), wenn sich solche Experimente mehr oder weniger ausdrücklich auf den Vorgang des Leidens und Sterbens Christi berufen, als des mystischen Künstlers Nachbildung dieses Geschehens sich darstellen sollten. Eine Nachbildung dieses Geschehens findet im Glauben allerdings statt. Es bedeutet aber einen Rückfall in die Vorstellung von einem den Menschen *per se* rechtfertigenden Glauben, wenn man die in ihm allerdings stattfindende Nachbildung des Werkes Christi als ein vom Menschen zum Vollzug seiner Rechtfertigung zu leistendes Werk, als eine ihm in diesem Sinn gestellte Aufgabe beschreiben ... wollte."[60] Auf das besondere Verhältnis von Mystik und Ruhe bzw. Mystik und Tod wird in einem eigenen Kapitel (2.6) noch näher eingegangen.
An anderer Stelle wirft Barth dem Mystiker nicht nur vor, er greife zu wenig nach Gott, sondern er stellt ‚den Gott der Mystiker' als denjenigen dar, der zuviel nach dem Menschen greift. Die Schrift zeigt uns Gott für Barth als einen geduldigen, nicht als einen ungeduldigen, wie ihn uns die Mystik (nach Barth!) verkaufen will. Gott läßt dem Menschen in seiner Liebe zu ihm Freiheit. Er läßt ihn geduldig machen, ohne ihn in Liebe zu verzehren. Die Mystik aller Länder und aller Zeiten aber stellt nach Barth einen ungeduldigen Gott vor Augen, der den Menschen gleich ganz an sich reißen will, der den Menschen von seiner Welt, wenigstens im Geiste schon wegnehmen will, um ihn inniglicher noch zu lieben.[61]
Im Gegensatz zu der Feststellung des zu sicheren Tuns des Menschen, der sich mehr anmaßt als ihm zusteht, der meint, Gott in irgendeiner Weise zwingen zu können, kann Barth aber auch ganz anders reden. Während der Mystik einerseits vorgeworfen wird, sie meine zuviel erkennen zu können,

60 K. Barth, KD IV/1 702.
61 Vgl. K. Barth, KD II/1 460f.

wirft Barth ihr auch vor, sie meine zu wenig erkennen zu können. Die Bedingung für die Möglichkeit der Erkenntnis bleibt nur, daß es der Mensch nicht von sich aus tun kann. Um diese Bedingung also geht es Barth und nicht um einen Tatbestand des Erkennens an sich. „Wenn dies feststeht, wenn es nun also als ausgemacht gelten soll, daß die Fähigkeit, Gott zu erkennen und also anzuschauen und zu begreifen, nicht in eine Fähigkeit des Menschen uminterpretiert, sondern nur als göttliches *Geschenk* verstanden werden kann, dann können wir jetzt den zweiten Schritt tun und feststellen: Von dem Gott, der uns durch seine Offenbarung zum Glauben an ihn erweckt, *kann, darf und muß* geredet, dieser Gott *kann, darf und muß* also von uns angeschaut und begriffen werden."[62] „Der Mensch ist nicht, wie es die letzte Voraussetzung aller mystischen Theologie ist, mit sich allein gelassen. Im Wunder der Offenbarung und des Glaubens steht er vor Gott, steht Gott vor ihm, erkennt er Gott und begreift er ihn also in seiner Unbegreiflichkeit."[63] In einem anderen Zusammenhang spricht Barth sogar etwas gnädiger von dem Gefühl des Menschen, und zwar, wenn die Gott aus Liebe suchende Grundhaltung des Menschen gegeben ist, der Mensch also auf dem Weg zu seinem Gott, der ihm in seinem Sohn entgegengekommen ist und ihn erlöst hat, ein Suchender geworden ist. „Und es wird vor allem ratsam sein, den Begriff dieser Liebe zu Gott und also dieses Suchen Gottes doch ja nicht von dem eines dadurch bestimmten menschlichen *Handelns* zu trennen. Ein Gefühl genießender Betrachtung Gottes kann – man sei kein allzu fanatischer Anti-Mystiker! – als Moment des die Liebe zu Gott ins Werk setzenden Handelns in Frage kommen, kann aber nicht an dessen Stelle treten ... Womit nun aber auch schon gesagt ist, daß eine *Rechtfertigung* des Menschen durch die Liebe zu Gott – vielleicht als Fortsetzung oder als die erst eigentliche Verwirklichung seiner Rechtfertigung durch den Glauben natürlich *nicht* in Frage kommen kann."[64] Die Betrachtung Gottes wird von Barth jetzt also insofern positiv beurteilt, als sie die Liebe zu Gott in Gang setzt. Aber Barth betont, daß diese Liebe mit der Rechtfertigung, die durch den Glauben geschieht, nichts zu tun hat.

62 Ebd. 220.

63 Ebd. 221.

64 K. Barth, KD IV/1 112f.

2.2.4 Ohne Feindschaft zur Welt der Welt sterben

Weltfremdheit oder gar Weltfeindschaft gibt es für Barth bei Gott nicht, sondern nur bei einer, einen Götzen gleichen Namens verehrenden Mystik. Läßt man Gott seine Freiheit, dann ist es mit der Mystik vorbei, weil es mit der Weltfremdheit und Weltfeindschaft dann vorbei ist.[65] Von einer Berechtigung der Mystik zur Rede von der *negatio* des Menschen ist an dieser Stelle keine Rede. Hier wird bei der Mystik das Menschliche eher unterbewertet. Aber auch dies wird von Barth negativ verstanden. Eine „Mystik der Weltentsagung, Weltfreiheit, Weltüberwindung" ist nicht gefragt in der Nachfolge, sondern der konkrete Schritt im Gehorsam ins „Freie der *Entscheidung*". Die Beziehung zur Welt muß eine solche sein, daß die Verantwortung für sie deutlich wird. Diesen Punkt meint Barth bei der Mystik nicht sehen zu können.[66] Diese Kritik entspricht der weiter oben genannten gegenüber dem Idealismus der Mystik bei Schleiermacher. Barth wehrt sich gegen eine wie auch immer idealisierte Flucht vor der Welt und der Verantwortung ihr gegenüber. Da, wo er meint, dies nicht befürchten zu müssen, kann er nämlich auch ganz anders sprechen.

So kann Barth auch sagen, daß die mystische Begrifflichkeit des menschlichen Sterbens gegenüber Gott eine der Sache nicht nur angemessene ist, sondern unter Umständen sogar eine mystische genannt werden kann. „Mit diesem ‚Umkommen des Wesens der Seele', mit dem ‚Es ist lauter nichts' bei Luther und dem *locum concedere Deo agenti,* dem Müßigwerden, ja Sterben des Menschen gegenüber der göttlichen Tat bei Calvin ist fraglos bereits *mystische* Begrifflichkeit auf den Plan getreten. Man darf sich daran nicht stoßen, weil diese Begrifflichkeit an dieser Stelle tatsächlich kaum zu vermeiden ist ... Will man das Denken des dann sichtbar werdenden Jenseits aller Erfahrung mystisches Denken nennen, so lohnt es sich nicht, etwa gegen dieses Wort zu streiten. Wenn nur klar bleibt, was im sogenannten mystischen Denken oft nicht klar bleibt, daß dieses Jenseits nicht sozusagen ein nun auch noch zu betretendes und einzunehmendes Hinterland des Bereichs menschlicher Taten, Erlebnisse und Besitztümer, ein mit neuen Mitteln nun doch noch festzustellender menschlicher Akt oder Aktinhalt sein kann."[67] Vor der Überbewertung der menschlichen Möglichkeiten wird also doch noch einmal mehr gewarnt, aber die Möglichkeit, ja die Unausweichlichkeit

65 Vgl. K. Barth, KD II/1 348.

66 Vgl. K. Barth, KD IV/2 616f.

67 K. Barth, KD I/1 232f.

einer bestimmten Form mystischer Rede nicht geleugnet. Dieser Vorgang darf nur nicht als Fähigkeit des Menschen verstanden werden.
Die generelle Offenheit unter Wahrung des Abstandes und des Unterschieds zwischen Gott und Mensch begegnet auch an anderen Stellen. Dies gilt ebenso für die Frage der Selbstverleugnung. „Die Virtuosen der östlichen und westlichen asketischen Mystik haben es redlich in ihrer Weise versucht. Aber man wird sich kaum einreden wollen, daß das komplizierte Kunststück der von ihnen empfohlenen und technisch beschriebenen Entwerdung mit der Selbstverleugnung, die Gott von uns haben will, mehr als den Namen und den Schein gemeinsam habe. Wenn wir uns, mit oder ohne Mystik, wirklich selbst verleugnen, dann werden wir nie sagen können, daß wir das getan haben, sondern daß Gott aus lauter Gnaden das in unserem Tun gefunden hat."[68] Das bedeutet, Selbstverleugnung ist mit oder ohne Mystik gut. Das Gefährliche an der Mystik ist jedoch, daß sie sich ihr Tun als Verdienst anrechnen will. Es bleibt zu prüfen, ob Barth damit tatsächlich die Mystik getroffen hat. Denn auch für den Mystiker gilt: ‚Das Letzte ist Gnade.' So gesehen, kündigt sich in der „herben gesunden *abnegatio nostri*" des Reformiertentums die "Glut der Mystik Tersteegens" an.[69]
Gerade in der Frage der Nachfolge und Berufung des Menschen ist auch von Mystik geredet worden, sogar von Calvin.[70] „Aber ohne präzise Angabe darüber, was man in diesem Fall unter ‚Mystik' verstehen will – es müßte sich da um eine ‚Mystik' *sui generis* handeln! – dürfte das jedenfalls nicht geschehen." Gemeint ist hier nicht – wie nach Barths Meinung sonst immer – „ein durch seelisch-geistige Konzentration, Vertiefung und Erhebung des menschlichen Selbstbewußtseins hervorzubringendes Einheitserlebnis"![71] Demgegenüber betont Barth, daß es sich hier nicht um eine gänzliche Aufhebung des Gegenübers handeln könne und auch nicht um eine Möglichkeit des Menschen. Jedenfalls wird hier wieder deutlich, daß die Indienstnahme des Menschen durch Gott für Barth nicht am Menschen liegen darf, sondern ganz von Gott ausgeht. Deshalb meint er, sich gegen die Mystik wenden zu müssen, obwohl er zugibt, daß sie allgemein in diesem Zusammenhang Erwähnung findet, aber sie paßt nicht in sein Konzept.
Das *Feiertagsgebot*, dem sich Barth in der KD Band III/4 zuwendet, verlangt vom Menschen, „daß er an Gott als an seinen Regenten und Richter glauben und durch diesen Glauben – nein, durch Gott, an den er glauben soll – sein

68 K. Barth, Ethik II 271.
69 Vgl. K. Barth, Reformierte Lehre 188.
70 Vgl. J. Calvin, Unterricht 3,11,10.
71 K. Barth, KD IV/3 620.

Selbstverständnis in jeder denkbaren Form von Haus aus überhöht, begrenzt, relativiert sein lasse. Es verlangt, daß er sich selbst gerade nur noch im Glauben an *Gott* erkenne, sich selbst gerade nur noch in dieser – nicht von ihm gewählten, sondern ihm von außen auferlegten – *Entsagung* wolle, wirke und betätige, und es darauf ankommen lasse, von dieser *Entsagung* her in dem Allen faktisch eine neue Kreatur, ein neuer Mensch zu sein. Das ist die erstaunliche Forderung des Feiertagsgebotes."[72] Dabei kommt es Barth gerade nicht auf Innerlichkeit, sondern auf die Relativierung von außen an. Es bleibt m. E. offen, inwieweit das äußerlich ergehende Gebot Gottes als solches zu erkennen ist. Jedenfalls kommt dabei der *negatio* einige Bedeutung zu. Auch auf die Paulusstelle ‚nicht mehr ich lebe, sondern Christus in mir' (Gal 2,20) weist Barth hin und hält sie für wichtig – aber eben nicht für mystisch. Unter „dem Namen Mystik ist bei denen, die man sonst als Mystiker anzusprechen pflegt, eine Technik und Kunst sichtbar, vermöge derer der Mensch – an der biblischen Heilsgeschichte und Endgeschichte in weitem Bogen vorbei! – seine Einung mit Gott vollziehen zu können meint."[73] Hierin ist aber für Barth nicht dem Sabbatgebot genüge getan, sondern es wird raffiniert übertreten, weil der Mensch tätig wird. Letztlich wird von Barth zwar die Negation anerkannt, aber zwischen einer vom Menschen gesuchten oder von Gott befohlenen Innerlichkeit unterschieden. Barth ist sich dieser Unterscheidung jedoch nicht ganz sicher.

2.3 OFFENBARUNG IM STREIT MIT DER MYSTIK

Das dritte Kapitel, in dem Barths Verhältnis zur Mystik eher kritisch zum Ausdruck kommt, beschäftigt sich mit dem Verhältnis von Mystik und Offenbarung. Dieses Verhältnis ist für Barth nicht friedlich. Die Offenbarung duldet für ihn – jedenfalls kommt dies in einigen Bemerkungen zum Ausdruck – keine Mystik neben sich. Dies hat für Barth im wesentlichen zwei Gründe, denen die Punkte in diesem Kapitel entsprechen.
Zum einen ist die biblische Offenbarung von einem konkreten, benennbaren Gott an einem konkreten Ort zu einer konkreten Zeit erfolgt. Sie ist also einmalig. Zum anderen – und das hängt mit der Historizität der Offenbarung zusammen – ist sie durch Jesus Christus erfolgt. Christlicher Glaube ist im

72 K. Barth, KD III/4 63.

73 Ebd. 64.

wesentlichen Glauben an Jesus, den Christus. In dieser Beziehung vermutet Barth bei der Mystik einige Defizite.

2.3.1 Die Einmaligkeit der Offenbarung

Zunächst einmal stellt Barth fest, daß die Mystik nichts bei der Verkündigung der Offenbarung zu suchen hat. Verkündigung ist immer unsere Rede, und das müssen wir wissen. Wir können uns nicht rühmen, Gottes Wort auf unserer Zunge zu haben. Unser Tun bleibt immer nur unser Tun. An Gott liegt es, wenn er sich mit unseren Worten ausgesagt sein lassen will. „Wie die menschliche Natur Christi *menschliche Natur* ist und bleibt, bleiben muß gerade in der Offenbarung des Logos, wie das historische Datum der heiligen Schrift *historisches Datum* ist und bleibt, bleiben muß gerade als Zeugnis von der Offenbarung des Logos, so ist und bleibt unser Reden von Gott *unser Reden* von Gott ohne alle Mystik, Verschmelzung, Verwandlung, *muß* es bleiben *gerade* als Mitteilung der Offenbarung."[74]
Aber auch schon vor dem Prozeß der Verkündigung, bei der keine Einheit von Verkündiger und Verkündigtem vorliegt, gilt, so stellt Barth fest, daß die christliche Offenbarung, im Gegensatz zur Religion, keine allgemein einsehbare und natürliche, auch ohne Christus mögliche Einsicht darstellt. „Eine solche allgemein zugängliche Wahrheit ist die christliche Wahrheit nun eben gerade *nicht*. Und wenn uns nun der Gesetzesbegriff des Idealismus eben als ein solcher beschrieben wird, wenn sich das Gesetz der Mystik und der Moral im Gegensatz, wenn auch in freundlich-nachsichtigem Gegensatz zu der dunklen Besonderheit der christlichen Wahrheit den Menschen eben dadurch empfiehlt, daß es so allgemein zugänglich ist", wird doch der Theologe nicht Ja zu diesem Nachbarn sagen können, weil er uns nur akzeptiert, wenn er uns besser verstehen darf, als wir selber es tun.[75]
So wie man nach Barth nicht mit der Mystik an der Offenbarung vorbeikommt, so wenig braucht man sie für ihn, um die Offenbarung zu verstehen. Mystik ist ein zweites überflüssiges Licht neben der Offenbarung, darauf weist Barth immer wieder hin. Bei seiner Schleiermacherinterpretation betont er, die Prämisse, daß „überall, wo Religion ist, auch Offenbarung" sei, habe schon in den Vorbemerkungen das ganze Unternehmen an Christus vorbei und darum auch nicht auf ihn hin geführt. „Daß er nun irgendwo in der Mitte zwischen Mystik und Kulturreligion religionsphilosophisch einge-

74 K. Barth, Unterricht Bd.1 328.
75 Vgl. K. Barth, Ethik II 96.

gliedert, daß die Offenbarung im eigentlichen Sinn so ganz im Vorbeigehen, noch bevor er sich dazu äußern konnte, *geleugnet* worden ist, darüber wird er sich ja gewiß nicht beklagen wollen."[76] Mystik und Offenbarung erscheinen hier konträr, da es um die Grundlegung des Glaubens geht, die eben Offenbarung und nicht Mystik zu sein hat.

In der ‚*Dogmatik im Grundriß*' unterscheidet Barth ebenfalls zwischen Mystik und Offenbarung. Durch die Offenbarung denken wir Christen an Jesus Christus, wenn wir von Gott sprechen. Die Mystik dagegen kennt nach Barth nur ein unbekanntes göttliches Unbestimmtes.[77]

Diese Offenbarung ist aber auch für Karl Barth ärgerlicherweise nur in Explikationen zu haben, in Dogmen und Aussagen, in denen sie uns entgegentritt. So fordert sie von uns Gehorsam. „Aber nun ist auch das Andere zu sagen: so wenig man sich an den Explikationen, an den konkreten Mitteilungen und Forderungen, also an den Dogmen *vorbei* ins Allgemeine, Mystische und Unmittelbare flüchten darf, weil man sich sonst vor der Offenbarung selbst flüchtet, so wenig sind die Explikationen *selbst* die Offenbarung ..."[78] Sowohl aus dem modernen Protestantismus als auch aus dem Katholizismus spricht „letztlich der Übermut der *Mystik*".[79] Der Kanon der maßgeblichen Schriften, so Barths Vorwurf, wurde vergessen.

Von der dialektischen Frage des Kennens oder Nichtkennens Gottes sind wir schon mehrfach auf die Frage nach den Quellen der Erkenntnis gestoßen, die Barth ganz deutlich in der Offenbarung der Schrift sieht. So wird der Mystik nicht nur vorgeworfen, zu wenig zu wissen, sondern auch, zuviel zu wissen, und zwar aus Quellen außerhalb der Offenbarung. Das lehnt Barth natürlich deutlich ab. Mystik berauscht sich an der Erkenntnis und will nicht mehr ablassen, statt zur Bibel zurückzukehren. Mystik ist für ihn daher sozusagen der Gegenpart zum Glauben. Sie verweigert die Umkehr von dem, was sie hat, sie kann nicht loslassen von ihrer Spur und sich wieder neu auf die Schrift einlassen, und so verliert sie sie aus den Augen.[80] Wie bereits am Anfang erwähnt, ist wiederum zu sagen, daß auch die Mystik, der Atheismus sowieso, als echte Fortsetzung der Religion nicht Hörerin der Schrift ist, sondern ihre eigenen Wege geht. Die Alternative Mystik oder Atheismus ist die gleichermaßen der Offenbarung widersprechende Konsequenz der Reli-

76 K. Barth, Die Theologie Schleiermachers 421, vgl. auch 48.

77 Vgl. K. Barth, Dogmatik im Grundriß 104.

78 K. Barth, Unterricht Bd.1 238.

79 K. Barth, Die christliche Dogmatik Bd.1 458a.

80 Vgl. K. Barth, KD I/1 186.

gion.[81] Im Gegensatz zu den Atheisten wirft Barth, wie wir oben gesehen haben, den Mystikern vor, daß sie die unerforschbare Tiefe Gottes zwar auch bennenen, aber darüber schon wieder viel zu viel wissen und stundenlang erklären, statt die Abgründigkeit der Tiefe zu verstehen zu geben.[82] Wenn der Mystiker und der Skeptiker von der Unbegreiflichkeit Gottes reden, so sprechen sie nur von der eigenen Erfahrung einer inneren, letztlich unauslotbaren Tiefe, aber nicht vom Gott der Offenbarung, für den alles möglich ist. Daß man von Gott wirklich nicht reden kann, weiß man erst, seit Gott selbst in unserer Mitte geredet hat. Doch diese Beziehung auf die Schriften der Offenbarung sind nach Barth der Mystik fremd, sie geht ihre eigenen Wege, ohne zu wissen, was von der Schrift her zu wissen ist.[83]

Auch eine andere Rede von Gott, die von der Allgegenwart und der Allabwesenheit, kann für Barth nicht gleichermaßen auf den christlichen Gott angewendet werden. Das Mystische kennt für Gott ein *ubique* und ein *nusquam* gleichzeitig. Der christliche Gott ist nach Barth nur durch ein ubique zu kennzeichen, wenn man die Offenbarung ernst nimmt. „Zwischen dem *ubique* und dem *nusquam* muß gewählt werden. Allgegenwart heißt nun einmal nicht Allabwesenheit Gottes. Nur wenn man gar nicht von Gott, sondern von dem raumlosen Prinzip alles Raumes redet, braucht man hier nicht zu wählen, kann man jenes Spiel spielen, kann man das *ubique* durch das *nusquam* und das *nusquam* durch das *ubique* erklären wollen. Daß dieses Spiel und diese Erklärung ein Charakteristikum aller mystischen Gotteslehre ist, das ist es, was sie auch in der Gestalt einer sogenannten christlichen *Mystik* der wirklichen christlichen Gotteserkenntnis gegenüber als Angriffs- und Fluchtbewegung kennzeichnet, was sie jedenfalls zu dieser in Gegensatz bringt."[84]

Barth greift auch das Gespräch Augustins mit seiner Mutter Monika am Gartenfenster von Ostia auf. Er bezeichnet es als eine „der schönsten, aber auch bedenklichsten Stellen in *Augustins* Konfessionen (IX,10)".[85] Augustin und seine Mutter lassen alle irdischen Dinge im Gespräch hinter sich und werden so teilhaft der Anschauung Gottes. Barth merkt dazu an: „Was es auch sei um die Wirklichkeit und den Gehalt dieses Erlebnisses, das ist sicher, daß die Wirklichkeit der Erkenntnis Gottes in seinem Wort und durch die Vorstellung eines solchen zeitlosen und nicht gegenständlichen

81 Vgl. K. Barth, KD I/2 348-356.

82 Dies tun allerdings die ‚echten' Mystiker m. E. gerade.

83 Vgl. K. Barth, KD I/2 839.

84 K. Barth, KD II/1 531.

85 Ebd. 9.

Sehens und Hörens gerade *nicht* erreicht wird."[86] Barth weist dabei auch darauf hin, daß Augustin für gewöhnlich davon spricht, Gott in seiner Schöpfung und in der Geschichte mittelbar zu begegnen, und dieser Sprachgebrauch scheint Barth realistischer zu sein. „Steigen wir wirklich hinauf auf jene Höhe, bringen wir wirklich alle Gedanken, Bilder, Worte und Zeichen zum Schweigen, meinen wir wirklich in das *idipsum* eingehen zu können, dann bedeutet das nichts Anderes, als daß wir an Gott, der ja in seiner Offenbarung in diese unsere Welt gerade heruntersteigt, mutwillig vorbeieilen."[87] Interessanterweise formuliert Barth den Abstieg Gottes in der Offenbarung hier präsentisch. Das bedeutet, daß die Offenbarung jedenfalls nicht nur als einmaliges historisches Geschehen zu verstehen ist. Dem Bemühen, Gott zu begegnen, wenn er schon in unsere Welt hinabsteigt, wird von Barth einige Berechtigung zuerkannt. Gottes Offenbarung ist reines Ereignis, *actus purus* und daher in der Welt und in der Geschichte nicht von vornherein zu finden.[88] Gott begegnet uns wann und wo er will, und wir können die Begegnung mit ihm nicht suchen.

2.3.2 Christusglaube und Mystik

Für den Glauben, daß Christus am Anfang bei Gott war, brauchen wir nach Barth die Mystik nicht zu bemühen. An Christus kann man glauben, das *decretum absolutum* nur ‚anstarren'.[89] Christus und der Glaube an Christus sind das Gegenstück zu einer Lehre vom *decretum absolutum*. Dies gilt auch für eine christuslose Praedestinationslehre. Das Komplement der Erwählung ist der Glaube. Es ist „verständlich, daß es im Schatten jener letztlich christuslosen Praedestinationslehre zu einer reformierten Mystik gekommen ist, als deren klassischer Zeuge G. Tersteegen"[90] gelten kann. Die Lehre vom *decretum absolutum* ist durch die Lehre von Jesus Christus zu ersetzen. „Es kann ja keine Frage sein, daß das paulinische ἐν αὐτῷ auch in der verkürzten Form der Lehre von dem erwählten Mittler praktisch so vorgetragen werden *konnte*, daß der unheimliche Hintergrund des *decretum absolutum* faktisch verdeckt, daß die Menschen nun doch angehalten wurden, sich hinsichtlich

86 Ebd. 10.

87 Ebd.

88 Vgl. Barths Stellung zum 1. Weltkrieg, in dem er Gottes Handeln nicht positiv zu sehen vermag, sondern nur seine Abwesenheit im Laufe der Geschichte.

89 K. Barth, KD II/2 175.

90 Ebd. 121.

ihrer Erwählung und also ihres Heils schlechterdings an Jesus Christus zu halten, daß ihnen oder doch vielen von ihnen die Flucht in die Mystik und in die Moral, die von der Lehre vom *decretum absolutum* her unvermeidliche Konsequenz zu sein scheint, faktisch nun doch abgeschnitten wurde."[91] Statt vom Geheimnis müssen wir von Christus sprechen. „Denn eben um Recht zu schweigen, anzubeten und uns zu demütigen, müssen wir wissen, mit wem und was wir es zu tun haben. Es muß uns das *Geheimnis* als solches *offenbar* sein, d. h. es muß einen bestimmten *Charakter* haben, der uns zu einem ebenso bestimmten Schweigen, Anbeten und Unsdemütigen zu veranlassen die Würde und die Kraft hat. Sonst ist es nämlich unvermeidlich, daß wir die Lücke von uns aus ausfüllen", daß wir eigenmächtig tätig werden.[92] Barth sieht Schleiermachers modernen Protestantismus als mystischen Quietismus. „Mystischer Quietismus im Grunde, möchte er zugleich Kulturreligion, Hebel, Ferment und Ziel aller menschlichen Tätigkeit, aller Freude und alles Schmerzes sein."[93] „Man muß also [in] §9,2, wo das Wort *Christentum* steht, in Gedanken immer ergänzen: Schleiermachersches, modern-protestantisches Christentum, das, nachdem es aus dem Taumelkelch der Mystik soeben einen tiefen, wenn auch nicht ungehemmten freudigen Zug getan, 1. ehrlich genug ist, sich einzugestehen, daß es schon aus historischen Gründen unter dem Namen des *Christentums* so nicht weiter geht, 2. wie mit unsichtbaren Händen festgehalten an der kontingenten Wirklichkeit des Christentums ohne den Namen des Christentums auf seiner eingeschlagenen Bahn nicht weiterlaufen will, 3. in gewisser Verlegenheit sich bewußt wird, daß der moderne Mensch ohnehin bloß mit Mystik nicht auskommt und daß es an der Zeit ist, an ein Komplement zu denken. So also kommt das Christentum zu der Würde einer teleologischen Religion, und daß es, wie gezeigt, als solche von dem apologetischen Wahrheits- und Wertbeweis nicht mehr erreicht wird, ist im Rahmen der *Dogmatik*, die es nun einmal mit der mystischen Seite, mit dem schlechthinnigen Abhängigkeitsgefühl zu tun hat, kein großer Schade."[94]
Im 18. Jh. war das subjektive Kirchenlied stark verbreitet, und der Geist der Mystik hat den Geist Christi fast ganz verdrängt. Tersteegen und Gellert stehen als Kirchenlieddichter für die Programme Mystik und Moral. Christus tritt dabei für Barth allzu stark in den Hintergrund. „Es ist wirklich nicht nötig, auf die in älterer und neuerer Zeit reichlich vorgekommenen pietisti-

91 Ebd. 121f.

92 Ebd. 159.

93 K. Barth, Die Theologie Schleiermachers 410.

94 Ebd. 411.

schen und rationalistischen Entartungen hinzuweisen. Nicht im Blick auf allerlei Unart, sondern im Blick auf die in Tersteegen und Gellert reif gewordene Art des neuprotestantischen Kirchenliedes muß man sich klarmachen, was da geschehen ist ... Es wäre vielleicht heilsam und jedenfalls lehrreich gewesen, wenn diese Tendenz gesiegt hätte und damit der Kirche eindeutig zum Bewußtsein gebracht worden wäre: was man jetzt als Heiligen Geist zu kennen meinte, das war, selbständig geworden gegenüber Jesus Christus, tatsächlich ein anderer Geist als der Geist Christi: der Geist der Mystik und der Moral, aber nicht mehr der Geist, in dem die alte und die reformatorische Kirche das Wort und nichts als das Wort gehört und geglaubt hatte."[95] Zwar spielt das Glaubensbekenntnis noch die erste Rolle, aber so, daß dieses auch wegfallen könnte.
In der Auseinandersetzung mit der Ostkirche vermutet Barth im Streit um das filioque unter Umständen den „Reflex einer mystischen Tendenz des Ostens, die den Menschen an der Offenbarung im Sohne vorbei in direkte Beziehung zum Offenbarer, zum ‚principium et fons Deitatis' setzen möchte".[96] Doch auch diesen Weg an Christus vorbei lehnt Barth natürlich ab.
Oberstes Kriterium ist und bleibt für Barth, daß der Mensch erst durch Christus weiß, wie Gott ist und was er sich unter ihm vorzustellen hat. Er kann ihn nicht an einem Gottesbild messen, denn das hätte er schon gehabt, bevor sich Gott ihm offenbart hat. „Wir stünden dann, wie christozentrisch wir uns auch gebärden wollten, auf dem Boden der Mystik und der Moral, wo sich Gemeinschaft mit Gott auch abgesehen vom konkreten Vollzug der göttlichen Offenbarung realisieren läßt."[97] Doch Barth ist sich dieser Unterscheidung nicht ganz sicher. Die Bernhardinische Mystik fällt für Barth als christozentrische Mystik letztlich gar nicht unter den Begriff Mystik. Die Unsicherheit Barths in dieser Frage wird auch zum Schluß nochmals deutlich wenn es heißt: „Mystik oder nicht Mystik, man wird sich der Notwendigkeit, Folgerichtigkeit dieser Beschreibung der Grundlegung christlichen Lebens doch wohl nicht entziehen können."[98]

95 K. Barth, KD I/2 278f.

96 K. Barth, Die christliche Dogmatik Bd.1 288; vgl. auch K. Barth, Unterricht Bd.1 159.

97 K. Barth, Ethik II 119.

98 K. Barth, KD III/4 64.

2.4 DIE IDENTITÄT IN DER UNIO MYSTICA

Die *unio mystica* gehört für Barth zur Mystik. Für eine kritische Beurteilung seiner Stellung zur Mystik ist also auch seinem Verständnis von *unio mystica* auf den Grund zu gehen. Dabei kommt zunächst seine Kritik an Schleiermacher zur Sprache. Anschließend wird Barths Verständnis des Verhältnisses der *unio mystica* zur *unio hypostatica* untersucht, da hierin ein Vorbehalt Barths gegenüber der Mystik zu sehen ist. Zum Schluß werden dann für Barth durchaus tolerierbare Sichtweisen einer *unio mystica* vorgestellt.

2.4.1 Kritik an Schleiermacher

Eine vereinfachte und nicht zulässige Form der Identität mit Gott sieht Barth bei Schleiermacher vorliegen. Die Einheit mit Gott als Gefühl im Inneren ist es, gegen die Barth sich wehrt. Das *schlechthinnige Abhängigkeitsgefühl* als Bewußtseinszustand bei Schleiermacher wird von Barth als mystische Ekstase interpretiert, die äußerlich der ‚tierartig verworrenen' Bewußtseinsform sehr ähnlich ist. „Das fühlende Subjekt faßt sich mit dem ihm vorher in der Anschauung Entgegengesetzten als *identisch* zusammen." Dies nennt Barth ‚mystisches Alleinheitsgefühl'.[99] In der Beurteilung Schleiermachers schließt sich Barth Otto an, wenn dieser sagt: „Doch aber setzt er damit ganz offenbar eine genuin mystische Veranlagung der menschlichen Seele voraus ..."[100] Einer mystischen Veranlagung der Seele zur Gottesschau kann Barth nicht zustimmen.
Gegen Schleiermacher richtet sich auch Barths Rede in Band II/1 der KD. Die „Geheimnisgrenze der Erkenntnis Gottes darf nun auch auf der subjektiven Seite nicht dadurch geleugnet werden, daß der biblische und altkirchliche Begriff des Glaubens in der Richtung der Mystik dahin umgedeutet wird, als käme es im Glauben auf einer irrational überempirischen Innenseite des menschlichen Bewußtseins zu einer Gotteinheit des Menschen in Form einer Aufhebung des Subjekt-Objektverhältnisses, der Bedingtheit, in der uns Gott offenbar ist."[101]
Mystik, zumindest als romantische oder pietistische Mystik, sucht nach

99 K. Barth, Die Theologie Schleiermachers 389.

100 F. Schleiermacher, Über die Religion (Hrsg. v. R. Otto, Göttingen 1906), 47 Anm. von R. Otto.

101 K. Barth, KD II/1 61.

Barth Gott im Inneren, nicht außerhalb ihrer selbst. Diesen Gedanken hat er von Overbeck. Für diesen ist das Sichpreisgeben zu einer Alternative zur Mystik geworden, die er vorzieht, auch wenn er sich ihres Erfolgs keineswegs sicher ist. Die skeptische Weltanschauung lebt nach Overbeck davon, sich selbst ab und zu in die Luft zu stellen. „Aber es muß *ernst* gelten mit diesem ‚nichts', und das Tröpfchen Schwärmerei muß *echt* sein, mit Mystik, Romantik und Pietismus nicht zu verwechseln".[102] Overbeck betont, daß „das menschliche Individuum nicht daran denken [kann], einen Ersatz für Gott jemals an sich selber vorzufinden ... Sich selbst preisgeben, ist kein sicherer Weg zu Gott, aber der [nach Barth: mystisch – romantisch – pietistische!] Gedanke, Gott in sich wieder zu entdecken, ist noch hoffnungloser."[103]

Sogar die Rede des Mystikers von der Unbegreiflichkeit Gottes wird von Barth immer noch verdächtigt, der eigenen Erfahrung Ausdruck zu verleihen. „Was weiß der Skeptiker von diesem Gott [der Christen] und seiner Verborgenheit und Unbegreiflichkeit? Was er meint, ist das Unsagbare der letzten Tiefe des Geheimnisses der Welt und der eigenen Seele, das Unsagbare einer Tiefe, in die der Mensch immerhin so weit vorstoßen kann, um von sich aus einzusehen, daß sie unsagbar ist, daß er von ihr nicht reden kann, einer Tiefe, die er jetzt eben als die unsagbare Tiefe durchaus zu kennen meint."[104]

2.4.2 Unio mystica contra unio hypostatica

Gegenüber einer unio mystica macht Barth geltend, daß es um eine Einheit von Gott und Mensch nicht gehen kann. „Sollte die Identifizierung zwischen Gott und Mensch der Mystik wesenhaft sein, so ist zu sagen, daß gerade diese unio (mystica) alle Mystik ausschließt. Christus bleibt in ihr ein *Anderer*. Er ist unser Nächster, unser Allernächster, aber gerade als solcher bleibt er uns *gegenüber* stehen."[105]

Die einzige Form der Vereinigung von Gottheit und Menschheit kann Barth in der Gottmenschheit Jesu Christi akzeptieren. „Diese Einheit von Gottsein und Menschsein könnte ihrem Wesen nach nicht eine allgemeine und nicht eine vielfache sein, sondern nur eine einmalige. Nicht eine *allgemeine*: es hat

102 K. Barth, Unerledigte Anfragen 7.

103 F. Overbeck, Christentum und Kultur 286.

104 K. Barth, KD I/2 839.

105 K. Barth, Ethik II 64.

schon die ganze Hybris gewisser Richtungen der Mystik und in den Spuren dieser Mystiker die Hybris des spekulativen Idealismus dazu gebraucht, um aus der Idee der Gottmenschheit ein allgemeines Prädikat der Humanität, d. h. aus der Offenbarung Gottes eine Eigenschaft des Menschen zu machen.“[106] Zum einen hat Barth Sorge um die Sonderstellung Christi, die er nicht für alle gelten lassen will, und zum anderen sieht er die Vereinigung von Gott und Mensch als Eigenschaft des Menschen interpretiert, falls der Fall Christi nicht einmalig wäre.[107]

Die gleiche Textstelle findet sich auch in Barths ‚*Christlicher Dogmatik im Entwurf*‘ wieder.[108] Dort belegt Barth die Aussage durch zwei Eckhartstellen: „... darum, auf daß Gott in der Seele geboren werde und die Seele <wiederum> in Gott geboren werde“[109] und: „Denn, wer kommen will in *Gottes* Grund, in dessen Innerstes, der muß zuvor in seinen *eigenen* Grund ...“[110] Der Eckhartsche Seelengrund wird von Barth als menschliche Eigenschaft gedeutet, die er um der Sonderstellung Christi willen jedoch nicht zulassen zu können glaubt. Der Mensch würde sich dann zuviel zutrauen. Für Barth ist mit dem Seelengrund zugleich auch eine Verfügbarkeit über Gott gegeben, und dagegen wehrt er sich.

Andererseits leugnet Barth die Nähe Gottes auch nicht unbedingt. Immer unter dem Vorbehalt, daß der Mensch sich dies alles nicht anrechnet, räumt Barth in der Vorlesung zum Johannes-Evangelium ein, daß sich das Gegenüber von Gott und Beter auflöst, weil der Heilige Geist selber im Beter ist. Auf jeden Fall hält Barth daran fest, daß der Mensch nicht selber göttlich ist.[111]

Auch in der *Ethikvorlesung* weist Barth noch einmal auf die Ungöttlichkeit des Menschen hin. „Profane Erziehung wäre sicher eine solche, in der der Versuch gemacht würde, mich aus einem Sünder zu einem Heiligen und Gerechten zu machen, mich meine Grenzen vergessen zu lassen, statt sie mir einzuschärfen, mich zu vergotten, statt mich auf Erden – auf dieser dunklen

106 K. Barth, Unterricht Bd.1 170.

107 Vereinigung als Geschenk Gottes zu verstehen, kommt Barth an dieser Stelle nicht in den Sinn, obwohl er auch tolerable Sichtweisen der Identität in der Mystik kennt.

108 Vgl. K. Barth, Die christliche Dogmatik Bd.1 302.

109 Eckhart, Predigt 38, ‚In illa tempore‘ DW 2, 227f.: „... dar umbe, daz got geborn werde in der sêle und diu sêle in gote geborn werde.“

110 Eckhart, Predigt 54 b, ‚Haec est vita aeterna‘, DW 2, 565f.: „Wan swer komen wil in gotes grunt, in sîn innerstez, der muoz ê komen in sînen eigenen grunt ...“

111 Vgl. K. Barth, Erklärng des Johannes-Evangeliums 248.

sündigen Erde – an meinen Platz zu stellen."[112] Einige Seiten weiter heißt es: „Es gibt Erziehung zur Mystik und zur Moral der Gottähnlichkeit."[113] Menschlich gesehen liegt es für Barth nahe, gottähnlich werden zu wollen, doch er hält diesen Wunsch nicht für richtig. Dem Menschen müssen seine Grenzen deutlich gemacht werden.

Im Rahmen der Frage nach der Gott-Menschheit Christi beschäftigt sich Barth in der KD IV/2 mit verschiedenen Vorstellungen einer solchen Vereinigung auch außerhalb des Jesus von Nazareth. „Und nun sah sich schon die alte protestantische Dogmatik vor die Frage gestellt: ob die Einheit von Gott und Mensch in Jesus Christus nicht ihr eigentlichstes formales Gegenbild in dem haben möchte, was man damals die *unio mystica* nannte, d. h. in der Gnadengegenwart, in der Gott im christlich-religiösen Erlebnis und Verhältnis sich selbst einem jeden Menschen schenken, bzw. jeden Menschen in die Lebenseinheit mit sich selbst aufnehmen kann."[114] Ein Vorwurf Barths lautet daher, daß bei dieser Art Unternehmen, nicht die *unio mystica* von der Menschwerdung Gottes, sondern die *unio hypostatica* von der Gottwerdung des Menschen abgeleitet ist und das könne ja wohl schlecht angehen.[115] Insbesondere unterscheidet Barth hier auch hinsichtlich der inhaltlichen Füllung des Begriffs. Er bemängelt, daß „der Begriff der *unio mystica* oder also des ‚absoluten religiösen Selbstbewußtseins' ... zuvor heimlich, still und leise in einer nun doch sehr problematisch zu nennenden Weise *gefüllt* worden ist ... Volle Offenbarung des Wesens Gottes für den Menschen und zugleich wahre Bestimmungserfüllung des Menschen in Gott – absolutes in der Kreatur verwirklichtes Geistesleben, in welchem dann der Mensch zugleich seinen eigenen Wesens- und Lebensgrund entdeckt – ein Lebensprozeß, in welchem die Absolutheit Gottes und die Endlichkeit des kreatürlichen Ich gerade nur logisch als zwei tatsächlich doch ungetrennte Momente zu unterscheiden sind! Höher geht es ja nicht mehr: Chalcedon als Beschreibung dessen, was Inhalt des christlich-religiösen Erlebnisses und Bewußtaeins sein soll! ... Anders als um solchen Preis, anders als in solcher Schwärmerei, ist aber die Parallelisierung der Wirklichkeit Jesu Christi mit dem, was jeder bessere christliche Hinz und Kunz als seine *unio mystica* mit Gott erleben und kennen mag, nicht zu haben!"[116] Es darf für Barth nicht geschehen, „Christus noch und noch einmal vom Christen, statt den Chri-

112 K. Barth, Ethik II 202.

113 Ebd. 211.

114 K. Barth, KD IV/2 59.

115 Vgl. ebd. 60.

116 Ebd. 61.

sten von Christus her zu interpretieren. Paulus hat nun einmal nicht geschrieben: Gott – sondern *Christus* lebt in mir! So redet eine die Distanzen wahrende Mystik – wenn man die Sache überhaupt so nennen will."[117] Die einzige unio mystica, die Barth gelten lassen will, ist die unio personalis in Jesus Christus. Er soll im Mittelpunkt der Gott-Mensch-Begegnung stehen und nicht der Mensch.

Barth ist es ein Anliegen, daß wir *von uns weg auf Christus* schauen, wenn wir uns selbst besser verstehen wollen. Nur so können wir unser Sein in Abhängigkeit von Christus verstehen, nicht indem wir in uns hineinschauen. Andererseits aber auch nicht nur im einfachen nicht auf uns Schauen, sondern im Schauen auf Christus. Ein über sich Hinausblicken ohne letztlich doch wieder nur auf sich zu blicken, gelingt nach Barth nicht, außer im Blick auf Christus. Es „hat noch keiner – auch kein spanischer Mystiker! – wirklich von sich selbst weg und über sich selbst hinaus geblickt, geschweige denn, daß er in bloß formaler Negation seiner selbst wirklich über sich selbst hinausgekommen wäre. Wer es unternimmt, in ein leeres Jenseits hinüberzublicken, der blickt vielmehr, wie feierlich er sich auch dabei gebärden mag, ganz schlicht und gemütlich noch einmal in sich selbst hinein."[118]

Die Gemeinschaft von Christus dem Berufenden und dem hörenden Christen als dem Berufenen – darauf weist Barth in *KD Band IV/3* hin – hat Calvin einmal *unio mystica* genannt. „Aber ohne präzise Angabe darüber, was man in diesem Fall unter ‚Mystik' verstehen will – es müßte sich da um eine ‚Mystik' *sui generis* handeln! – dürfte das jedenfalls nicht geschehen."[119] Es handelt sich hier nicht – wie der Begriff nach Barths Meinung sonst gebraucht wird – „um ein durch seelisch-geistige Konzentration, Vertiefung und Erhebung des menschlichen Selbstbewußtseins hervorzubringendes Einheitserlebnis"![120] Das Wirken des Menschen lehnt Barth hier radikal ab. Eine Vereinigung, sofern sie „nicht Aufgehen, nicht Verschwinden des Einen im Anderen, nicht Identifikation" bedeutet, bleibt auch für Barth relevant. Er spricht von der „‚Vereinigung' als des Christen *unio cum Christo*".[121] Barth selber formuliert einerseits sehr zurückhaltend: „Die Vereinigung des Christen mit Christus, die den Menschen zum Christen macht, ist ihre *Verbindung* in ihrer beiderseitigen *Selbständigkeit*, *Eigenart* und *Eigentätigkeit*." Andererseits fährt er aber fort: „Eben so ist sie freilich

117 Ebd.

118 Ebd. 315.

119 K. Barth, KD IV/3 620.

120 Ebd.

121 Ebd.

ihre wirkliche, gänzliche und unauflösliche Verbindung – *wirklich*: auch hier im Gegensatz zu einer bloß idealen – *gänzlich*: im Gegensatz zu einer bloß seelisch-geistigen – *unauflöslich*: im Gegensatz zu einer nur vorübergehenden Verbindung. Denn ihre Verbindung vollzieht sich und besteht in einer bei aller Unterschiedenheit völligen *Hingabe* von beiden Seiten. Es werden und sind Christus und der Christ in solcher Hingabe ein Ganzes, Eines, eine in sich differenzierte und bewegte, aber echte, solide Einheit: ... das Haupt mit dem Gliede seines Leibes, der Prophet, Lehrer und Meister mit seinem Jünger ...“[122] Bei einer derartigen Beschreibung bleibt offen, ob sich die *unio cum Christo* Barths von einer recht verstandenen *unio mystica* letztlich noch unterscheidet.

2.4.3 Tolerable Sichtweisen der Identität in der Mystik

„Es ist das große Anliegen alles dessen, was man zusammenfassend als die Bestrebungen einer *christlichen Innerlichkeit* bezeichnen kann, was uns in seinem Kern als Anliegen eben des Gewissens im besonderen Sinne verständlich werden kann. Das, dieses geschäftige Warten auf den Herrn, meinte doch offenbar die *Mystik* aller Zeiten und aller Spielarten mit ihrem Drängen auf die Pflege des mit Christus in Gott verborgenen Lebens des Menschen (vgl. Kol 3,3)“, ebenso wie das *kontemplative Mönchtum* des katholischen Mittelalters, das *alte Luthertum* eines Paul Gerhardt und die *Kirche des Ostens*.[123] Sofern also die endliche Menschlichkeit stets mitbedacht wird, ist es auch nach Barth gut, christliche Innerlichkeit im Warten auf den Herrn zu pflegen. So räumt Barth auch ein, daß es schwer ist, ohne eine Mystik zu leben.[124]
Zunächst kommt Barth bei der Interpretation von Gal 2,20 noch ganz ohne eine Vorstellung von Mystik aus. ‚Christus lebt in mir‘ heißt, der Christ kann ohne ihn nichts tun. Er will in unserem Stammeln sein Werk anerkennen.[125] Doch später besteht Barth nicht mehr so vehement auf der Distanz zwischen Mensch und Gott. In seinem heftigen ‚Nein!‘ gegen Brunners Gnadenbuch verteidigt er sogar die Mystik und weist darauf hin, daß man nicht unbedingt sagen müsse, daß das Selbstbewußtsein und die Personalidentität erhalten bleiben. Während Brunner in *‚Natur und Gnade‘* behauptet, daß es beim

122 Ebd. 621.

123 K. Barth, Ethik II 406f.

124 Vgl. ebd. 91.

125 Vgl. K. Barth, Unterricht Bd.1 239.

Glaubensakt nicht zu einer Identität von Gläubigen und Christus komme, weil der Glaube keine Mystik sei,[126] möchte Barth diese Aussage relativieren. Er räumt die Möglichkeit und auch die Legitimität eines mystischen Bewußtseinsvorganges ein, und das heißt in diesem Kontext konkret Verlust der Personalidentität, Aufgabe des Gegenübers und Verschmelzung. Dies soll nach Barth im Akt des Glaubens punktuell möglich sein. „Wer wollte dem allen [was Brunner sagt] in der Hauptsache nicht zustimmen, auch wenn er vielleicht gegenüber einer allzu schweizerischen Nüchternheit zugunsten der armen Mystik geltend machen wollte, daß der Akt des echten Glaubens sich vielleicht doch auch manchmal in mystischen Bewußtseinsvorgängen vollzogen hat und auch vollziehen durfte und darf.“[127]
Im Anschluß an die Ausführung zur Selbstverleugnug bei Calvin spricht Barth später in der KD noch ganz anders von der besagten Paulusstelle (Gal 2,20). „Ist das *Mystik*? Nun, wenn und sofern Mystik *das* ist, dann ist Paulus auch Mystiker gewesen: ‚Ich lebe, aber nun nicht ich, sondern Christus lebt in mir; was ich aber jetzt im Fleisch lebe, das lebe ich im Glauben an den Sohn Gottes, der mich geliebt und sich für mich dahingegeben hat‘ (Gal 2,20). Ist Mystik *das*, dann ist Mystik eine unentbehrliche Bestimmung des christlichen Glaubens.“[128] Aber Barth beeilt sich zu sagen, daß genau dies nach seiner Meinung normalerweise nicht unter Mystik verstanden werde, sondern eine Fähigkeit des Menschen. „Aber unter dem Namen Mystik ist bei denen, die man sonst als Mystiker anzusprechen pflegt, eine Technik und Kunst sichtbar, vermöge derer der Mensch – an der biblischen Heilsgeschichte und Endgeschichte in weitem Bogen vorbei! – seine Einung mit Gott vollziehen zu können meint.“[129]
Anders *scheint* Barth dagegen in seinem Büchlein ‚*Credo*‘ zu reden. Dort wirft er den Mystiker mit dem Gnostiker in einen Topf und hält beiden vor, sie wollten verbotenerweise Himmel und Erde mit dem ‚Sohne oder Worte Gottes‘ identisch setzen.[130] Der Kontrast zu unseren vorigen Beobachtungen liegt in einer anderen Stoßrichtung. „Himmel und Erde sind *nicht selber Gott*, nicht etwa eine göttliche Zeugung oder Emanation.“[131] Hier wird der Pantheismusvorwurf an die Mystik deutlich. Von der Be-

126 Vgl. K. Barth, Nein! 28.
127 Ebd.
128 K. Barth, KD III/4 63f.
129 Ebd. 64.
130 K. Barth, Credo 31.
131 Vgl. ebd. 31.

wußtseinsebene des Gläubigen ist hier auf die ontologische Ebene gewechselt worden, und da sind für Barth Schöpfer und Geschöpf auseinanderzuhalten. Ebenfalls ein im Vergleich zu anderen Äußerungen relativ positives Bild der Mystik liegt Barths Äußerungen in seiner Gastvorlesung von 1946 in den Bonner Ruinen zugrunde. „Wenn wir sagen, daß Gott unser Herr und Meister ist, dann denken wir Christen eben nicht in der Weise aller Mystik an ein undefinierbares und letztlich unbekanntes göttliches Etwas, das als Gewalt über uns steht und uns beherrscht, sondern wir denken an diese konkrete Gestalt, an den Menschen Jesus Christus."[132] Zwar distanziert sich hier Barth von Mystik, weil diese den konkreten Jesus Christus nicht kenne. Dafür respektiert er diesmal bei der Mystik, daß der Mensch Gott anerkennt. Er unterstellt der Mystik also nicht mehr, daß das gläubige Bewußtsein mit Gott identifiziert wird.

2.5 MYSTIK IM DIALEKTISCHEN SPANNUNGSFELD

Karl Barths Theologie der ersten Zeit wird zu Recht ‚Dialektische Theologie' genannt. Die so bezeichnete Theologie weist vor allem auf das dialektische Gegenüber von Gott und Mensch hin, das von menschlicher Seite aus nicht überbrückbar ist. Sie hebt gleichzeitig die Bedeutung dieser Einsicht für unsere Erkenntnis hervor. M. Beintker betont, daß von einem fest umrissenen Dialektikbegriff im Zusammenhang mit der dialektischen Theologie nicht die Rede sein kann. Er faßt zusammen: Die *verschiedenen ‚Dialektiken'* „treffen sich zwar alle in der Wertschätzung des Widerspruchs für unser Erkennen, divergieren aber in der Artikulation des Widerspruchs, in der Frage nach seiner Überwindung und in der logischen und ontologischen Plazierung und Strukturierung desselben."[133] Das Besondere an der Dialektik Barths ist, „daß im Interesse der Geltung der Wahrheit die *Zuordnung beider* Urteile bzw. Aussagenreihen geboten scheint, und der Widerspruch *stehen* bleibt."[134] Die Verweigerung einer ‚einfachen Lösung' und das Aushalten eines Widerspruchs kennzeichnen demnach die Theologie Barths.
Auch die Mystik tritt dem Leser Barths im dialektischen Spannungsgefüge entgegen. In einem ersten Punkt soll das Verhältnis von Mystik und Dogma-

132 K. Barth, Dogmatik im Grundriß 104.

133 M. Beintker, Die Dialektik 22; vgl. ebd. 21-24.

134 Ebd. 23.

tik untersucht werden. In einem zweiten Punkt geht es um die Frage der Erkenntnismöglichkeit und die Gegenüberstellung von Nichtwissen und Wissen. Zum Abschluß gelten die Überlegungen der Mystik als Gegenpart einer rein rationalen Hermeneutik.

2.5.1 Mystik als kritisches Gegenüber der Dogmatik

In seinem frühen Vortrag ‚*Das Wort als Aufgabe der Theologie*‘ vertritt Barth ‚seine Theologie‘ nicht als eigenständige Theologie, sondern mehr als Korrektiv zwischen bestehenden Theologien. Er will sie alle ein wenig besser zurechtrücken. Dabei führt er eine grobe Dreiteilung durch. Der erste Weg ist der dogmatische, der zweite der kritische, in dem die *negatio* im Vordergrund steht, und der dritte Weg ist der dialektische. Wie den ersten sieht Barth auch den zweiten Weg nicht nur negativ. „Der Weg der Mystik, auch er wahrhaftig beachtenswert! Wer dürfte da sofort schelten, wo mit den Besten des Mittelalters auch der junge Luther eine Strecke weit mit Begeisterung mitgegangen ist? ... Darum nenne ich den mystischen Weg, der sich auch als Idealismus verstehen läßt, den kritischen, weil sich hier der Mensch unter ein Gericht, in eine Negation hineinstellt, weil es hier so klar erkannt ist: Der Mensch als Mensch ist das, was überwunden werden muß.“[135] Die Beschreibung der Mystik erinnert stark an Meister Eckhart. Dies gilt sowohl für das Lösen von allen Dingen, für die Aussage ‚Gott ist kein Ding‘, als auch für die Rede von der ‚Geburt Gottes in der Seele‘.
Doch auch so kann man nach Barth nicht von Gott reden. „Denn daß das nun Gott sei, was da den Menschen, ihn selber vernichtend, erfüllen will, dieser Abgrund, in den der Mensch sich stürzen, diese Finsternis, in die er sich begeben, dieses Nein, unter das er sich stellen soll, daß das alles *Gott* sei, das pflegten die Mystiker und wir alle, sofern wir auch ein wenig Mystiker sind, mit ihnen zwar zu *behaupten*, wir sind aber nicht in der Lage, es zu *zeigen*.“[136] Die Mystik redet nach Barth zwar von Gott, aber sie führt zum Verlust des Eigenseins und zum Verlust des Gegenübers, das zum namenlosen Nichts wird.
Der nach Barth beste Weg ist der dritte Weg, der *dialektische*. Der Dialektiker hat die beiden erstgenannten Wege zueinander in Beziehung zu setzen und auf dem Grat dazwischen zu wandern. Mystik und Dogmatik sind die

135 K. Barth, Das Wort als Aufgabe 169.

136 Ebd. 170.

Pole, die gute Dialektik ist dazwischen.[137] Zum einen räumt Barth also ein, in gleichem Maße Mystiker wie Dogmatiker zu sein. Denn die Dialektische Theologie ist als Grat zwischen Mystik und Dogmatik von beiden gleichweit entfernt, oder anders ausgedrückt: beiden gleich nah.

Etwas später stellt Barth nicht das Gegensatzpaar Dogmatik – Kritik (Mystik) gegenüber, sondern Ordnung (Dogmatik) – Freiheit (Mystik). An der grundsätzlichen Konstellation hat sich also nichts geändert. Auch hier in der Rede von Freiheit und kirchlicher Ordnung kommt es ihm auf eine Dialektik an. „Daß das Freiheitsprinzip isoliert, undialektisch das Wesen des Protestantismus sei, das wird man, wenn man nicht Protestantismus mit Aufklärung oder Mystik verwechselt, so wenig zugeben, als ein kluger Katholik sich auf das Autoritätsprinzip versteifen wird. Immerhin: so viel ist an jener These richtig: Es wird wohl kein Zufall sein, daß jene zitierte Lutherschrift nun einmal ‚*De libertate christiana*' überschrieben ist und nicht ‚*De auctoritate ecclesiae*'.[138] Freiheit ohne Ordnung (Dogmatik) wird für Barth entweder Mystik oder Aufklärung. Die protestantische Theologie steht aber der Freiheit näher als der Ordnung.

Barth setzt das Gesetz von Mystik und Moral (inkl. Idealismus) dem Glauben gegenüber. Der Glaube unterscheidet sich vor allem durch die historisch einmalige Offenbarung gegenüber einer allgemeinen Zugänglichkeit. Barth benennt aber auch ein zweites Unterscheidungsmerkmal. „Das zweite Unterscheidungsmerkmal betrifft den Sinn jenes Nachzeichnens der göttlichen Wahrheit in menschlichen Begriffen. Auch die theologische Ethik kann nur in menschlichen Begriffen nachzeichnen. Sie hätte keinen Anlaß, mit dem Idealismus darüber zu streiten, daß sie mit ihren Begriffen etwas Anderes meine als er, sie brauchte sich nicht einmal gegen seine Umdeutungen durchaus zu verwahren, wenn sie mit ihm darüber einig wäre, daß es sich für ihn wie für sie bloß um ein Nachzeichnen der Wahrheit, nicht aber um die *Verdrängung* und den Ersatz der Wahrheit durch die Begriffe handeln kann."[139] Idealismus, Mystik und jede Theologie ersetzen also nach Barths Meinung die göttliche Wahrheit durch bestimmte Begriffe. Der Christ soll wissen, daß seine Begriffe nicht die Wahrheit selber sind. Nicht gegen die Begriffe also wehrt sich Barth, solange sie die Wahrheit nicht verdrängen, statt sie nachzuzeichnen.

137 Vgl. ebd. 171f.

138 K. Barth, Unterricht Bd.1 307f.

139 K. Barth, Ethik II 99.

2.5.2 Dialektik von Nichtwissen und Wissen

Von einer Dialektik kann noch in einer anderen Hinsicht geredet werden, nämlich von einer Dialektik des Nichtwissens und Wissens. Was kann man von der Unerkennbarkeit Gottes kennen?

Barth wirft den Mystikern vor, daß sie zwar von der unerforschbaren Tiefe Gottes reden, aber darüber schon wieder viel zu viel wissen und stundenlang erklären, statt die Abgründigkeit der Tiefe zu verstehen zu geben.[140] Wenn der Mystiker und der Skeptiker von der Unbegreiflichkeit Gottes reden, so sprechen sie für Barth, wie bereits erwähnt, nur von der eigenen Erfahrung einer letztlich inneren unauslotbaren Tiefe, aber nicht vom Gott der Offenbarung, für den alles möglich ist. Um zu erkennen, daß dies wirklich so ist, bedurfte es nach Barth allerdings erst der Offenbarung.[141]

In der zweiten Fassung des Römerbriefes ist diese Dialektik von Wissen und Nichtwissen voll zum Ausdruck gekommen. „Wir wissen, daß Gott der ist, den *wir nicht* wissen, und das eben dieses Nichtwissen das Problem und der Ursprung unseres Wissens ist."[142] Der Weg von der Welt zu Gott, der Weg der Religion, ist dem Menschen versperrt. So kann er Gott nicht finden. Aber er kann ihn nach Barth dennoch erkennen. Er erkennt ihn, indem er sich der Unerkennbarkeit durch die Welt bewußt wird. In dieser Weise ist Gott dann aber doch schon je in der Welt und im Gottsuchenden anwesend. „Er ist der verborgene Abgrund, aber auch die verborgene Heimat am Anfang und Ende aller unserer Wege."[143]

Hierin erkennt Barth aber nicht einen mystischen Zug seiner dialektischen Theologie, sondern spricht eine solche Haltung den Mystikern, die er in einem Atemzug mit den Skeptikern nennt, ab.

Gott ist von Menschen nicht einfach zu begreifen. Er sprengt ihr Verstehensvermögen. Aber er hat sich in der Offenbarung verständlich gemacht. „*Deus definiri nequit* ist, recht verstanden, das Bekenntnis zu Gottes Offenbarung, durch das wir freilich bestätigen, daß uns das Unvermögen unseres eigenen Anschauens und Begreifens Gottes aufgedeckt ist, durch das uns aber der Mund nicht verschlossen, sondern für die Ausrichtung des göttlichen Auftrags gerade *geöffnet* wird."[144] Aussagen einer negativen Theologie, wie etwa die des Pseudo-Dionysios Areopagita, will Barth aber nicht anerkennen,

140 Ob dieser Vorwurf Barths die mystische Theologie trifft, muß sich erst noch zeigen.

141 Vgl. K. Barth, KD I/2 839.

142 K. Barth, 2. Römerbrief 21.

143 Ebd.

144 K. Barth, KD II/1 216f.

sondern vermutet hier nur eine Flucht in den letzten Versuch einer menschlichen Aussage. „Die berührten Mißverständnisse des *Deus definiri nequit* – sie sind die Mißverständnisse der verschiedenen Spielarten der *mystischen* Theologie – sind allesamt Versuche, dieser Aufgabe, und das heißt: dem wirklichen Gott in seiner Verborgenheit, auszuweichen. Es ist ratsam, sich an diesen Versuchen nicht zu beteiligen."[145] Demzufolge sind sie aber, sofern sie Versuche sind, dem wirklichen Gott in seiner Verborgenheit nicht auszuweichen, zu begrüßen.

Mystische Theologie hält es nach Barth nicht mit der Offenbarung und weiß nicht nur zuviel von Gott, sondern auch zuwenig, ein eigenartiger Widerspruch, der wohl ganz auf die Schriftoffenbarung hindeuten will. Statt mystischer Theologie anzuhängen, sollten wir lieber Gott schauen in der Offenbarung, denn wir können es.[146] In der Offenbarung ist schon alles gesagt. Auch durch Geisterfahrung gibt es kein Wissen an der Offenbarung vorbei bzw. über sie hinaus.

Demgemäß tritt auch der Geist in diesem Zusammenhang nur als Weitergabe des Zeugnisses von Christus zu uns auf. Wie begegnet uns der Heilige Geist? Sind nicht alle Phänomene sehr zweideutig, bezogen nur „auf einen möglichen Reflex seines Wirkens ... als wir aus der Geschichte aller Religion und Mystik und sogar aus der Geschichte alles ästethischen Erlebens wissen können, daß es, was solche angebliche oder wirkliche seelische Erfahrungen angeht, glaubhafte Nachrichten auch aus dem Bereich ganz anderer Geister als dem des Heiligen Geistes in Fülle gibt?"[147]

2.5.3 Mystik als Gegenpart einer rein rationalen Hermeneutik

Interessanterweise spielt die Mystik bei Barth in Abgrenzung zu einer rein rationalen Sicht eine ausdrücklich positive Rolle als hermeneutischer Schlüssel zum rechten Verständnis der Geschichte und auch der Heilsgeschichte. Anhand des Glaubens von Abraham weist Barth auf ein, wie er es nennt, ‚ungeschichtliches Oberlicht' der Geschichte hin. Die historisch wahrnehmbaren Fakten sind nicht alles. „Nie ist die Geschichte, nie die geschichtliche Persönlichkeit des Menschen ganz ohne dieses ungeschichtliche Oberlicht: ‚vor Gott, an den er glaubte'."[148] „Mythisch oder auch mystisch nennt die

145 Ebd. 217.

146 Vgl. ebd. 225.

147 K. Barth, KD IV/2 403.

148 K. Barth, 2. Römerbrief 116.

Ängstlichkeit des linearen Denkens dieses Oberlicht der Geschichte, die ‚unhistorische Atmosphäre' des Lebens",[149] in der die Unmöglichkeiten Gottes (wie die Vaterschaft Abrahams und die Auferstehung Jesu) wahrgenommen werden können. „Eben die Beziehung auf diese Unmöglichkeit ist Abrahams *Glaube*, der darum selber als jenes Unmögliche und Ungeschichtliche (und zugleich als das allein Ermöglichende, Geschichte begründende!) in völliger Unanschaulichkeit *am Rand* der Genesishistorie auftaucht (*in* dieser Historie immer nur als Krisis und darum in den Formen des Mythus und der Mystik darstellbar)".[150] Glaube ist also für Barth innergeschichtlich nur als Mystik oder Mythos darstellbar.

Barth weist in seinem ‚*Unterricht in der christlichen Religion*' darauf hin, daß bei der Wiedergabe des Neuen Testaments immer auch schon eine weltliche Interpretation mit beigemengt wird. „Und bei niemandem ist es für sein Verständnis der Schrift gleichgültig, woher er in diesem Sinn kommt, welche Denkvoraussetzungen er mitbringt. Das ist vielmehr in bestimmtem Sinn geradezu entscheidend, nämlich für die Feststellung der Schriftgedanken, dessen, was mit dem, was im Text gesagt *ist*, *gemeint* ist, gesagt *sein soll*. Gefühlswerte mystischer Art meint der Eine als den eigentlichen Inhalt der Bibel zu finden, eine halb idealistische, halb pietistische ethische Pragmatik der Zweite, ein himmlisch-irdisches Weltdrama der Dritte, während man bei dem Vierten den Eindruck hat, er meine – und das beruht auf einer Philosophie –, daß die Bibel überhaupt nichts meine und sagen wolle."[151] Barth nimmt dabei sich und auch Luther und Calvin nicht aus.

Auf die Bedeutsamkeit des Interpretationsaktes hinsichtlich des Umgangs mit Texten im Zusammenhang mit der Mystik weist Barth auch in einer Anmerkung seiner Brunnerrezension hin. Sie steht im Zusammenhang mit Barths Vorwurf an Brunner, den Gegensatz Wort – Mystik so generell durchzuziehen. Auch Luther, so weiß Barth, drückt sich mitunter – zumindest scheinbar – mystisch aus: „‚Wenn ein Christ ansähet Christum zu kennen als seinen Herrn und Heiland, durch welchen er ist erlöset aus dem Tode und in seine Herrschaft und Erbe gebracht, so wird sein Herz gar *durchgottet*, daß er gerne wollt jedermann auch dazu helfen' ... Daß der *Schein* in solchen Lutherstellen – und ich bin selber schon *noch* ‚schlimmeren' begegnet – *für* den pietistisch verdorbenen Neuprotestantismus spricht, das müssen wir doch einfach zugeben und daß es sich *bloß* um

149 Ebd. 117.

150 Ebd. 118.

151 K. Barth, Unterricht Bd.1 316.

einen Schein handelt, das kann man nicht voraussetzen und noch weniger en passant beweisen."[152]
Hinsichtlich der Interpretation der Geschichte wird Barth des öfteren vorgeworfen, die Bedeutung der Geschichte zu verkennen und zu sehr auf Gottes Eingreifen von oben in die Geschichte zu setzen. Genau an diesem Punkt macht Barth selber der Mystik Vorhaltungen hinsichtlich mangelnden Geschichtsbewußtseins. Aber seine Abwehr ist doch sehr gedämpft im Vergleich zu anderen Stellen. Er behauptet, die Mystik sieht Gott nur im senkrechten Augenblick, obwohl er auch in der zeitlichen Erstreckung von Vergangenheit und Zukunft zu sehen ist. „Die unerreichbare Ferne jenes göttlichen Vorher scheidet uns nicht von Gottes Liebe: sie so wenig wie die ebenfalls unerreichbare Ferne des göttlichen Nachher. Wie sollte sie schon? Sie ist ja die Ferne jener Höhe, der auf Erden der Friede unter den Menschen des göttlichen Wohlgefallens entspricht. Wenn die Mystik und die heimlich von der Mystik lebende Gegenwarts- und Existentialphilosophie sich damit begnügen will, diese Wahrheit geltend zu machen – und insofern sie das tut – braucht man ihr nicht zu widersprechen."[153]
Die Frage, wie die längst vergangene Kreuzestat Christi unser Leben heute verändert, ist ein Problem von ‚Glaube – Geschichte' (W. Herrmann) oder ‚Einst – Jetzt' (R. Bultmann). Dieses Problem sieht Barth in der *KD IV/1* auch schon in der Mystik aufgegriffen, und zwar als räumliches Problem, z. B. bei Angelus Silesius:

> „Wird Christus tausendmahl in Bethlehem gebohrn
> Und nicht in dir; du bleibst noch Ewiglich verlohrn.'[154]

Trotz dieser ausdrücklich auf die Innerlichkeit bezogene Formulierung räumt Barth ein: „Das Problem hat in der Tat auch diesen zeitlichen oder also räumlichen Aspekt."[155]
Barth wehrt sich dagegen, daß das Auferstehungsgeschehen nicht raumzeitlich gemeint sein soll, sondern das eigentlich Gemeinte „verkleidete Kosmologie, Anthropologie, Theologie oder Mystik" sei.[156] Für Barth schließt der hermeneutische Schlüssel nicht, der nur das hinter der erzählten Geschichte eigentlich Gemeinte sucht und nicht von der räumlich-zeitlichen

152 K. Barth, Brunners Schleiermacherbuch 59 Anm.

153 K. Barth, KD II/1 704.

154 Angelus Silesius, Cherubinischer Wandersmann, 1. Buch Nr. 61 S. 36.

155 K. Barth, KD IV/1 316.

156 Ebd. 372.

Wahrheit des Berichteten ausgeht. In diesen Angriff gegen ein mythologisches Verständnis der Schrift bindet Barth gleich die Skepsis gegen die Mystik mit ein.
Im Rückblick auf die Geschichte kann Barth später der Mystik, trotz genereller Kritik, wenigstens einen guten Willen nicht ganz absprechen. Auch die anderen Wege, wie Mystik, Mönchtum und Quietismus, sind für ihn zwar nicht zu befolgen, aber doch wenigstens zu befragen. „Im Blick auf die *Geschichte* bedeutet das nun allerdings auch: wir haben Anlaß, gerade den christlichen Richtungen und Bewegungen, an die man im Blick auf ihre Behandlung dieses Problems vorwiegend oder gar ausschließlich in kritisch-negativem Sinn zu denken pflegt, die Gerechtigkeit einer ruhigen Überlegung zu erweisen ... Wir sind es aber ihnen – wir sind es vielmehr der Schrift und der Sache schuldig, sie jedenfalls zu hören, uns jedenfalls von ihnen *fragen* zu lassen ... Ich versuche, das an einem *Beispiel* wenigstens andeutend konkret zu erläutern. Die christliche *Mystik* könnte als solches genannt werden, oder im Zusammenhang mit ihr der *Pietismus* im Bereich der reformierten und lutherischen Kirche ...“[157]

2.6 MYSTIK ALS UNTERBRECHUNG

In diesem letzten Kapitel des zweiten Teils kommt die Mystik als Ruhe und in ihrem Verhältnis zum Tode zur Sprache. Es sind zwar diesbezüglich nicht sehr viele Stellen bei Barth zu verzeichnen, aber immerhin ist sein Verhältnis zu diesem wichtigen Punkt der Mystik im wesentlichen recht positiv.

2.6.1 Mystik und Ruhe

Bei der Auseinandersetzung mit dem Begriff Arbeit weist Barth darauf hin, daß es zur Arbeit gehört, daß sie eine Grenze hat. Deswegen wendet sich Barth gegen die grenzenlose Mystikablehnung Ritschls. „Es ist eines der auffallendsten Merkmale der Theologie *A. Ritschls*, daß es in Konsequenz ihres Kampfes gegen die Metaphysik und gegen die Mystik eigentlich keinen *Sonntag* geben dürfte, sondern nur Weltanschauung und Sittlichkeit, d. h.

157 K. Barth, KD IV/2 10.

aber bürgerlichen Alltag."[158] Die Mystik repräsentiert in diesem Zusammenhang also die Ruhe, die (im Sabbat) sogar in der Bibel göttlich verordnet ist. Mystik ermöglicht eigentlich erst den Sonntag, und der ist biblisch. Der Feiertag ist dazu da, daß sich der Mensch wieder neu nur von Gott erkenne. „Das ist die erstaunliche Forderung des Feiertagsgebotes. *Calvin* hat sie beharrlich gerade in dieser Form an die Spitze seiner Erklärung des vierten Gebotes gestellt. Der Feiertag sei nach jenen alttestamentlichen Stellen das Zeichen unserer *Heiligung*. Unsere Heiligung bestehe aber jedenfalls negativ in der *mortificatio* propriae voluntatis."[159] Des Christen Heiligung durch Gott, die in der Abtötung der eigenen Wünsche und Vorstellungen ihre Entsprechung erfährt, kann Barth als Beschreibung der Mystik einiges abgewinnen.

Machen kann sich der Mensch die Ruhe nicht. Er kann sie nur in Empfang nehmen von Gott. Und dann fährt Barth in gewisser Nähe zu Einigungsgedanken fort: Der Mensch kann die Ruhe „an jenem Ort, den er dazu allerdings beziehen muß, in Empfang nehmen. Seine Ruhe ist in Gott. Gott selbst ist seine Ruhe. Gott allein kann sie ihm geben."[160] Diesem Gedanken, den er nochmal aufnimmt, setzt Barth jetzt als angeblich mystischen Gedanken das Gegenübersein entgegen, um es zu verwerfen. „Gott ist aber – das ist der Irrtum von so viel Mystik – gerade kein weiterer Betrachtungsgegenstand. Gott entzieht sich vielmehr aller Betrachtung. Denn Gott handelt, und zwar durch sein Wort. Er redet und will gehört sein. Und indem er redet und vom Menschen gehört wird, gibt er ihm die Ruhe, die er sich weder durch Betrachtung noch sonst verschaffen kann, der gegenüber er sich aber seinerseits, in seinem menschlichen Bereich ... ruhig verhalten kann."[161]

2.6.2 Mystik und Tod

In seiner Auseinandersetzung mit Bultmann kritisiert Karl Barth, daß die *Heils*deutung des Kreuzes von der Person des Glaubenden abhängig ist. Deshalb sieht er Bultmann in der „Nähe zu allerhand katholischer Todesmystik", ohne allerdings diesen Begriff inhaltlich näher zu füllen.[162]

158 K. Barth, Ethik I 378f.

159 K. Barth, KD III/4 63.

160 Ebd. 647.

161 Ebd.

162 K. Barth, Rudolf Bultmann 27.

Der Tod spielt aber auch in der Frage der Schöpfung eine Rolle, insbesondere in der Frage nach der notwendigen Neuschöpfung.
Nach Barth ist die Schöpfung fertig. Gott muß nicht ständig neu schöpfen. „Würde er es, wie man schon gesagt hat, in jedem Moment der Zeit neu erschaffen, so würde das nicht nur eine Unvollkommenheit seiner ersten Erschaffung voraussetzen, sondern auch dies, daß es jeweilen fort und fort zunichte werden müßte, um dann gewissermaßen in völliger Neuheit wieder zu erstehen, um so, in einem dauernden Wechsel von Leben und Sterben und Leben, Sein und Nichtsein und Sein seine Fortexistenz zu haben. Diese Anschauung könnte ihr Verlockendes haben, weil man mit ihr nicht nur an die Grundlehre der Mystik aller Zeiten und Länder Anschluß fände, sondern"[163] in gewisser Weise vielleicht auch an Goethe.
Ob Barth damit den eigentlichen Punkt des Werdens und Vergehens getroffen hat, kann bezweifelt werden. Der ständige Wechsel von Leben und Tod ist wohl eher eine Dimension unseres Alltags.[164] So gesehen ist nicht der entscheidende Punkt, ob Gott immer alles neu erschafft, sondern ob wir uns immer wieder neu auf seine Schöpfung als von Gott geschaffene Schöpfung einlassen.
Im Zusammenhang mit der Taufe kommt Barth noch einmal auf Tod und Mystik zu sprechen. Zunächst greift er die Paulusstellen auf, an denen dieser davon spricht, daß der Mensch in der Taufe den neuen Menschen, Christus, anzieht, Christus lebt jetzt im Getauften. Doch hier spricht Barth noch nicht ausdrücklich von Mystik. Im Zusammenhang mit der Neugeburt in der Taufe kommt er dann auf den Tod zu sprechen: „Die Sache wird evident, wenn wir schließlich an die Stellen denken, die den *Tod* als des Menschen Eingang ins Leben und so als die Begründung der christlichen Existenz beschreiben. Es gibt nach dem Neuen Testament keinen – im wörtlichen oder in einem übertragenen Sinn so zu nennenden – Tod eines Menschen, dem als solchem eine für ihn heilsame Kraft zukäme. Mit einer Mystik des physischen oder auch eines geistigen Sterbens haben diese Stellen, so oft viele von ihnen so verstanden worden sind, nichts zu tun."[165]
Barth baut hier einen Gegensatz auf zwischen christlichem Denken und heidnischer Mystik. Die Christen sind auf den Tod Christi getauft. Durch den Tod Christi haben sie Anteil an der Taufe, aber dieses ‚mit Christus gestorben sein' ist für Barth nicht mystisch. Die Mystik, so sagt Barth, mißt dem Tod als solchem Bedeutung zu. Diese genau kommt ihm aber nicht zu,

163 K. Barth, KD III/3 78.

164 Zur Bedeutung des Nichtseins für das Dasein vgl. G. Langemeyer, Menschsein, bes. 25-27.

165 K. Barth, KD IV/4 16.

denn er ist der Lohn der Sünde. Beginnend bei der Darstellung des Todes Jesu schreibt Barth folgendes: „Er trinkt jenen Kelch nicht einsam für sich; er wird mit jener Taufe nicht einsam für sich getauft; an ihrer Stelle und für sie geschieht das. Und *so* werden in *seinem* Sterben auch *sie* sterben und *damit* wird ihnen der Eingang in die Herrlichkeit ... eröffnet werden ... Des Menschen Tod an sich und als solcher ist der Sold, der ihm durch die Sünde ausgezahlt wird (Röm 6,23) ... An ihr stirbt der Mensch (Röm 7,10). Die christliche Mystik aller Zeiten, die ja öfters (heidnisch genug!) in irgendeine Todesmystik ausmündete, hätte sich durch solche Stellen warnen lassen müssen: sie führt in eine Sackgasse. Des Menschen Tod an sich und als solcher ist in keinem Sinn ein Übergang ins Leben.“[166]

166 Ebd. 17f.

3 DER BEGRIFF ‚MYSTIK' IM HEUTIGEN VERSTÄNDNIS UND IN SEINER URSPRÜNGLICHEN BEDEUTUNG

In den beiden ersten Teilen der vorliegenden Untersuchung wurde der Begriff Mystik im Gebrauch bei Karl Barth aufgezeigt und dieser Gebrauch inhaltlich einer systematischen Gliederung unterworfen. Dabei wurde der Begriff der Mystik, wie er sich bei Karl Barth darstellte, nicht selber kritisch hinterfragt, sondern übernommen, wie er gefunden wurde. Eine solche kritische Hinterfragung des Begriffs Mystik in seinem Gebrauch bei Karl Barth soll jetzt vorbereitet werden. Der dazu nötige eigene Standpunkt wird in diesem Teil erarbeitet. Dies erweist sich insofern als nicht ganz einfach, da der Begriff Mystik in sehr unterschiedlicher Weise gebraucht wird.

Dieser Schwierigkeit Rechnung tragend, erfolgen im ersten Kapitel einige Vorüberlegungen. Sie präzisieren das Frageinteresse, mit dem anschließend einige wichtige Phasen der geschichtlichen Entwicklung des Begriffes ‚Mystik' zu untersuchen sind. Damit wird bewußt eine Vorentscheidung getroffen hinsichtlich der Auswahl der historischen Phänomene, die zur Begriffsklärung und -verdeutlichung heranzuziehen sind. Eine solche Vorentscheidung ist notwendig, weil sonst die historischen Phänomene zu unterschiedlich sind, um einer Begriffsklärung zu dienen, und zu zahlreich, um in ihrer Fülle bewältigt zu werden.[1]

In den beiden folgenden Kapiteln werden dann jeweils in einem kleinen Ausschnitt die Begriffsverwendung in der Antike, seine Übernahme in das christliche Vokabular sowie die erneute Übernahme aus der antiken Welt und Väterzeit in das lateinische Mittelalter dargestellt. Dabei vollzieht sich jeweils ein Wandel im Verständnis des Begriffs Mystik und seiner Bedeutung für die Theologie.

Die Auswahl der zu behandelnden Autoren und wiederum der jeweiligen Texte erfolgt nach den Kriterien, die im ersten Kapitel dieses Teils herausgearbeitet wurden. Sie bleiben jedoch immer nur eine kleine Auswahl aus einer Vielzahl möglicher Autoren und Texte. Auch der abgedeckte Zeitraum – Nicolaus von Cues ist der letzte angeführte Theologe – kann natürlich kein vollständiges Bild geben. Im 17. Jahrhundert beginnt die Mystik auch

1 Andererseits sollten die Phänomene natürlich unvoreingenommen wahrgenommen werden. Aber diesem Zirkel ist nicht zu entrinnen.

nichttheologische Wege zu gehen. Deshalb enden die Betrachtungen mit dem Beginn der Neuzeit. Man kann zu dem Zeitpunkt auch von natürlicher Mystik sprechen. Mystik wird von *Surin* als eigene Wissenschaft neben anderen erklärt.[2] Es tritt eine Wende zur religiösen Subjektivität ein. Gegen Ende des 17. Jahrhunderts erfolgt dann aber eine so starke Gegenbewegung, daß das Wort Mystik aus religiösen Kreisen nahezu schwindet. Dies hängt wohl auch mit der Verurteilung Fénelons (1699) zusammen, durch die die Mystik als äußerst gefährliches Gebiet erscheint.[3] Der Quietismus zeichnet sich durch äußerste Zurückhaltung im mystischen Schriftgut aus. Bis in unser Jahrhundert hinein bleibt eine Unterscheidung von asketischer und mystischer Theologie sowie eine Unbestimmtheit ihres Verhältnisses zueinander. Der Mystik werden bisweilen häufig außergewöhnliche Begleitumstände wie Visionen und Ekstasen zugeschrieben, die sie elitär erscheinen lassen.

Dementsprechend versucht die Aufklärung, das Mystische vollends in die Ecke der Irrationalität, des Aberglaubens und des Okkulten zu stellen. Zumeist wird die Mystik als ‚dunkel', ‚verworren', ‚antirational', ‚hinterwäldlerisch', ‚degeneriert', ‚krankhaft' und ähnlich abgetan.[4] „Die Theologie reagiert auf dieses positivistische Vorgehen genauso positivistisch, indem sie alle außergewöhnlichen Phänomene zu Wundern erklärt und als ebenso viele Aufhebungen des Naturgesetzes beschreibt."[5] Eine Situation, in der man sich nicht mehr in der Nähe der ursprünglichen Bedeutung des Wortes Mystik befindet.

Eine Auseinandersetzung mit der Frage, inwieweit Barth das Mystikverständnis Schleiermachers richtig wiedergegeben hat, erfolgt nicht. Das Frageinteresse des vorliegenden Teils der Arbeit zielt auf einen ursprünglichen Mystikbegriff, um diesen dann mit dem Verständnis von Karl Barth zu konfrontieren und nach Gemeinsamkeiten und Unterschieden zu fragen.

2 Vgl. O. Steggink, Mystik – Wortgebrauch 18.

3 Vgl. A. Haas, Was ist Mystik? 229.

4 A. Haas, Was ist Mystik? 329, weist auf „Kant, Schopenhauer, Feuerbach, Marx, Dühring und Nietzsche" hin.

5 O. Steggink, Mystik – Wortgebrauch 23.

3.1 VORÜBERLEGUNGEN ZUM BEGRIFF ‚MYSTIK'

Auf die Frage, was genau unter Mystik zu verstehen ist, findet man gegenwärtig keine klare Antwort. Zu verschieden und vor allem zu diffus sind die einzelnen Vorstellungen, was das Eigentliche an der Mystik ist. Genauso unpräzise wie die Begriffsbestimmung ist folgerichtig auch die konkrete Angabe, welcher Theologe und welche Theologin oder welche Theologie der Mystik zuzurechnen ist. Ebenso umstritten ist, ob eine solche Zugehörigkeit positiv oder negativ zu beurteilen ist.

Da häufig dem Mystischen etwas Schwärmerisches zugesprochen wird, fragen wir bei dem Versuch einer Begriffsbestimmung zunächst nach dem Verhältnis von Mystik und Rationalität. Anschließend werden vier wesentliche Zugänge zum Verständnis von Mystik aufgezeigt und ein eigener Standpunkt diesbezüglich bezogen. Darauf folgt eine Problembestimmung des Verhältnisses von Mystik und Christentum. Nach diesen Überlegungen zum gegenwärtigen Verständnis von Mystik geht es dann im letzten Punkt um den Ursprung des Wortes, um so den Boden für das nächste Kapitel (3.2) zu bereiten.

3.1.1 Eine erste Begriffsbestimmung

Den Begriff ‚Mystik' klar zu definieren, stößt auf verschiedene Schwierigkeiten. Das Phänomen ‚Mystik' widersetzt sich einer eindeutigen Erfassung, weil der Bereich jenseits unserer rationalen Erkenntnis angesprochen wird. Dementsprechend wird der Begriff ‚Mystik' auch sehr unterschiedlich gebraucht. Als einen Hinweis auf genuine Spannungen zwischen Mystik und Rationalität wertet L. Richter die verbale Ausdrucksform in der Mystik. „Gemessen am Rationalen ist das mystische Erlebnis absurd, sein Ausdruck ist nicht zufällig das Paradox."[6] In der Tat finden sich bei Mystikern immer wieder paradoxe Redeweisen von ‚Licht und Finsternis', ‚Sein und Nichtsein'. „Das durchstreichende Paradox kennzeichnet durchgehend ihre Sprechweise: der mit Gott Geeinte fliegt und ruht in einem (Gregor von Nyssa), seine Erkenntnis ist ‚gelehrte Unwissenheit' (Augustinus, Nikolaus von Cues), er lebt in ‚hellichter Nacht' (Dionysius, Johannes vom Kreuz), in ‚immanis quies' (Dionysius) usf. Die Prosakommentare Johannes' vom Kreuz zu seinen Gedichten (vgl. den Prolog zum ‚Cantico') zeigen gegen-

6 L. Richter, Mystik 1237.

über der Sprachüberspannung der Verse eine Art resigniertes understatement, das die nicht erreichbare Mitte negativ ins Licht setzt."[7] Auch für die christliche Mystik im Westen gilt, daß der Mystiker sich nicht durch ein besonders detailliertes fachliches Wissen auszeichnet. Für das Wissen gilt demzufolge letztlich nur das, was für das Leben insgesamt auch gilt. Das Heil liegt nicht im Irdischen und es liegt nicht in den klaren Erkenntnissen. Gott steht hinter diesen Vordergründigkeiten. So ist sowohl die rechte Rede von Gott paradox als auch die Weise der Gottsuche letztlich weiselos.[8] In der östlichen Mystik spielen diese paradoxen Sprüche eine äußerst wichtige Rolle. Es soll hier aber nicht näher auf die östliche Mystik eingegangen werden, denn das würde den Rahmen der Untersuchungen sprengen.[9] Dennoch wird in Texten zur Mystik immer wieder von einem Weg des Mystikers gesprochen. Dieser Weg beginnt mit dem Leermachen und Platzmachen für das Absolute. Dann kann die Seele das Absolute als Gegenüber schauen. Die dritte Stufe des Weges ist dann die ‚Vereinigung' derer, die sich eben noch gegenüberstanden. Damit ist die empirische Erfahrungsebene endgültig überschritten.

In der gegenwärtigen Zeit sieht Sudbrack einen großen Erfahrungshunger und, quasi als Antwort, das verstärkte Aufkommen gnostischer Vorstellungen.[10] Für diese gnostische Bewegung gibt er zwei Merkmale an:

1. Das Bedürfnis, ‚das Ganze' zu begreifen, das bis vor einiger Zeit noch die Naturwissenschaften zu befriedigen schienen, wird jetzt eher auf dem Weg der Erfahrung zu stillen versucht. Geheimwissen, fernöstliche Meditation, Okkultismus, Astrologie, Theosophie, die „Erfahrungsberichte" vom Jenseits der Todeslinie sind hier als solche gnostischen Bemühungen zu nennen, die dem Menschen umfassendes und sicheres Wissen statt Glauben anbieten wollen.
2. Das zweite Merkmal neben dem umfassenden Wissen ist die Methodensicherheit. „Die Macht des eigenen Bewußtseins wird angepriesen; man müsse sich nur – fromm oder technisch manipulierend – ihm an-

7 H. U.v. Balthasar, Zur Ortsbestimmung 311.

8 Vgl. Eckhart, Predigt 5a ‚In hoc apparuit caritas'. DW 1, bes. 81,11-82,10; und Nicolaus von Cues, De docta ignorantia 1,4. Opera omnia 1,4,11, 7-9.

9 Zur östlichen Mystik vgl.: H. Waldenfels, Absolutes Nichts; H. Dumoulin, Östliche Meditation; H. Le Saux, Indische Weisheit. Zur Philosophie des Zen-Buddhismus vgl.: D. Suzuki, Die große Befreiung; T. Izutsu, Philosophie.

10 J. Sudbrack, Meditation 133.

vertrauen und habe damit das eigene Leben in der Hand".[11] Der sichere Weg zur sicheren Erfahrung des Absoluten ist gefragt.
Auch Waaijman weist auf die Schwierigkeiten einer Bestimmung des Begriffs ‚Mystik' hin. Gerade der rational geprägte Mensch tut sich seiner Meinung nach mit einem Phänomen wie Mystik schwer. Mystik wird schnell in die Ecke des Okkulten, der Visionen, Stigmatisierung und anderer wunderlicher Dinge verwiesen und aus dem gewöhnlichen Alltag verbannt. Aufgrund dieses weit verbreiteten, leicht ablehnenden Vorverständnisses wendet sich Waaijman den Formen der Mystik zu, um so einer sachlichen Klärung des Phänomens näher zu kommen.[12]
Steggink, der für eine gegenwärtige Ortsbestimmung des Begriffs Mystik das zugehörige Bedeutungsfeld umreißt, kommt zu einem ähnlichen Schluß. Derzeitig wird das Wort Mystik oft der Esoterik zugeordnet und befindet sich dann in der Nähe von Alchemie, Animismus, Magie, Okkultismus und anderem mehr. Im journalistischen Bereich hat Mystik die Klangfärbung ‚geheimnisvoll' oder wird direkt abwertend gebraucht, etwa als ‚mystischer Klimbim'. Im protestantischen Bereich gilt Mystik nach Steggink bisweilen, meist im Gefolge der Dialektischen Theologie, als die Ursünde der Menschen Gott gegenüber. Man wird allerdings vorsichtiger formulieren müssen als Steggink, sofern er sich auf Karl Barth bezieht. Das hat unsere Texterhebung im ersten Teil schon gezeigt, auch wenn der Einfluß der Dialektischen Theologie de facto den Begriff ‚Mystik' in Mißkredit gebracht hat.
Mitunter werden Politik und Mystik als Gegensatzpaar gebraucht. „‚Mystik' bekommt dann die Bedeutung von individualistisch, asozial, zur sanften Seite der Gesellschaft gehörend."[13] Andererseits wird das Begriffspaar Mystik und Politik auch gebraucht, um die Bezogenheit der beiden Größen aufeinander zum Ausdruck zu bringen. Steggink weist zu Recht auf Schillebeeckx hin, der zwischen ‚mystischer' und ethischer Formgebung der Interpretation von Gotteserfahrung unterscheidet und „Politische und Mystische Praxis" kennt.[14]
Auf dem Symposion über abendländische Mystik im Mittelalter, das von der germanistischen Sektion der Deutschen Forschungsgemeinschaft initiiert und 1984 von Kurt Ruh im Kloster Engelbert durchgeführt wurde, kam es immer wieder zu Schwierigkeiten in der Verständigung über den Begriff Mystik und über die Frage, wer denn ein Mystiker sei. So gilt einerseits

11 Ebd. 134.

12 Vgl. K. Waaijman, Noch einmal 38.

13 O. Steggink, Mystik – Wortgebrauch 14.

14 E. Schillebeeckx, Christus und die Christen 53f. u. 787.

Meister Eckhart als *der* Mystiker des Mittelalters, andererseits halten z.B. Flasch und Mojsisch es für unangebracht, Meister Eckhart überhaupt als Mystiker zu bezeichnen.[15]
In einem öffentlichen Vortrag mit dem Thema ‚Was ist Mystik?' stellt Alois M. Haas vom Vorgang der Mystik her, den er als Vereinigung der erkennenden Kraft mit der erkannten versteht, zunächst fest, daß eine rein wissenschaftliche Annährung zwar nottut, aber dem Phänomen nicht gerecht werden kann. Deswegen wundert es ihn auch nicht, wenn der Begriff Mystik in unterschiedlicher Bedeutung gebraucht wird, zumal die unterschiedlichen Wissenschaften das Phänomen in den Blick nehmen und bearbeiten, ohne daß eine Konvergenz der verschiedenen Perspektiven möglich scheint. „In einem allgemeinsten Sinn darf Mystik als jene religiöse Erfahrungsebene gekennzeichnet werden, in der sich eine stringente Einheit zwischen Subjekt und Objekt dieser Erfahrung in irgendeinem noch näher zu bezeichnenden Sinn abzeichnet."[16] Bei dieser Definition wird die anschließende Vermittlungsebene der verbalen Weitergabe nicht mitbedacht, obwohl sie in der Rede von der Mystik zumeist miteingeschlossen wird. Interessiert an der Mystik zeigen sich für Haas vor allem die Theologie, Religionsphilosophie und -psychologie, sowie die Philosophie, Philologie und Dichtung, aber auch die Medizin, Psychologie und Psychoanalyse. Der erweiterte Bereich der Mystik wird auch oft als Mystizismus bezeichnet, um hier zu unterscheiden. Das neuerdings stärker erwachte Interesse von Mathematik, Naturwissenschaft und Verhaltensforschung an mystischen Phänomenen hängt für Haas mit der Suche nach umfassend erklärenden Weltdeutungen zusammen.[17]

3.1.2 Gegenwärtige Tendenzen im Verständnis von Mystik

Trotz der Länder und Religionen übergreifenden Rede von ‚Mystik' ist daran zu denken, daß Mystik nur im konkreten historischregionalen Kontext vorkommt und durch diesen auch geprägt ist.[18] Während die Psychologen Mystik als ein Phänomen psychosomatischer Wechselwirkungen erklären, weisen andere auf die Bedeutung des kulturellen Zusammenhangs, in dem Mystik auftritt, hin. G. Scholem z. B. betont, daß es „Mystik als solche,

15 Vgl. K. Ruh, Abendländische Mystik: Diskussionsbericht von K. Kirchert 342.

16 A. Haas, Was ist Mystik? 319f.

17 Vgl. ebd. 320.

18 O. Steggink, Mystik – Wortgebrauch 18; vgl. L. Richter, Mystik 1238.

als ein Phänomen oder eine Anschauung, die unabhängig von anderem in sich selber besteht, in der Religionsgeschichte im Grunde gar nicht gibt. Es gibt nicht Mystik an sich, sondern Mystik *von* etwas, Mystik einer bestimmten religiösen Form: Mystik des Christentums, Mystik des Islams, Mystik des Judentums und dergleichen."[19] Durch das Mitschwingen der eigenen Glaubensüberzeugung ist eine rein objektive Bewertung nicht möglich. Diesem Dilemma kann man sich auch nicht dadurch entziehen, daß man auf eine rein psychologische oder philologische Ebene ausweicht. Von daher scheint für Haas die Untersuchung des Textes in Verbindung mit dem historischen und kulturellen Kontext noch der geeignetste Ausgangspunkt zu sein. Für die ostasiatische Mystik ist z. B. deren Überwindung des Kastensystems mit zu berücksichtigen, was meist nicht geschieht.[20]
Ähnlich wie Haas unterscheidet Steggink in großen Zügen „eine vorwiegend theologische, phänomenologische, religionspsychologische und eine philologischliterarische Annäherung."[21]
Alle genannten Arten des Zugangs verfolgen ihre eigene Perspektive und verstehen sich eher der Wissenschaft als dem Gefühl verpflichtet. In der Theologie geht es also weniger um individuelle Spiritualität als um allgemeine Aussagen zur Gotteserkenntnis und zum Gottesverhältnis; in der Phänomenologie werden Erscheinungen beschrieben, nicht nachvollzogen. Psychologisch wird Mystik mit veränderten Bewußtseinszuständen nach Einnahme psychedelischer Mittel in Verbindung gebracht und literarisch gesehen ist nicht eine Mystik als solche, sondern der sprachliche Ausdruck bestimmter Zustände oder Erfahrungen untersuchenswert.

3.1.2.1 Die historische und philologisch-literarische Sicht

Ausgehend von der soziokulturellen Verwurzelung der Sprache, in der sich Mystik notwendig ausdrücken muß, um tradiert werden zu können, wendet sich die historische und philologisch-literarische Analyse der sprachlichen Gestalt der Texte zu und deren Verwurzelung im historischen Kontext.[22] Dabei fällt auf, daß die Mystiker oft sprachschöpferisch wirksam wurden. Sudbrack behauptet sogar: „Wer heutzutage Gediegenes über Mystik erfah-

19 G. Scholem, Die jüdische Mystik 6. Doch kennt G. Scholem, Zur Kabbala 29, Elemente der Mystik unabhängig von kulturellen Ausprägungen.

20 Vgl. A. Haas, Was ist Mystik? 322.

21 O. Steggink, Mystik – Wortgebrauch 19.

22 Ebd. 35.

ren will, schlägt am besten bei Germanisten und Philosophen nach."[23] Sudbrack bedauert ausdrücklich das Defizit an qualifizierten Arbeiten im theologischen Bereich.[24]
Zur Sprache der Mystik überhaupt weist M. Egerding darauf hin, daß mystische Sprache nicht informativ sein, sondern den Zuhörer zum Geheimnis ‚Gott' hinführen soll. Darüber hinaus muß „das Unfaßbare ... als Unfaßbares im Wort, in der Rede Gegenwart werden."[25] Schließlich entspräche der Mystik eigentlich des Schweigen. Dies wird in der mystischen Sprache durch Bilder ausgedrückt. Aber auch die Bilder sind noch zu gegenständlich, so daß verneinende Aussagen und solche Bilder, die vorhandene bildhafte Vorstellungen austreiben, in der Mystik zur Sprache kommen.[26] Auch W. Haug weist bei seiner dezidierten Untersuchung ‚Zur Grundlegung einer Theorie des mystischen Sprechens' auf die Bedeutung negativer Aussagen hin.[27]

3.1.2.2 Die religionspsychologische Sicht

Hier ist vor allem die Diskussion um die Erfahrung mit psychedelischen Mitteln anzuführen. Aldous *Huxley* beschrieb in ‚The Doors of Perception' (1954) seine Erfahrung mit Mescalin. Den durch das Rauschgift hervorgerufenen Veränderungen kam für Huxley eine Bedeutung des Heiligen zu. Doch bleibt er insofern kritisch, als er in diesem Zustand nicht das Ziel des menschlichen Lebens erblicken kann. Auch Walter Huston *Clark* hat sich mit bewußtseinsverändernden Mitteln intensiv, theoretisch und praktisch, auseinandergesetzt. Er plädiert für eine größere Toleranz gegenüber LSD und Mescalin. Seine mit diesen Mitteln gemachten Erfahrungen werden von ihm zum Teil als Hilfe zur sozialen Eingliederung, zum Teil tatsächlich religiös gedeutet. Dafür sei ein Beispiel genannt. „Ohne Zweifel haben die Drogen viele aus der jungen Generation zu einer ersten religiösen Erfahrung aus erster Hand geführt, zu der sie sonst nie gefunden haben möchten ... Zwei von ihnen habe ich in diesem Buch näher erwähnt. Nicht alle, die Drogen nehmen, bleiben dabei. Es scheint die Tendenz zu bestehen, LSD zugunsten anderer Methoden religiösen Suchens aufzugeben. Aber auch die,

23 J. Sudbrack, Tendenzen 65.

24 In Sudbracks Literaturbericht werden Hinweise auf weitere Literatur gegeben.

25 M. Egerding, Gott erfahren 98.

26 Vgl. ebd. 100.

27 W. Haug, Zur Grundlegung. Er baut auf den Aussagen von J. Quint, Mystik und Sprache, auf, führt diese allerdings modifiziert weiter.

welche die Drogen nicht mehr nehmen, haben die entscheidende Mitwirkung dieser Mittel bei einer religiösen Geburt anerkannt und sind glüclich, sie genommen zu haben."[28] Diese Quelle ‚religiöser Motivation' darf nach Clark von den Religionsgemeinschaften nicht vernachlässigt werden. Die dabei auftretenden Gefahren sind Clark bekannt. „Wer immer sich zu ehrfurchtgebietenden Unternehmen anschickt, in die Gegenwart Gottes einzutreten, der nimmt das kalkulierte oder unkalkulierte Risiko des Wahnsinns auf sich."[29] Sowohl aufgrund dieses Risikos, als auch wegen des selbsttätigen Eintretens in Gottes Gegenwart sind die Kritiken meist ablehnend.[30]

Zaehner reagierte mit seinem Buch ‚Mysticism, Sacred and Profane' auf eine einseitige psychologische Beschreibung mystischer Phänomene, besonders durch A. Huxley. Er wendet sich entschieden gegen eine Gleichsetzung von psychedelischer und mystischer Erfahrung spiritueller, religiöser Art. Zaehner unterscheidet zwischen Naturmystik und spiritueller Mystik. Erfahrung mit Psychedelika gilt für Zaehner als Beispiel für Naturmystik und wird von ihm nicht hoch eingeschätzt, sondern eher mit dem Zustand manisch Depressiver verglichen, befindet sich also eng an der Grenze zum Pathologischen. Spirituelle Mystik wird nochmals unterschieden in monistische und theistische.[31]

In der Naturmystik sind die Natur und das All das Eine, das bisweilen sogar als Gott bezeichnet werden kann. Von Liebe ist allerdings höchst selten die Rede. Es handelt sich eigentlich nur um eine Steigerung der Wahrnehmung oder Erweiterung des Bewußtseinshorizontes.[32]

Die monistische Mystik führt nach Zaehner in eine Leere, die ohne Gott in sich selbst ruht. Man fühlt sich über alle moralischen Gesetze erhaben und vollkommen. Dabei kommt es letztlich zur Isolierung der Seele, nicht zu einer Vereinigung mit irgendwem und irgendetwas.

Für den Theismus geht es nach Zaehner dagegen nicht um die Isolierung der Seele durch den Ausschluß aller Wahrnehmung. Letzteres kann nur als Vorbereitung auf die liebende Vereinigung mit der Gottheit angesehen werden. Die Liebe spielt aber für das Christentum eine wichtige Rolle im Gegensatz zu anderen Religionen. Aus Zaehners Sicht tauchen die nichttheistischen Formen als Vorstufen zur eigentlichen Mystik bei den christlichen

28 W. H. Clark, Chemische Ekstase 179.

29 Ebd. 178f.

30 Vgl. W. J. Revers, Einführung 9-21.

31 Vgl. R. C. Zaehner, Mystik 52f. oder auch 12f. u. 17.

32 Zur Naturmystik bei Zaehner vgl. auch: A. Brunner, Der Schritt 14-17.

Mystikern wieder auf. Ob diese hierarchische Vorordnung christlicher Mystik durch etwas anderes als den persönlichen Glauben an die Offenbarung gerechtfertigt ist, darf bezweifelt werden.[33]
Stace unterscheidet im wesentlichen nur zwischen zwei verschiedenen Typen der Mystik, der extravertierten und der introvertrierten Mystik. Der extravertierte Mystiker gelangt über die Außenwahrnehmung zur Einheit, der introvertierte durch Ausschluß der Außenwahrnehmung und Besinnung auf das Innerliche.
Stace betont die praktische Auswirkung mystischer Erfahrung im Leben des Mystikers. Während Zaehners Konzept stärker theologisch geprägt ist, erscheint Staces Aufbau eher psychologisch. Doch haben beide die jeweils andere Perspektive bei sich integriert.[34]

3.1.2.3 Die phänomenologische Sicht

„Es sind die angelsächsischen Autoren: Inge, James und Underhill, welche die Mystik aus dem ‚medizinischen Materialismus', in den sie – nach Ansicht von James – geraten war, aber auch von einer einseitigen spekulativen Theologie befreien."[35]
William Ralph *Inge* stellt sich in seinem Buch ‚Christian Mysticism' (1899) gegen einen medizinischen Materialismus und begibt sich auf das Gebiet der vergleichenden Religionswissenschaft. „Die mystische Intuition besteht darin, daß ‚sich der Geist einem Bereich widmet, der über den Rationalismus hinausgeht', und bedeutet ‚den Versuch, im Denken und Empfinden die Immanenz des Ewigen im Zeitlichen und des Zeitlichen im Ewigen zu bewirken'."[36]
Als ein eigenes und selbständiges psychisches Phänomen beschreibt William *James* die Mystik. James stellt in einem großen Vergleich verschiedener mystischer Erscheinungen die Mystik als ein eigenes spezifisches Phänomen heraus und führt vier beschreibende Merkmale des Phänomens ein:

1. Der Inhalt des mystischen Erlebnisses ist nicht mitteilbar.
2. Der Einblick in tiefere existentielle Wahrheiten hat noetische Qualität. Die mystische Intuition wirkt autoritativ.
3. Das mystische Erleben selber ist von kurzer Dauer.

33 Vgl. R. C. Zaehner, Mystik 272f.

34 Vgl. O. Steggink, Mystik – Wortgebrauch 33-35.

35 Ebd. 25.

36 Ebd.

4. Der menschliche Wille ist lediglich zur Vorbereitung aktiv, jedoch nicht im mystischen Bewußtseinszustand selber.[37]

James gibt auch pathologische Auswüchse zu und schlägt vor, die Echtheit der mystischen Erfahrung an den Früchten zu verifizieren, da uns die Wurzeln unzugänglich sind.
Evelyn *Underhill* weist vor allem darauf hin, daß zwischen Mystik und Magie zu unterscheiden ist, auch wenn de facto die Grenzen oft fließend sind. „Der fundamentale Unterschied zwischen den beiden ist dieser: Die Magie will haben, die Mystik will geben, zwei ewig entgegengesetzte Haltungen, die in verschiedenen Formen immer und überall wiederkehren."[38]
Zur Beschreibung der Mystik schlägt Evelyn Underhill, die auch nichtchristliches Material bearbeitet hat, vier Merkmale vor:

1. Mystik ist ein aktiver, praktischer, organischer Lebensprozeß.
2. Mystik ist zwar transzendental, der Mystiker aber nicht seinen Mitmenschen entfremdet.
3. Die völlige Hingabe gibt der Mystik den Schwung. Der unwandelbar Eine ist das Ziel der Liebe und nicht der Forschung.
4. Der mystische Weg führt zu einem qualitativ höherstehendem Leben in Vereinigung mit dem Einen.[39]

Den mystischen Weg unterteilt Underhill in fünf Stadien:

1. Das Erwachen zur Sicht der Wirklichkeit eines transzendentalen Lebens.
2. Die Läuterung des Lebens nach Maßgabe des Transzendentalen.
3. Die Erleuchtung als frohes Erkennen des Absoluten.
4. Die endgültige Läuterung in der dunklen Nacht der Seele, im mystischen Tod der Abwesenheit des Göttlichen.
5. Die mystische Vereinigung ist die letzte Phase, in der man am Unendlichen teilhat.

Die nichtchristliche Mystik kennt nach Underhill als letzte Stufe allerdings noch die Aufhebung der Persönlichkeit.[40]
In der Theologie stellt sich immer wieder die Frage nach den Wurzeln der mystischen Erfahrung. Ist der Geist der Heiligen Schrift auch der Geist der

37 Vgl. W. James, Die Vielfalt 359-361.

38 E. Underhill, Mystik 93.

39 Ebd. 107f.

40 E. Underhill, Mystik 225-228.

Mystik? Gegner sind hier zum einen oft die Psychologen und zum anderen jene Theologen, die zwischen prophetischer und mystischer Frömmigkeit unterscheiden und nur die prophetische als christliche gelten lassen wollen, wie dies zu einem großen Teil in der Dialektischen Theologie der Fall war. Ihnen ist Barth nicht zuzuzählen, denn gegenüber Brunner hat er ja z. B. dafür plädiert, kein allzu fanatischer Antimystiker zu sein. Mystik ist auch nicht ohne politische Bezüge. Auf die soziokulturellen Bedingungen und Auswirkungen der Mystik weist bereits Friedrich von Hügel hin.[41]

3.1.2.4 Die theologische Sicht

Im wesentlichen sieht Steggink die theologische Annäherung an das Phänomen Mystik wiederum durch dogmatische, scholastische bzw. neuscholastische Denk- und Begriffsweisen geprägt. Hier sind A. Meynards ‚Traité de la vie intérieure' (1885), Tanquereys ‚Précis de théologie ascétique et mystique' (1923), das auf dem traditionellen drei-Wege-Schema beruht, und A. Saudreaus ‚Les degrés de la vie spirituelle' (1896) zu nennen, das in Mystik und Askese letztlich nicht zwei verschiedene, sondern nur mehr einen Weg sieht, mit der Mystik als gradueller Blüte der Askese, und der damit eine heftige Diskussion entfesselt hat. Den entgegengesetzten Standpunkt bezog Poulain in seinem Buch ‚Des graces d'Oraison. Traité de Théologie Mystique' (1901). Im ‚Handuch der Mystik' formuliert er kurz und bündig: „Mystisch nennt man diejenigen übernatürlichen Akte und Zustände, welche unsere Anstrengungen und Kräfte niemals hervorbringen können und zwar nicht einmal der [den?] schwächsten Grad davon."[42] Vor allem die dominikanische Schule trat für die „Kontinuität zwischen Askese und Mystik und den Zusammenhang zwischen Glaube und Mystik" ein.[43] Die Schule der Karmeliter sah dagegen in der Trennung von Askese und Mystik keine dekadente Scholastik, sondern die zu verteidigende Tradition. Eine theologische Synthese versuchte Garrigou-Lagrange in seiner klassischen Abhandlung ‚Perfection chrétienne et contemplation' (1923). So behauptet er, es gibt „nicht bloß einen Zusammenhang zwischen Aszese und Mystik, sondern eine gewisse innere gegenseitige Durchdringung".[44] Doch bleibt das Problem, daß die Mystik als von Gott geschenkte Gnade nur innerhalb der katholi-

41 F. v. Hügel, The Mystical Element II 365f.

42 A. Poulain, Handbuch der Mystik 1.

43 O. Steggink, Mystik – Wortgebrauch 24.

44 R. Garrigou-Lagrange, Mystik und christliche Vollendung 30.

schen Kirche möglich zu sein scheint. Damit werden jedoch die zu beobachtenden Phänomene in anderen Religionen von vornherein abqualifiziert.

Innerhalb der theologischen Diskussion interessiert natürlich besonders die Auseinandersetzung mit der Mystik und der Dialektischen Theologie. In der protestantischen Theologie wurde die Mystik in einem sehr weiten Verständnis von E. Troeltsch und der religionsgeschichtlichen Schule bejaht. Troeltsch kennt einen weiteren und einen engeren Sinn von Mystik. „Die Mystik im weitesten Sinne des Wortes ist nichts anderes als das Drängen auf Unmittelbarkeit, Innerlichkeit und Gegenwärtigkeit des religiösen Erlebnisses. Sie setzt die Objektivierung des religiösen Lebens in Kulten, Riten, Mythen oder Dogmen bereits voraus und ist entweder eine Reaktion gegen diese Objektivierungen, die sie in den lebendigen Prozeß wieder zurückzunehmen sucht, oder eine Ergänzung der herkömmlichen Kulte durch die persönliche und lebendige Erregung. Sie ist also immer etwas Sekundäres und etwas Absichtlich-Reflektiertes, ein absichtlich herbeigeführter Erregungszustand in charakteristischer gleichzeitiger Verbundenheit mit einer dem ganz entgegengesetzten Unmittelbarkeit des Gefühls selbst."[45] „Von dieser Mystik im weiteren Sinne und in ihrer protëischen Mannigfaltigkeit ist nun aber die Mystik im engeren und technischen, religionsphilosophisch zugespitzten Sinne des Wortes zu unterscheiden."[46] F. Heiler gab 1919 auch eine Begriffsbestimmung, die der Bestimmung im engeren Sinne von Troeltsch sehr nahe stand. Mystik ist für Heiler „die Religosität der suchenden Bildungsmenschen"[47] und also „jene Form des Gottesumganges, bei der die Welt und das Ich radikal verneint werden, bei der die menschliche Persönlichkeit sich auflöst, untergeht, versinkt in dem unendlichen Einen der Gottheit. Mystik ist, wenn man es in den Schlußworten von Plotins Enneaden ausdrücken will, die φυγὴ μόνου πρὸς μόνον, ‚die Flucht des einen Einsamen zum einen Einsamen'."[48]

Eine scharfe Ablehnung solcher Mystik erfolgte sowohl durch die Lutherrenaissance als auch durch die Dialektische Theologie.[49] Beide

45 E. Troeltsch, Die Soziallehren Ges. Schr. I 850.

46 Ebd. 853f.

47 F. Heiler, Die Bedeutung der Mystik 3.

48 Ebd. 6.

49 Auf die Diskussion, ob Luther selber der Mystik zuzurechnen sei, soll hier nicht weiter eingegangen werden, da diese Frage nicht direkt etwas zu dem gestellten Thema beiträgt.

Richtungen übten Kritik an Ritschls Kulturprotestantismus, doch waren sie sich in der Übernahme der Ritschlschen Ablehnung der Mystik im wesentlichen einig.
Die Vorwürfe Ritschls an die Mystik lassen sich kurz zusammenfassen: Die unio mystica stellt die gefühlsbetonte Vereinigung des Christen mit Gott dar. Dadurch wird auf der einen Seite das geschichtliche Evangelium entwertet. Auf der anderen Seite geht die Persönlichkeit des Menschen und seine sittliche Verantwortung für die Welt verloren, da er sich ja von ihr lossagen soll. Es erfolgt eine Fixierung auf die Zeiten der persönlich gefühlsmäßig erfahrenen Vereinigung mit Gott in der unio mystica.[50]
In dieser grundsätzlichen Ablehnung lassen sich in der Tat einige Vorwürfe Barths an die Mystik wiedererkennen. Da dem auch nicht ohne weiteres aus der theologischen Diskussion etwa auf katholischer Seite eine bestimmte andere Sicht entgegenzuhalten ist, gilt es, die historischen Wurzeln der Mystik und ihre Entwicklung näher zu betrachten. Dabei soll es immer um die Bedeutung der Mystik als mystischer *Theologie* bzw. als Impuls für die Theologie überhaupt gehen. Nicht das mystische Erlebnis als solches oder Zeugnisse mystischer Zustände sollen thematisiert werden, sondern Äußerungen über Mystik. Insofern ist von Balthasars Rückgriff auf I. Behn Folge zu leisten. „Irene Behns Unterscheidung zwischen Mystik als ursprünglicher Erfahrung und Mystologie (bzw. Mystographie) als Reflexion in einem bestimmten Kategorialsystem und Reden und Schreiben darüber (eventuell auch ohne die ursprüngliche Erfahrung) wird deshalb hier unentbehrlich."[51]
Gerade das abendländische Denken stand auch immer wieder unter dem Einfluß verschiedener Mystologien. „Grundtermini wie theoria-contemplatio, wie apex mentis-scientilla animae – Seelenspitze-Seelengrund-Seelenfünklein, wie apathe-iindifferentia – Gelassenheit, wie das Schema Reinigung-Erleuchtung-Einigung beherrschen das ganze Feld."[52] Auf die Bilder für diese Vereinigung soll bei der Fragestellung der vorliegenden Arbeit nach mystischen Impulsen für die Theologie nicht näher eingegangen werden. Dies betrifft auch ein Bild für diese Vereinigung, das außer- und innerchristlich weit verbreitet ist, nämlich die ‚Heilige Hochzeit'. Es fehlt zwar etwa bei Buddha und Plotin, nicht aber in vorderasiatischen Religionen, Ägypten und der Gnosis, sowie bei Hosea, Jesaja und dem Weisheitsbuch, und ist in der

Vgl. H. Quiring, Luther und die Mystik; E. Vogelsang, Luther und die Mystik; G. Wehr, Martin Luther; R. Schwarz, Martin Luther; S. H. Pfürtner, Luthers Glaubenstheologie.

50 Vgl. F.-D. Maaß, Mystik im Gespräch 168-170.

51 H. U. v. Balthasar, Zur Ortsbestimmung 307; I. Behn, Spanische Mystik 8.

52 H. U. v. Balthasar, Zur Ortsbestimmung 307.

Patristik durch die Hoheliedkommentare vertreten. Im Mittelalter wird es besonders von Bernhard von Clairvaux wieder aufgenommen. Die biblisch-christliche Tradition bleibt infolge der alttestamentlichen Abgrenzung gegenüber Fruchbarkeitskulten jedoch ‚suprasexuell'.[53] Dieser Bereich der religiösen Erfahrung wird also nicht voll integriert.[54]
K. Rahner betont, daß in der theologischen Reflexion zum Glauben auch die Begriffe Gnade, Gnadenerfahrung und Glaubenslicht hinzugehören. Zum Empfang der Offenbarung gehört wesentlich die Gnade, und er ist insofern mystisch, als diese Gnade erfahren wird. Dabei weist Rahner auch auf die bleibende Menschlichkeit des mystischen Menschen hin. „Die Vergöttlichung des Menschen, der Besitz der göttlichen ungeschaffenen Gnade kann nicht im eigentlichen Sinn durch etwas überboten werden, was nicht Glorie ist, und es kann nicht angenommen werden, daß mystische Erfahrung den Bereich des Glaubens hinter sich läßt durch eine Erfahrung, die nicht mehr Glaube wäre."[55]

3.1.3 Probleme einer Verhältnisbestimmung von Mystik und Christentum

Nach dieser groben Sichtung der gegenwärtigen Tendenzen im Verständnis von Mystik stellt sich die Frage, wie ein Verhältnis von Mystik und Christentum gedacht werden kann. Die besonderen Schwierigkeiten einer solchen Verhältnisbestimmung werden durch Hans Urs von Balthasar in eindrucksvoller Weise beschrieben. „Jeder, der über dieses Thema einigermaßen Bescheid weiß, kann bestätigen, daß man mit ihm einen Irrgarten, gar ein Minenfeld betritt: das Nebeneinander der beiden Worte ‚christlich' und ‚Mystik' löst eine wohl nie abschließbare Diskussion aus."[56]

3.1.3.1 Mystik und Religion

Mystik ist nicht mit Religion zu verwechseln. Mystik ist eine bestimmte Ausprägung innerhalb einer Religion. Ihr Auftreten verstärkt das innerliche Verhältnis des Gläubigen zu Gott. Der grobe Rahmen, in dem sich dies abspielt, ist aber durch die jeweilige Religion oder besser gesagt: durch das

53 Ebd. 311.

54 G. Langemeyer, Als Mann und Frau; vgl. ders., Versuch einer Integration.

55 K. Rahner, Mystik 743f., bes. 744; vgl. K. Rahner, Mystische Erfahrung.

56 H. U. v. Balthasar, Zur Ortsbestimmung 298.

jeweilige religiöse Bewußtsein schon vorgegeben. So gesehen ist also durchaus denkbar, daß in einer Offenbarungsreligion die Bedeutung der Offenbarung aufrechterhalten bleibt. Von der Art des religiösen Bewußtseins wird auch das Auftreten bzw. die Intensität des Auftretens der Mystik abhängen. In ursprünglichen Religionen, die direkt naturverbunden sind, kann von Mystik im eigentlichen Sinne nicht gesprochen werden. Aber bei ‚höheren' Entwicklungen der Religion, die ein transzendentes Gefüge des Kosmos kennen, oder gar eine transzendentale persönliche Gottheit, pflegt die Mystik schon eher aufzutreten. Dies gilt besonders dann, wenn die Kluft zwischen Welt und Gott zu groß zu werden droht. Vielleicht gibt es innerhalb der Barthchen Theologie, die ja Gott als den ganz anderen herausstellt, gar von der ‚Todeslinie' zwischen Mensch und Gott spricht, gerade deswegen ein eigenes mystisches Gegengewicht. In Gegenreaktion zu der Trennung zwischen Gott und Welt kann die Mystik dann zu einer Verweltlichung der Gottheit im Rahmen eines Pantheismus führen. Dies wäre schon eine Überreaktion, die nicht eigentlich der Mystik entspricht. „Der Weg der Seele aus dem Abgrund der Dinge zur unmittelbaren Erfahrung der göttlichen Realität als der ursprünglichen Einheit aller Dinge ist die Wesensaufgabe des Mystikers."[57] Es geht dem Mystiker um die unmittelbare Relation zur Gottheit (bzw. zur Transzendenz) und den Weg, der dorthin führt.

3.1.3.2 Zwischen Übereinstimmung und Unvereinbarkeit

Für Balthasar sind „die Phänomene christlicher und außerchristlicher Mystik ... wenigstens auf weite Strecken hin vergleichbar."[58] Dem gegenüber steht die These der Unvereinbarkeit von christlicher und außerchristlicher Mystik. Diese Unterschiedenheit wird in zweierlei Weise angenommen. Mager behauptet, daß „Mystik in der Vollendung" nur auf christlichem Boden zu finden ist und eine ‚Scheidelinie' zwischen ‚Offenbarungsmystik' und ‚natürlicher Mystik' liegt.[59] Es ist müßig zu erwähnen, daß nur die erstere für ihn ‚echte' Mystik ist. Ganz anders entscheidet sich Heiler[60], der eine Trennung zwischen Mystik und Prophetie zieht und die christliche Religion als Offenbarungsreligion allein dem prophetischen Bereich zuordnet. In diese Richtung gehört auch die überaus scharfe Kritik Brunners in seiner

57 L. Richter, Mystik 1238.

58 H. U. v. Balthasar, Zur Ortsbestimmung 302.

59 A. Mager, Mystik als Lehre und Leben 56 u. 71.

60 F. Heiler, Das Gebet 248f. u. 255.

Gegenüberstellung von Mystik und Wort.[61] Dieser Linie, allerdings längst nicht so rigoros, zählt Balthasar auch Karl Barth zu.[62]
Eine Unterscheidung in mystische und prophetische Religion greift für Balthasar dagegen nicht, weil er zu Recht darauf hinweist, daß die Propheten im allgemeinen selbst über mystische Erfahrungen verfügen, deretwegen sie gerade Propheten geworden sind (Ezechiel, Elija, Paulus). „Und hinter alldem, unzugänglich, liegt das große Geheimnis des innern Bewußtseins Dessen [!], der von sich sagt: ‚Wir bezeugen, was wir gesehen haben' (Joh 3,11), und: ‚ihr stammt von unten, ich stamme von oben' (Joh 8,23), der aber auch allen, die ihn aufnehmen, jenes Geborenwerden aus Gott zuspricht, das im Zentrum der Mystik Eckharts steht.[63]
H. U. von Balthasar plädiert demgegenüber für einen Mittelweg, den er für möglich hält. Zunächst einmal wendet er sich gegen die Dialektische Theologie, insofern sie jedes Suchen des Menschen allein als sein eigenes und eigenmächtiges Werk und als Hybris betrachtet. Nach Balthasar spricht Paulus da gerade im Römerbrief eine ganz andere Sprache.
Positiv sieht Balthasar in der Menschwerdung Jesu und auch in der Sendung seiner Jünger an alle Völker, sowie im Willen Jesu, als Erhöhter ‚alle an sich zu ziehen', den Hinweis auf die Nähe Gottes auch zu dem menschlichen Streben des Menschen. Außerdem weist er darauf hin, daß der Mensch es Gott schließlich nicht verbieten könne, sich einem Nichtchristen in der mystischen Meditation zu zeigen. „Derartiges muß doch wohl Carl Albrecht widerfahren sein, der aufgrund solcher Erfahrungen den Weg zur katholischen Kirche fand."[64]
Doch wenn Balthasar der Mystik ein Heimatrecht im Christentum zugesteht, so ist damit für ihn nicht Identität, sondern nur Analogie zu nichtchristlicher Mystik gemeint, die sich durch ihre Bevorzugung bestimmter Techniken letztlich doch deutlich unterscheidet. Jesu Offenbarung geht nicht an die ‚Klugen und Weisen'.[65]

3.1.3.3 Der Geschenkcharakter als Eigenart christlicher Mystik

Grundlegend besteht für H. U. v. Balthasar die Eigenart der christlichen Mystik darin, daß hier nicht der Mensch der entscheidende Akteur ist,

61 Vgl. E. Brunner, Die Mystik.
62 Vgl. K. Barth, KD I/2 §17 344-356; H. U. v. Balthasar, Zur Ortsbestimmung 303.
63 H. U. v. Balthasar, Zur Ortsbestimmung 305.
64 Ebd. 304; C. Albrecht, Psychologie des mystischen Bewußtseins.
65 H. U. v. Balthasar, Zur Ortsbestimmung 305.

sondern Gott, der den Menschen ruft und aus der Knechschaft herausführt. Aufbruch des Menschen ist nur noch Horchen und Gehorchen[66] bzw. Angezogen-Sein von dem vorausgehenden ‚Tat-Wort' Gottes. Auch das Verlassen und Nachfolgen ist zuinnerst verschieden, da es jetzt nicht mehr im Folgen menschlicher Vorbilder besteht, sondern auf Jesus Christus bezogen und Voraussetzung für das angekündigte Ankommen Gottes bei uns ist.

Für Sudbrack ist christliche Mystik auch immer auf Christus bezogen, auch wenn es „bei einigen christlichen Mystikern klingt ..., als werde Gott jenseits von Jesus Christus erfahren."[67] Demgegenüber betont er mit Teresa von Avila, daß „der Bezug auf Jesus Christus, in dem sich menschliche Endlichkeit und Gottes Unendlichkeit begegnen, zur kritischen Aufgipfelung der Mystik" gehören.[68] Nicht allein die individuelle Erfahrung, einen bestimmten Heilszustand jetzt schon zu erreichen, sondern das Leben in der Gemeinschaft der Heiligen ist letztlich entscheidend. Dabei ist der Mystiker nie am Gipfel angelangt oder im festen Besitz Gottes, sondern er steht letztlich immer mit von sich aus leeren Händen da. „Es ist die ‚Erfahrung', daß der Mystiker selbst die ‚Erfahrung' loslassen muß, um nur noch den ‚Anderen' anzuschauen."[69] Wenn auch der Mystiker Gott nicht in seinem Besitz hat, ist sein Leben sehr wohl von der Nähe des liebenden Gottes bestimmt, auch wenn dies sich nach weltlichen Gesichtspunkten nicht immer positiv auswirkt. Man denke etwa an ein Martyrium oder auch an das weltliche Scheitern Christi am Kreuz. Für Balthasar ist es deswegen das entscheidend Christliche, daß, wenn es Gott gefällt, das irdische Leben am Kreuz und nicht in der Ekstase mystischer Verzückung endet. Das heißt, daß das Dreistufenschema so nicht unbedingt gilt. Man wird nicht zwangsläufig, wie Johannes vom Kreuz das etwa tut, die Erfahrung der Nacht einer zu überwindenden Wegstation zuordnen.[70] Wenn es Gott so gefällt, kann die Nacht in einem konkreten Nachfolgeweg auch die Endstation sein.[71]

Mystik ist nach Balthasar dann nur noch ein spezielles Randphänomen im christlichen Glauben, aber nicht mehr der zentrale Höhepunkt. Bei einem Christen, der im Glauben lebt, werden sich seine speziellen Geistesgaben

66 Vgl. ebd. 313.

67 J. Sudbrack, Christliche Mystik 11.

68 Ebd. 12.

69 Ebd. 12.

70 Johannes v. Kreuz, Dunkle Nacht § 5 Kap. 9 (ed. P. Aloysius) 100.

71 Vgl. H. U. v. Balthasar, Zur Ortsbestimmung und ders., Adrienne von Speyr mit dem Untertitel: ‚Die Miterfahrung der Passion und Gottverlassenheit!'.

entfalten. Das sind in den allermeisten Fällen andere als außergewöhnliche Visionen. Daß diese nicht unbedingt ein äußeres Zeichen für eine innere Tugend sind, wird schon bei Thomas deutlich. „Dieser wichtigen Unterscheidung fügt Thomas hinzu, die zweite Art von Gnaden, die charismatischen, könnten (als gratiae gratis datae) auch Sündern verliehen werden, wie etwa dem Heiden Bileam, sie setzen deshalb den ‚Stand der Gnade' nicht voraus."[72] Diese Sicht legt es nahe, die Visionen, eben weil sie noch den irdisch sinnlichen Gestalten unterliegen, nicht überzubewerten. Hiernach dürfte es nur noch eine Sprachregelung sein, ob man mit Mystik jetzt das normale Glaubensleben bezeichnet oder nur außergewöhnliche Erfahrung.[73] Balthasar unterstreicht die Umwertung mystischer Ekstase durch die Obenansetzung des Gehorsams im Christlichen. Er grenzt dies jedoch gegenüber extremer dialektischer Theologie ab. „Man kann irgendwo Gogartens Unmut begreifen, wenn er gegen die ‚Erleberei' zu Felde zieht. Andererseits wird man sich bei dieser Depotenzierung der Mystik hüten, in die Extreme der dialektischen Theologie zu verfallen, denn Gott, der sich in Christus die Welt versöhnt, ist der gleiche Gott, der als Schöpfer seinen Geschöpfen die Freiheit gegeben hat, ihn zu suchen, ‚ob sie ihn etwa ertasten und finden könnten' (Apg 17,27)."[74] Doch tritt gerade in der Betonung des Gehorsams eine Ähnlichkeit mit der Theologie von Karl Barth zutage. Jedenfalls ist theoretisch eine Einigung auf das Gebot des Gehorsams gegenüber dem Anruf Gottes herzustellen. Praktisch zeigt sich die Schwierigkeit, ohne brauchbare Kriterien, objektiv zu entscheiden, wie dieser Ruf Gottes im Einzelfall lautet.

3.1.4 Die Wurzeln des Begriffs ‚Mystik'

Der Begriff ‚Mystik' ist, wie die beiden vorigen Kapitel ergaben, in sehr unterschiedlichem Gebrauch und läßt sich nicht klar und fest umreißen. Dies liegt sicherlich mit daran, daß er ein religiöses Urphänomen bezeichnet und dementsprechend in sehr unterschiedlichen Zusammenhängen und Prägungen auftritt. Schon die Herkunft des Begriffs liegt ziemlich im dunkeln.

72 H. U. v. Balthasar, Zur Ortsbestimmung 317; vgl. H. U. v. Balthasar, Kommentar.

73 Vgl. K. Rahner, Mystik 743-745 und ders., Mystische Erfahrung.

74 H. U. v. Balthasar, Zur Ortsbestimmung 319; Gogarten, Die religiöse Entscheidung 55 u. 63.

„Der heute in der religionswissenschaftlichen und theologischen Literatur vielfach verwendete Begriff der ‚Mystik' taucht zum erstenmal im 17. Jahrhundert in den römisch-katholischen Ländern romanischer Zunge auf und wandert von dort aus im 18. Jahrhundert in die deutsche und anschließend daran auch in andere europäische Sprachen ein."[75] Besonders wichtig ist es, darauf hinzuweisen, daß vor dem Substantiv ‚Mystik' das Adjektiv ‚mystisch' die entscheidende Rolle spielt. Seit dem 16. Jahrhundert wird in der katholischen Theologie von ‚mystischer Theologie' gesprochen. „Dieser Begriff", so erläutert G. Müller, „hatte eine eng umgrenzte Bedeutung: er bezog sich auf die wissenschaftliche Auslegung und Deutung der ‚mystischen' Erfahrung, dessen, was das lateinische Mittelalter ‚contemplatio' genannt hatte."[76] Es ging um die wissenschaftliche Auslegung von Erfahrung, also nicht zunächst um die Erfahrung selber. Und es war mystische *Theologie.* Die Mystik war also nicht etwas Eigenständiges, neben der Theologie Stehendes, sondern die Theologie selber war mystisch oder nicht. Dieser Überlegung entspricht es, daß die mittelalterliche Theologie stark beeinflußt war durch ein Werk des Pseudo-Dionysios Areopagita mit dem Titel ‚Περὶ τῆς μυστικῆς θεολογίας'. Hier tritt uns das Adjektiv μυστικός entgegen, dem das lateinische ‚mysticus' entspricht. Das Adjektiv μυστικός geht auf das Substantiv μυστήριον zurück, das ein Geheimnis bezeichnet. Man kann mit großer Wahrscheinlichkeit annehmen, daß μυστήριον von ‚μύω' – schließen, sich schließen, verschließen (den Mund, die Augen, eine Wunde) kommt. Davon zu unterscheiden ist ‚μυέω' – einweihen. Das Suffix (-τήριον) „findet sich häufig bei Begriffen, die den Ort für eine Handlung ... oder auch ein Mittel zu einem Zweck bezeichnen ..., wobei man beachten wird, daß für beide Fälle sich zahlreiche kultische Termini beibringen lassen. ... So führt die Etymologie nur zu der einigermaßen gesicherten allgemeinen Feststellung, daß μυστήριον *etwas ist, über das geschwiegen werden muß.* Alles andere muß der Sprachgebrauch ergeben, der von Anfang den Begriff in fester Prägung, und zwar als *religiösen Terminus* erkennen läßt."[77] Μυστήριον, meist im Plural gebraucht, ist vom 7. vorchristl. bis 4. nachchristl. Jahrhundert die griechische Bezeichnung für die Feiern bestimmter antiker Geheimkulte.

75 G. Müller, Über den Begriff 89.

76 Ebd.

77 G. Bornkamm, μυστήριον 810.

Haas folgt Burkert und sieht in der Mystik trotz griechischen Wortursprungs keine ursprünglich griechische Sache. Er sieht den Wortgebrauch wie folgt: „Das Substantiv ‚Mystik' mit dem Adjektiv ‚mystisch' (mystikos); dieses bezieht sich auf das Substantiv mystes (der Eingeweihte) und auf mysteria, den Vorgang der Einweihung als einer rituellen Feier, und auf myein, den eigentlichen ‚Akt der Einweihung', der vom Einzuweihenden als ein unsagbar-geheimer Vorgang zu verschweigen ist."[78] Von diesem Mysterienkult gibt es keinen direkten Weg zum christlichen Gebrauch. Ein solcher Weg ist eher zu sehen über Platons Aufstiegsdenken der Seele.[79] Diesem spirituellen Aufstieg schloß sich der Jude Philon und die Gnosis im 2. Jh. und später (5. Jh.) Pseudo-Dionysios Areopagita an. In unserer Bedeutung kommt der Begriff Mystik im Neuen Testament nicht vor, in der Septuaginta nur zur negativen Qualifizierung fremder Kultpraxen. Erst im Zeitalter der Kirchenväter und daran anschließend im Mittelalter wird die eher prophetische Rede des Neuen Testamentes in eine stärker mystische, verstehende Rede übersetzt.

3.2 DIE BEGRIFFSBEDEUTUNG IN DER ANTIKE

Wie bereits erwähnt, stammt der Begriff aus dem Griechischen. In der *Spätantike* wird der Begriff philosophisch bedeutsam. Hier wird er zunächst in der Bedeutung geheimnisvoll verstanden, mitunter bereits auf das Göttliche bezogen, das sich schwer aussagen läßt. Bei Proklos wird der Begriff bereits mit dem Vorwurf der Diskursverweigerung etwa gegenüber Demokrit gebraucht. Im Lateinischen tritt mitunter der Begriff ‚mustikós' auch auf, bisweilen sogar schon latinisiert als ‚mysticus'. Auch hier bedeutet er geheim, geheimnisvoll, bezieht sich allerdings meist auf die Geheimriten der sogenannten Mysterienkulte.[80]
Besonders Louis Bouyer weist darauf hin, daß sich das Geheime bei den Geheimriten zunächst auf die Riten bezieht und das Mystische bei den Mysterienkulten auf den Kult. Nicht der Versuch des Platon, das Geheimnis denkerisch zu ergründen, wird bestraft, sondern die mimische Darstellung

78 A. Haas, Was ist Mystik? 323.

79 Vgl. Platon, Symposium 211c und Phaedrus 246a-249c.

80 Vgl. P. Heidrich; H.-U. Lessing, Mystik 268.

der geheimen Riten durch den berauschten Alkibiades.[81] Wer von christlicher Seite Gedanken zur Mystik als verderblichen hellenistischen Einfluß erkennen und rückgängig machen will, der wird zeigen müssen, daß der spätere christliche Gebrauch des Wortes ‚μυστήριον‘ mit dem vorchristlichen Gebrauch identisch ist. Dem ist entgegenzuhalten, daß die Vorbereitung der Übernahme des *Begriffs* durch den literarischen Gebrauch im Sinne von metaphysischen Fragestellungen, die dem Rätsel der Welt nachgehen, vorbereitet wurde. Ein gutes Beispiel für die religiöse Indifferenz, die dem Begriff μυέω (mystikos) zur Zeit des Neuen Testamentes schon eigen war, ist der Gebrauch bei Paulus. Im Philipperbrief heißt es: „Ich weiß Entbehrungen zu ertragen, ich kann im Überfluß leben. In jedes und alles bin ich eingeweiht (μεμύημαι)."(Phil 4,12)

3.2.1 Der vor- und außerbiblische Gebrauch

Der vor- und außerbiblische Gebrauch des Begriffs Mystik bezieht sich im wesentlichen auf die Mysterienkulte. Μυστήριον ist das entsprechende griechische Wort. Der Begriff tritt uns zunächst im Bereich des Kultes entgegen. Es ist wahrscheinlich abgeleitet von μύειν – schließen, was soviel heißen soll, wie den Mund schließen.

3.2.1.1 Die Mysterienkulte

Da die Mysterienkulte Geheimkulte waren, ist unsere nähere Kenntnis begrenzt. Bornkamm stellt die wesentlichen Merkmale übersichtlich dar:
„μυστήριον (ganz überwiegend im Plur[al]) ist die Bezeichnung für die zahlreichen antiken Mysterienkulte, deren intensive Wirkung sich vom 7. vorchristlichen bis zum 4. nachchristlichen Jahrhundert verfolgen läßt ...
a. Mysterien sind *kultische Feiern*, in denen die Geschicke einer Gottheit durch heilige Handlungen vor einem Kreise von Geweihten vergegenwärtigt werden, um diesen Anteil zu geben am Lose der Gottheit ...
b. Zum Begriff der Mysterien gehört, daß die, welche an ihrer Feier teilnehmen wollen, sich einer *Einweihung* unterziehen müssen, Ungeweihten aber Zutritt und Kenntnis der heiligen Handlungen versagt wird ...
c. Alle Mysterien verheißen ihren Mysten *Heil* (σωτηρία) durch die Spendung kosmischen Lebens ... Das heilige Geheimnis der Mysterienfeier ist eben diese weihende Verbindung zwischen der leidenden Gottheit und ihren

81 Vgl. L. Bouyer, ‚Mystisch‘ 54.

Mysten, die am göttlichen Schicksal und damit an der göttlichen Lebenskraft in den Mysterien Anteil empfangen ...
d. Die für alle Mysterien geltende Scheidung zwischen Eingeweihten und Uneingeweihten findet ihren Ausdruck nicht nur im Ritual der Feiern, sondern auch in dem den Mysten auferlegten *Schweigegebot*. Es gehört wesensmäßig zu allen Mysterien und darf als das schon etymologisch zu erhebende Merkmal gelten."[82]

Die Götter der Mysterienkulte sind mit dem Wechsellauf des Blühens und Vergehens verbunden. Sie sind nicht nur machtvoll, sondern selbst diesem Kreislauf unterworfen, sie unterstehen dem Wandel. Im Verlauf des Kultes wird der Myste seinem Gotte gleich und kann so am wechselvollen Lauf teilnehmen, ohne Schaden zu erleiden. „Die Mysterien sind ... zugleich Lebens- und Todesweihen."[83] Der Geweihte kann die Unterwelt passieren, ohne daß ihm etwas geschieht.

3.2.1.2 Der Gebrauch in der Philosophie

Demgegenüber ist in der *Philosophie* die Bedeutung von μυστήριον z. B. bei Platon, teilweise davon verschieden oder schon transformiert.[84] Theaetetos gegenüber macht Sokrates eine Anspielung auf den Mysterienkult. Die Sinnspitze ist jedoch bereits verschoben. In einem Gespräch über das Sein und Werden lobt Sokrates nicht nur das Staunen als den Anfang der Philosophie und den Zustand des die Weisheit liebenden Mannes. Seine eigene Aufgabe sieht Sokrates darin, den wahren verborgenen Sinn in der Meinung berühmter Männer aufspüren zu helfen.[85] Diese Tätigkeit vergleicht er insofern mit den Mysterienkulten, als er seinen Begleiter anweist aufzupassen, damit kein Uneingeweihter zuhöre. Für ihn ist aber jetzt uneingeweiht jeder, der nur an das glaubt, was er anfassen kann. Die Bedeutung des Geheimnisses ist also nicht mehr ein kultischer Vorgang, sondern eine verborgene Lehre, die nicht jeder verstehen kann, und in die man eingeweiht werden muß von einem Wissenden. Im Phaedrus wird die erinnernde Schau des Guten indirekt mit der Erkenntnis in den Mysterienkulten verglichen. „Diese nun, wenn sie ein Ebenbild des Dortigen sehen,

82 G. Bornkamm, μυστήριον 810-813.

83 Ebd. 813.

84 Auf verbleibende Beziehungen und Anspielungen weist auch D. Lauenstein, Die Mysterien 13-16 hin.

85 Platon, Theaetetus 155d: „Χάριν οὖν μοι εἴση ἐάν σοι ἀνδρός, μᾶλλον δέ άνδρῶν ὀνομαστῶν τῆς διανοίας τὴν ἀλήθειαν ὀποκεκρυμμένην συνεξερευνήσωμαι αὐτῶν."

werden entzückt und sind nicht mehr ihrer selbst mächtig, was ihnen aber eigentlich begegnet, wissen sie nicht, weil sie es nicht genug durchschauen. Denn der Gerechtigkeit, Besonnenheit, und was sonst den Seelen köstlich ist, hiesige Abbilder haben keinen Glanz, sondern mit trüben Werkzeugen können unter Mühen von ihnen nur wenige jenen Bildern sich nahend des Abgebildeten Geschlecht erkennen. Die Schönheit aber war damals glänzend zu schauen, als mit dem seligen Chore wir dem Jupiter, andere einem andern Gotte folgend, des herrlichsten Anblicks und Schauspiels genossen und in ein Geheimnis geweiht waren, welches man wohl das allerseligste nennen kann ...“[86] „Diese bereits bei Plato zu erkennende Abwandlung der Mysterien zu geheimnisvollen, die Seele zur Einigung mit dem Göttlichen emporführenden Lehren hat eine weitere lange Geschichte gehabt, die über die alexandrinische Theologie und den Neuplatonismus bis in die frühmittelalterliche Mystik hineinführt.“[87]
Vom kultischen und philosophischen Gebrauch deutlich zu unterscheiden ist der Gebrauch der Mysterienterminologie in *Zaubertexten*. Der wichtige Unterschied liegt darin, daß im bisherigen Gebrauch der Myste bzw. der Philosophenschüler Anteil an etwas bekam, am Leben des Gottes oder an der Erkenntnis. Jetzt bekommt der Zauberer Macht über etwas. Es handelt sich jetzt um eine *magische* Handlung.[88]

Später wird μυστήριον dann auch *profan* gebraucht, doch läßt sich noch erkennen, daß ursprünglich ein religiöser Gebrauch vorlag. Die Entwicklung ist also keineswegs andersherum verlaufen. Der Ursprung wirkt noch weiter und bleibt sichtbar. Eine völlige Profanisierung hat eigentlich nicht stattgefunden.
Auch in der *Gnosis* kommt μυστήριον vor. Hier werden die Mysterien umgedeutet als Beigabe zum Mythos, der der eigentliche Inhalt der Gnosis ist. Dies wird sehr deutlich in der Naassenerpredigt. „Die in der Naassenerpredigt gegebenen Bestimmungen der μυστήρια sind nur theologische For-

86 Platon, Phaedrus 250 a-c: „αὗται δέ, ὅταν τι τῶν ἐκεῖ ὁμοίωμα ἴδωσιν, ἐκπλήττονται καὶ οὐκέτ' ‹ἐν› αὐτῶν γίγνονται, ὅ δ' ἔστι τὸ πάθος ἀγνοοῦσι διὰ τὸ μὴ ἱκανῶς διαισθάνεσθαι. δικαιοσύνης μὲν οὖν καὶ σωφροσύνης καὶ ὅσαλλα τίμια ψυχαῖς οὐκ ἔνεστι φέγγος οὐδὲν ἐν τοῖς τῇδε ὁμοιώμασιν, ἀλλὰ δί ἀμυδρῶν ὀργάνων μόγις αὐτῶν καὶ ὀλίγοι ἐπὶ τὰς εἰκόνας ἰόντες θεῶνται τὸ τοῦ εἰκασθέντος γένος κάλλος δὲ τότ' ἦν ἰδεῖν λαμπρόν, ὅτε οὺν εὐδαίμονι χορῷ μακαρίαν ὄψιν τε καὶ θέαν, ἑπόμενοι μετὰ μὲν Διὸς ἡμεῖς, ἄλλοι δὲ μετ' ἄλλου θεῶν, εἶδόν τε καὶ ἐτελοῦντο τῶν τελετῶν ἥν θέμις λέγειν μακαριωτάτην...“ Übers. F. Schleiermacher.

87 G. Bornkamm, μυστήριον 815.

88 Vgl. ebd. 816; vgl. die Unterscheidung zwischen Mystik und Magie bei E. Underhill, Mystik.

mulierungen der gesamtgnostischen Anschauung, nach der μυστήριον alles das ist, was sich auf die jenseitige, verborgene Himmelswelt, den Ursprung und die Erlösung des Menschen bezieht."[89]

> „Alle Geheimnisse will ich erschließen,
> Die Gestalten der Götter will ich zeigen,
> Und das verborgene des heiligen Weges
> Gnosis nennen und lehren."[90]

Hier wird die Erlösung nicht nur verkündigt, sondern geschieht selber schon. Die Erschließung der Mysterien hat vergottende Wirkung. Der Zusammenhang mit der Magie wird deutlich. Die Mysterien behalten nur solange ihre besondere Wirkung, wie sie vor dem Zugriff Fremder geschützt sind.

3.2.1.3 Plotin und der Neuplatonismus

Den außerbiblischen Gebrauch des Begriffs μυστήριον hat auch der Philosoph Plotin beeinflußt. Mit seiner ihm eigenen Platoninterpretation ist Plotin einer der bedeutendsten Vertreter des Neuplatonismus geworden. Vor allem Porphyrius und Proklos sind von ihm beeinflußt. Selber nicht Christ, hat er doch in seiner Wirkgeschichte viele Gedanken im Christentum mitbeeinflußt. „Seine Mystik ist ganz unabhängig von der christlichen Religion, die er in seinen Werken nie erwähnt. Gedanklich enthält sie Elemente aus der platonischen Philosophie, aus den Mysterien und wahrscheinlich auch aus den orientalischen Kulten und philosophischen Systemen, die im 3. Jahrhundert in Alexandria im Schwange waren. Diese Dinge dienten jedoch Plotin nur als Ausdrucksmittel für das, was er von seiner eigenen mystischen Erfahrung der Welt mitteilen wollte."[91] Für ihn ist das Höchste vor allem das *Eine*. Gleichzeitig mit der Erkenntnisbemühung um das Eine ist sein Interesse auf die Seele gerichtet. Plotin versucht seine Mystik in eine rationale Sprache, die er der Philosophie Platons entleiht, einzukleiden. Das Eine ist

89 G. Bornkamm, μυστήριον 818.

90 Hippolytus, Refutatio omnium haeresium 5,10,2 GCS (26) 3, 103,20-104,3. Übers. v. K. Preysing, BKV 40, 112:
„μυστήρια πάντα δ' ἀνοίξω,
μορφὰς δὲ θεῶν ἐπιδείξω
[καὶ] τὰ κεκρυμμένα τῆς ἁγίας ὁδοῦ,
γνῶσιν καλέσος, παραδώσω".

91 E. Underhill, Mystik 593.

nicht vieles. Doch aus ihm geht alles hervor, es ist das erste. „Das Hervorgehen der Vielheit aus dem Ersten wird durch eine Stufenfolge von Wesen vermittelt. Diese Wesen sind: der Geist oder die intelligible Welt, Welt-Seele und die Materie. Da diese Folge zeitlos ist, ist die Welt als Ganzes ewig. Die vom Höheren zum Unvollkommenen absteigende Bewegung der Welt ist ungezielt, während das zum Ersten zurückgewendete Streben je nach den Stufen von je höheren Zielen berherrscht ist.“[92]
Moralisches und geistiges Bemühen haben nicht das Ziel, einen Heilszustand zu erreichen, sondern den Heilszustand, den es schon gibt, freizulegen und zu erkennen. Dieser Vorgang ist die κάθαρσις . Die Mystik ist dabei nicht eine Episode im Leben des Menschen, sondern sie ist eine grundlegende Haltung. Deswegen nennt Karl Albert das zurückgewandte Streben, die Rückkehr zum Einen, „philosophischmystische Erkenntnis des Einen durch die Seele“.[93] Diese Erkenntnis vollzieht sich in einer Schau des Einen durch die Seele. Diese Schau ist nicht vermittelbar. Deswegen stellt Plotin auch eine Verbindung mit den Mysterienkulten her: „Diesem Umstand will auch die Verpflichtung der Mysterien, nichts an die Nicht-Eingeweihten nach außen zu tragen, Ausdruck geben, weil nämlich das Göttliche nicht nach außen getragen werden kann, untersagt sie, es einem anderen bekanntzugeben, es sei ihm denn schon selbst beschieden gewesen, es zu sehen.“[94] Doch steht bei Plotin nicht der Geheimnischarakter im Vordergrund. Philosophische Mystik ist für jedermann gedacht, nur von der Sache her ist es schwer, sie mitzuteilen.
Das Verb μύειν kommt bei Plotin aber auch in seiner ursprünglichen Bedeutung ‚verschließen‘ insofern zum Ausdruck, als es ihm um eine Wendung nach Innen geht. Der mystische Philosoph muß sich gleichsam vor der Welt verschließen, um den Weg zum Einen zu finden. „... man muß alles dieses aufgeben und darf nicht (einmal) sehen, sondern muß wie ein die Augen Schließender ein anderes Sehen (dafür) einsetzen

92 W. Brugger, Neuplatonismus 266.

93 K. Albert, Mystik und Philosophie 86.

94 Plotin, Enneas 6,9,11: „τοῦτο δὴ ἐθέλον δηλοῦν τὸ τῶν μυστηρίων τῶνδε ἐπίταγμα, τὸ μὴ ἐκφέρειν εἰς μὴ μεμυημένους, ὡς οὐκ ἔκφορον ἐκεῖνο ὄν, ἀπεῖπε δηλοῦν πρὸς ἄλλον τὸ θεῖον, ὅτω μὴ καὶ αὐτῷ ἰδεῖν αὐτύχηται.“ Übers. nach K. Albert, Mystik und Philosophie 89.

und wachrufen, das jeder hat, aber nur wenige anwenden."[95] „Zieh dich auf dich selbst zurück."[96] Augustinus wird diesen Gedanken aufgreifen. Anzumerken ist noch, daß der Leser bei Plotin zwar angesprochen ist, tätig zu werden, damit er zu der ihm möglichen Schau des Einen kommt, doch liegt die Schau nicht allein in der Hand des Schauenden. Karl Albert schränkt ein: „Die schauende Erkenntnis des Geistes geschieht aber nicht aufgrund seines eigenen Lichtes, sondern aufgrund des Lichtes des Einen."[97] Somit ist für die spätere Rezeption im christlichen Bereich ein Ansatzpunkt für die Rede von der Bedeutung der Gnade vorgegeben.

3.2.2 Der biblische Gebrauch

3.2.2.1 Der unterschiedliche Gebrauch im Alten Testament

Die Frage nach dem Gebrauch des Begriffs Mystik im Alten Testament gestaltet sich schwierig, da man nach entsprechenden hebräischen Begriffen fahnden müßte. In deren Auswahl würde nun wieder eine Vorentscheidung liegen. Dieses Problem läßt sich auch nicht umgehen, wenn man auf die Septuaginta zurückgreift. Auch hier entspringt die vorliegende Übersetzung natürlich schon einer bestimmten Interpretation.[98]

In der *Septuaginta* begegnet man dem Begriff μυστήριον erst in der hellenistischen Zeit (Tob, Jdt, Weish, Sir, Dan, 2 Makk). Teils werden die Mysterienkulte hier ausdrücklich genannt, teils wird ihre Begrifflichkeit zur Kennzeichnung von Götzendienst gebraucht. In dem Buch der Weisheit ist die Einleitung, ähnlich wie wir es in der Philosophie sahen, an die Mysteriensprache angelehnt (Weish 6,22). Es fehlt hier jedoch die Unterscheidung in Geweihte und Ungeweihte.[99] Die Weisheit kann aber auch selber ‚μύστις ... τῆς τοῦ θεοῦ ἐπιστήμης' heißen (Weish 8,4). Die Gottlosen kennen die μυστήρια θεοῦ, die Gottesfürchtigen dagegen halten sich an sie (Weish 2,22). Doch ist das Verständnis an diesen Stellen nicht gnostisch und auch nicht mit irgendwelchen Riten verbunden.

95 Plotin, Enneas 1,6,8: „... ἀλλὰ ταῦτα πάντα ἀφεῖναι δεῖ καὶ μὴ βλέπειν, ἀλλ' οἷον μύσαντα ὄψιν ἄλλην ἀλλάξασθαι καὶ ἀνεγεῖραι, ἣν ἔχει μὲν πᾶς χρῶνται δὲ ὀλίγοι." Übers. nach K. Albert, Philosophie und Mystik 92.

96 Plotin, Enneas 1,6,9: „ἄναγε ἐπὶ σαυτόν".

97 K. Albert, Philosophie und Mystik 94.

98 Vgl. C. Schneider, Mysterien 71f., der allerdings auch den Einfluß der Mysterienreligionen auf das Christentum besonders hoch einschätzt.

99 Vgl. G. Bornkamm, μυστήριον 820, dort finden sich auch weitere Stellenangaben.

An einigen Stellen steht der Begriff μυστήριον auch schlicht für ein politisches oder kriegerisches Geheimnis, das nicht verraten werden darf. Der hebräische Ausdruck סוֹד ist zumeist auch Ausdruck eines intimen Verhältnisses zwischen denen, die das Geheimnis teilen. An vielen vor allem religiöser geprägten Stellen werden jedoch andere Übersetzungen bevorzugt.

Der hebräische Begriff רָז dagegen wird immer mit μυστήριον wiedergegeben. Es handelt sich in der Regel um Traumgesichte (Dan 2,18f.27-30.47 und 4,9), um unter Sinnbildern verhüllte Offenbarungen. Eine besondere Rolle spielt der Begriff in der *Apokalyptik*. Im Buch Daniel hat μυστήριον dann erstmals die Bedeutung eines eschatologischen Geheimnisses. Die Ankündigung dieser geschauten zukünftigen Ereignisse ist selber noch verhüllt. Was Gott für die Zukunft vorgesehen hat und was so gesehen real da ist, wird jetzt schon in Bildern sichtbar. „Der apokalyptische Sprachgebrauch zeigt deutlich Zusammenhänge mit dem der Mysterienkulte und der Gnosis. Hier und dort die gleichen Schweigegebote, die in den Apokalypsen von Engeln übernommene Rolle des Mystagogen und die vom Gnostiker und Apokalyptiker visionär erfahrene, in den Kulten liturgisch dargestellte Himmel- und Hadesfahrt.“[100] Gleichzeitig ist aber darauf hinzuweisen, daß es auch gravierende Unterschiede gibt. In der Apokalyptik ist nicht von dem Schicksal die Rede, das die Gottheit mit uns teilt, sondern von dem, welches sie verfügt. Ebenfalls wird die Distanz zwischen Mensch und Gott betont durch die ausbleibende Gottwerdung des Visionärs. Er bleibt Mensch und dem apokalyptischen Geschehen unterworfen. Das apokalyptische Geschehen seinerseits ist endzeitlich. Zwar ist das endzeitlich Geschaute quasi jetzt schon real in seiner Schau, doch nicht in einem zyklischen Stirb und Werde.[101]

3.2.2.2 Das ‚Geheimnis‘ der Gottesherrschaft im Neuen Testament

Wenn man sich die Wortstatistik der Computerconcordanz des Neuen Testamentes ansieht, fallen einige Dinge auf. Das Verb ‚μύω – schließen‘ kommt überhaupt nicht vor. Das Verb ‚μυέω – einweihen‘ kommt einmal bei Paulus im Philipperbrief vor und zwar in rein weltlicher Bedeutung. Das Adjektiv μύστικος kommt wiederum gar nicht vor. Aber das Wort μυστήριον kommt 28mal vor, interessanterweise aber nicht im Johannesevan-

100 G. Bornkamm, μυστήριον 822.

101 Im rabbinischen Judentum wurden die apokalyptischen und die weisheitlichen Texte ziemlich scharf verfolgt, weil sie als Abfärbung fremder Religionen angesehen wurden.

gelium und auch nicht in den Johannesbriefen, denen man gemeinhin eine gewisse Nähe zur Mystik (als Einheitsmystik) bescheinigt. Im wesentlichen kann man den Gebrauch von μυστήριον, wie es in der Computerconcordanz und auch im Kittelartikel von Bornkamm getan wird, in drei Gruppen unterteilen: Das ‚Geheimnis' der Gottesherrschaft (μυστήριον τῆς βασιλείας), das Christusmysterium (μυστήριον [τοῦ] Θεοῦ, Χριστοῦ) und den allgemeinen Gebrauch von μυστήριον bei Paulus und im übrigen NT (ἐν μυστηρίῳ).

In den Evangelien haben wir es also im Prinzip mit einer einzigen Stelle zu tun, an der das Wort μυστήριον auftritt: Das ‚Geheimnis' der Gottesherrschaft (μυστήριον τῆς βασιλείας) Mk 4,11f. par: Mt 13,11 u. Lk 8,10. Voraus geht das Gleichnis vom Sämann und der unterschiedlichen Beschaffenheit des Bodens. Im Anschluß an das Gleichnis heißt es bei Markus (4,10 bis 12): „[10] Als er mit seinen Begleitern und den Zwölf allein war, fragten sie ihn nach dem Sinn seiner Gleichnisse. [11] Da sagte er zu ihnen: Euch ist das Geheimnis [μυστήριον] des Reiches Gottes anvertraut [ὑμῖν τὸ μυστήριον δέδοται τῆς βασιλείας τοῦ θεοῦ]; denen aber, die draußen sind, wird alles in Gleichnissen gesagt, [12] denn
sehen sollen sie, sehen, aber nicht erkennen;
hören sollen sie, hören, aber nicht verstehen,
damit sie sich nicht bekehren
und ihnen nicht vergeben wird." [12=Jes 6,9f.]

Es werden zwei Gruppen unterschieden, die Jünger und die Nichtjünger. Nun wird gesagt, daß Jesus nur in Parabeln redet, nicht damit das Volk ihn verstehen kann, sondern damit es ihn nicht versteht und seine Verstockung vollständig wird. Matthäus und Lukas betonen das Geheimnis des Gleichnisses nicht so stark, indem sie vom Erkennen der Gleichnisse sprechen: ὑμιν δέδοται γνῶναι τά μυστήρια τῆς βασιλείας τοῦ θεοῦ [Mt: τῶν οὐρανῶν]. Wir wollen hier nicht näher auf die Verstockungsproblematik eingehen, sondern uns fragen, worin das Geheimnis des Gottesreiches besteht.

Der Text sagt von sich aus, daß er ein Geheimnis hinsichtlich des Gottesreiches beinhaltet, zu dessen Erkenntnis eine besondere Offenbarung nötig ist. Bornkamm weist darauf hin, daß der Text für die nichteingeweihten Hörer nicht nichts bedeutet, sondern schon seine eigene Bedeutung vom verwandten Bild her hat. Doch im Verständnis dieses Bildes liegt noch nicht seine Enthüllung. Das „Mysterium der Gottesherrschaft muß darum etwas bezeichnen, was in den Parabeln noch nicht oder höchstens indirekt ausgesprochen ist. Es kann sich nicht auf einen allgemeinen Sinngehalt der βασιλεία, sondern nur auf die Tatsache ihres Anbruches beziehen. Den Schritt vom Bild zur Sache kann also nur der Glaube vollziehen, der das im Gleichnis verhüllte, mit seiner Verkündigung sich ereignende, reale Geschehen des Anbruches der Gottesherrschaft erfaßt. Diese Bedeutung wird dadurch bestätigt, daß der Begriff μυστήριον τῆς βασιλείας ja längst durch den apokalyptischen Sprachgebrauch geprägt ist und den vor Menschenaugen verborgenen, nur durch Offenbarung enthüllten Ratschluß Gottes bezeichnet, der am Ende zum Ereignis werden soll."[102]

3.2.2.3 Das Christusmysterium (μυστήριον [τοῦ] Θεοῦ, Χριστοῦ) bei Paulus

Eine klare Begriffsbestimmung seiner Christusmystik gibt der Apostel Paulus in seinen Briefen nicht. „Wir müssen darum aus seinen überaus zahlreichen Aussagen und Andeutungen über *sein und der Christen inneres religiöses Verhältnis zu Christus, dem erhöhten Herrn,* eine Begriffsbestimmung oder besser eine Wesensbeschreibung dessen, was unter seiner Christusmystik zu verstehen ist, erst zu gewinnen suchen."[103] Bornkamm stellt hinsichtlich des Begriffes μυστήριον fest: „In den paulinischen und deuteropaulinischen Briefen geht der Begriff μυστήριον eine feste Verbindung mit dem Christuskerygma ein: κηρύσσειν Χριστόν ἐσταυρωμένον 1 K[or] 1,23 bedeutet im Blick auf die Gemeinde καταγγέλλειν τό μυστήριον τοῦ θεοῦ 2,1, λαλεῖν θεοῦ σοφίαν ἐν μυστηρίῳ 2,7. Christus ist das μυστήριον Gottes Kol 2,2; vgl 1,27;4,3."[104]
Das Kreuz ist für Paulus der Ort, an dem sich der ewige Ratschluß Gottes in seinem Sohn Jesus Christus all denen offenbart, die im Geiste sind. Es geht nicht um die Weisheit dieser Welt, sondern um die Weisheit Gottes. Sie wird apokalyptisch offenbar und ist schon jetzt als μυστήριον in dieser Welt zugegen und von denen erkennbar, denen es der Vater im Himmel gegeben hat. Bornkamm führt dies detailliert aus. „Als μυστήριον τοῦ θεοῦ ist die Geschichte der Kreuzigung und Verherrlichung Christi dem Zugriff weltlicher Weisheit entnommen und als *eine in die Sphäre Gottes vorbereitete und zur Erfüllung gebrachte Geschichte* gekennzeichnet. Das μυστήριον (d.h. die geheimnisvolle Weisheit Gottes) ist α) bereitet, ehe die Welt war (1 K[or] 2,7), β) verborgen vor den Äonen (1 K[or] 2,8; Eph 3,9; Kol 1,26; R[öm] 16,25 [spätere Doxologie]), γ) verborgen ‚in Gott, dem Schöpfer des Alls' (Eph 3,9). Das μυστήριον des Willens Gottes (Eph 1,9) kommt durch ihn selbst zur Durchführung οἰκονομία (Eph 3,9) und zur Offenbarung. Indem

102 G. Bornkamm, μυστήριον 824f.

103 A. Wikenhauser, Die Christusmystik 3.

104 G. Bornkamm, μυστήριον 825.

sich das μυστήριον Gottes in Christus erfüllt, werden in ihm Schöpfung und Vollendung, Anfang und Ende der Welt umgriffen und aus ihrem eigenen Verfügungs- und Erkenntnisbereich genommen. In der Offenbarung des göttlichen Mysteriums kommen die Zeiten zu ihrem Ende (Eph 1,10)."[105]
Das göttliche Mysterium hat seinen Ort aber nicht nur fern von der Geschichte, sondern ereignet sich in der Welt. „Im Kreuz wird der radikale Gegensatz zwischen der bislang verborgenen Weisheit Gottes und der Weisheit der Mächte bzw. der ihnen verfallenen Welt – für diese vernichtend, für die dem Kerygma Glaubenden heilbringend – offenbar 1 K[or] 2,6 bis 8)."[106] Was für die Welt im allgemeinen gilt, gilt für Paulus im besonderen. In seinem Leben begegnet er dem Auferstandenen (1 Kor 15,8), wird ins Paradies entrückt (2 Kor 12,2-4) und sind ihm ‚Gesichte und Offenbarungen des Herrn'(2 Kor 12,1) vertraut.[107]
Die Sammlung Gottes wird ein eschatologisch-kosmisches Geschehen, und zum Geheimnis des Leibes Christi gehört es, daß er aus Juden und Heiden besteht, ja letztlich auch das All seine Krönung in seinem Schöpfer hat (vgl. Eph 3,4-13). Das Mysterium ist nicht *die* Offenbarung, sondern ist Gegenstand der Offenbarung. Das Geheimnis wird von Gott selbst erschlossen. Das Wort μυστήριον steht daher häufig mit Ausdrücken der Offenbarung zusammen.[108]
In der Verkündigung wird nicht nur die Offenbarung kundgetan, sondern die Verkündigung ist selber auch ein Teil des Heilsplanes Gottes, der οἰκονομία τοῦ μυστηρίου (Eph 3,9). Während im Kolosserbrief das μυστήριον ... νῦν δέ ἐφανερώθη τοῖς ἁγίοις αὐτοῦ ist im Epheserbrief 3,5 eingeschränkt auf τοῖς ἁγίοις ἀποστόλοις αὐτοῦ καί προφήταις ἐν πνεύματι. Durch Empfang der Mysteriumsoffenbarung werden Christen der Gottesferne entrissen. In der Kirche werden sie sichtbares Zeichen. Als Leib, dessen Haupt Christus ist, weisen sie die Welt auf ihre Begrenztheit hin. Wie im Galaterbrief „Nicht mehr ich lebe, sondern Christus lebt in mir" (Gal 2,20) weist Paulus öfter auf seine Christusgemeinschaft hin. Wikenhauser

105 Ebd. 826.

106 Ebd. 826f.

107 Vgl. K. H. Schelkle, Im Leib 458.

108 „ἀποκάλυψις R[öm] 16,25; Eph 3,3; ἀποκαλύπτειν 1 K[or] 2,10; Eph 3,5; γνωρίζειν R[öm] 16,26; Eph 1,9;3,3.5; Kol 1,27; φανεροῦν R[öm] 16,26; Kol 1,26. Die Offenbarung des μυστήριον geschieht in der apostolischen Verkündigung (καταγγέλλειν 1 K[or] 2,1; λαλεῖν 1 K[or] 2,7; Kol 4,3; εὐαγγελίσασθαι Eph 3,8; φωτίσαι Eph 3,9; φανεροῦν Kol 4,4; γνωρίζειν τό μυστήριον τοῦ εὐαγγελίου Eph 6,19; das καταγγέλλειν umschließt zugleich das νουθετεῖν und διδάσκειν Kol 1,28; die Apostel sind οἰκονόμοι μυστηρίων θεοῦ 1 K[or] 4,1)"; G. Bornkamm, μυστήριον 827.

betont, daß „diese im Sakrament der Taufe begründete Seins- und Lebensgemeinschaft als mystisch anzusprechen ist".[109] Dies gilt nicht nur aufgrund einer allgemeinen ‚Sakramentsmystik', sondern insbesondere auch aufgrund der ‚subjektiv-menschlichen Seite', in der Paulus diese Vereinigung erfährt. Gleichwohl wird diese Vereinigung von Paulus nicht ‚magisch-naturhaft' gedacht, sondern zieht immer entsprechendes ethisches Verhalten nach sich.[110]

Im 1.Timotheusbrief wird von den Bischofsanwärtern gefordert, daß sie haben sollen τὸ μυστήριον τῆς πίστεως ἐν καθαρᾷ συνειδήσει (1 Tim 3,9), und es wird eine inhaltliche Beschreibung dieses Geheimnisses gegeben:

„Wahrhaftig, das Geheimnis unseres Glaubens ist groß:
Er wurde offenbart im Fleisch,
  gerechtfertigt durch den Geist,
geschaut von den Engeln,
  verkündet unter den Heiden,
geglaubt in der Welt,
  aufgenommen in die Herrlichkeit." (1 Tim 3,16)[111]

Auch hier ist das Mysterium eng auf Christus bezogen.

3.2.2.4 Der allgemeine Gebrauch von μυστήριον im Neuen Testament (ἐν μυστηρίῳ)

Auf das allgemeine Heilsgeschehen, das noch nicht völlig offenbar liegt, sind auch die übrigen Stellen bei Paulus und anderswo bezogen. Die Verstockung Israels wird zu den Geheimnissen des Heilsgeschehens gezählt (Röm 11,25). Dadurch wird der eschatologische Bezug der Verstockung Israels in den Blick gerückt und der menschlichen Erkenntnisfähigkeit eine Grenze markiert, denn alle sind letztlich unter das Erbarmen Gottes versammelt (Röm 11,32). Ein besonderes Mysterium teilt Paulus den Korinthern mit bezüglich der Verwandlung der überlebenden Christen (1 Kor 15,51).

Ferner ist auch Eph 5,32 das Wort über die Ehe zu nennen. Zunächst wird

109 A. Wikenhauser, Die Christusmystik 66.

110 Vgl. ebd. 66-69 u. 166f.

111 „καὶ ὁμολογουμένως μέγα ἐστὶν τὸ τῆς εὐσεβείας μυστήριον·
Ὃς ἐφανερώθη ἐν σαρκί,
ἐδικαιώθη ἐν πνεύματι,
ὤφθη ἀγγέλοις,
ἐκηρύχθη ἐν ἔθνεσιν,
ἐπιστεύθη ἐν κόσμῳ,
ἀνελήμφθη ἐν δόξῃ."

Gen 2,24 zitiert, und im Anschluß heißt es: „Dies ist ein tiefes Geheimnis, ich beziehe es auf Christus und die Kirche."[112] Nach Bornkamm „ist mit μυστήριον der allegorische Sinn des alttestamentlichen Wortes, die in ihm geheimnisvoll verborgene Weissagung auf das Verhältnis Christi zur ἐκκλησία bezeichnet."[113] Das ἐγὼ δέ λέγω weist auf andere Deutungen hin, denen Paulus seine auf Christus und die Gemeinde bezogene entgegensetzt. So sagt das Mysterium etwas über Christus und sein Verhältnis zur Gemeinde.
Zum Schluß bleibt dann noch eine Gruppe von Textstellen mit apokalyptischem Sinn. So deuten 2 Th 2,3ff und Apk 17,5.7 die Vorgänge der Zeit als geheimes Zeichen für das, was geschehen wird. „Vom μυστήριον der widergöttlichen Macht also ist nur zu reden, weil das μυστήριον Gottes, der verborgene, aber seinen Knechten und Propheten verkündigte eschatologische Plan Gottes, seiner Erfüllung entgegengeht."[114]
Letztlich kann man mit Bornkamm festhalten: „Aufs Ganze gesehen, ist μυστήριον ein im NT seltener Begriff, der nirgends Beziehungen zu den Mysterienkulten erkennen läßt. Wo solche Beziehungen erkennbar sind (wie z. B. in den Sakramentstexten), findet sich der Begriff nicht; wo er aber begegnet, fehlen sie. Jesus oder Paulus der Kategorie des Mystagogen zuzuordnen, ist darum trotz gewisser Analogien bedenklich."[115] Der Begriff μυστήριον ist also von der frühen Kirche schon mit spezifischem Inhalt gefüllt worden.

3.2.3 Die Umwandlung zum christlichen Begriff in der griechischen Patristik

Die verschiedenen Bedeutungsinhalte des Begriffes μυστήριον halten sich in der *griechischen Patristik*. Der Wortgebrauch geht generell in Richtung geheimnisvoll, der Vernunft allein nicht zugänglich. Mystisch werden sowohl dogmatische Lehrinhalte, wie die Göttlichkeit Christi und die Trinität, genannt, als auch die Sakramente. Die gesamte Botschaft Christi und insbesondere die typologische und allegorische Schriftauslegung gilt als mystisch. Während sich der Begriff μυστήριον bei den Apostolischen Vätern nur selten findet, bekommt er mit der frühen Apologetik wachsende Bedeutung. Zum

112 „τὸ μυστήριον τοῦτο μέγα ἐστίν, ἐγὼ δὲ λέγω εἰς Χριστὸν καί εἰς τὴν ἐκκλησίαν."

113 G. Bornkamm, μυστήριον 829; vgl. G. Langemeyer, Als Mann und Frau 159-165, bes. 162f.

114 G. Bornkamm, μυστήριον 830.

115 Ebd. 831.

einen wird er natürlich für die heidnischen Mysterienkulte und die Geheimlehren der Gnostiker gebraucht. Bei Justin wird die Bedeutung von μυστήριον auf das Christliche übertragen und steht dann sowohl für die grundlegenden Heilsgeschehnisse, besonders Geburt und Kreuzestod Christi, als auch für alttestamentliche „*Figuren und Vorgänge typologischen Charakters* ... μυστήριον ist in diesem Sinn synonym für παραβολή, σύμβολον, τύπος.“[116]
Vor allem in der alexandrinischen Theologie findet der Begriff μυστήριον eine seiner gnostisch-neuplatonischen Verwendung sehr nahe Aufnahme. Christus wird mit dem Mystagogen verglichen,[117] unter dessen Anleitung verschiedene Stufen der Erkenntnis durchlaufen werden.[118] Die höchsten Geheimnisse sind deswegen nicht ohne weiteres zu verstehen und dürfen nicht profanisiert werden.
Im *kultischen Bereich* werden die Mysterien mit den Sakramenten in Verbindung gebracht und schließlich zur Bezeichnung der letzteren. Sowohl Christi Heilstaten als auch ihre Vergegenwärtigung im Sakrament werden μυστήριον genannt und auch mit ähnlichen Termini, u. a. μυστικός, belegt. Während sacramentum als Fahneneid auch den Charakter einer Initiation hatte, wozu nicht jeder zugelassen wurde, hatte μυστήριον auch den Charakter der Vereidigung auf die Sache.[119]
Haas, Steggink und viele andere unterscheiden nach Bouyer grob drei verschiedene Bereiche des Gebrauchs, nämlich den biblischen, liturgischen und spirituellen. Im biblischen Sinn bezeichnet mystisch dann den hinter den Worten verborgenen Sinn. Die allegorische Schriftauslegung ist auch eine pneumatische oder mystische. In der Liturgie wird durch das Wort ‚mystisch‘ zunächst die besondere Art der Gegenwart des Herrn im ‚mystischen Leib‘ ausgedrückt. Hier sei schon angemerkt, daß sich dieses Verständnis sehr deutlich von den geheimen Riten des Mysterienkultes unterscheidet. Die Bedeutung wechselt dann später im Mittelalter auf die Kirche als ‚mystischer Leib Christi‘. Der spirituelle Gebrauch ist heute noch am stärksten erhalten und bezeichnet nach Bouyer eine bestimmte „Art unmittelbarer, erfahrungsmässiger Gotteserkenntnis“.[120]
Zunächst ist der Gebrauch allgemein biblisch und liturgisch. Der erste spirituelle Gebrauch liegt bei *Origenes* vor. Hier bezeichnet mystisch dann

116 Ebd. 832.

117 Vgl. Clemens von Alexandrien, Stromata 4,162,3. GCS (15) 2,320.

118 Vgl. Clemens von Alexandrien, Protrepticus 12, GCS (17) 3,11.

119 G. Bornkamm, μυστήριον 833.

120 L. Bouyer, ‚Mystisch‘ 68.

die rechte Weise des Verstehens der biblischen Texte, hat also eine hermeneutische Bedeutung. „Die unaussprechliche und mystische Betrachtung, die erfreut und verzücken läßt ...“[121]
Gleichfalls über *Origenes* wird der griechische theoria-Begriff der glückseligen Schau in das Christentum überführt und etabliert. „Christlich wird sich für die mystische Erfahrung das Schlüsselwort *mystikè theoria* durchsetzen und im lateinischen Mittelalter als *contemplatio mystica* eine Fortsetzung finden ... Als Ursprung dieser ‚spiritualité philosophique‘ im Christentum muß die Schule von Alexandrien mit ihren Exponenten Klemens und Origenes gelten. Von hier datiert eine ganze Kette von platonisierenden christlichen Denkern: im Osten Evagrius Pontikus, Gregor von Nyssa, Diadochus von Photike, Pseudo- Dionysios Areopagita; im Westen Augustinus, Gregor der Große, der ganze Augustinismus des Mittelalters und die Wiederaufnahme des Neuplatonismus vom 12. Jahrhundert an.“[122]
Dieses Eindringen griechischen Gedankenguts durch die Idee der *theoria* ist sehr einflußreich geworden. Nicht wenige halten diese Integration hellenistischen Denkens in die ursprünglich semitische Glaubensbotschaft für verfälschend. Doch läßt sich dieses Unbehagen ein gutes Stück mildern, da gezeigt werden kann, daß die Übernahme Hand in Hand mit einer entsprechenden Veränderung der griechischen Gedanken erfolgte. Die Tragweite dieser Entwicklung läßt sich am besten anhand des weiteren Gebrauchs des Begriffs, so wie ihn Bouyer aufzeigt, verfolgen.

3.2.3.1 Biblische Bedeutung

Clemens von Alexandrien und *Origenes* gebrauchen den Begriff Mystik zur Bezeichnung eines Verstehensschlüssels. Ohne diesen kann das Christusgeheimnis nicht verstanden werden. Denn nur mit Christus als Verstehensschlüssel kann das Alte Testament in der rechten Weise gelesen werden, kann der im Gesagten verborgene Sinn ausgefaltet werden.[123]
„So unterscheidet CLEMENS VON ALEXANDRIEN zwischen dem, was den Aposteln τυπικῶς καί μυστικῶς, παραβολικῶς καὶ ἠνιγμένως (typologisch-mystisch und gleichnishaft-rätselhaft) und dem, was ihnen σαφῶς

121 Origenes, Comm. in Jo. 1,208 SCh 120, 162: „τά δὲ εὐφραίνοντα καὶ ἐνθουσιᾶν ποιοῦντα ἀπόρρητα καὶ μυστικὰ θεωρήματσα“.

122 A. Haas, Was ist Mystik? 325.

123 Vgl. L. Bouyer, ‚Mystisch‘ 62.

καὶ γυμνῶς (klar und unverhüllt) gesagt ist; und diesen mystischen Sinn gilt es zu erfassen."[124]
Mit dem Wort μυστικός wird näherhin eine bzw. ‚die' auf das Geheimnis Christi bezogene Methode der Exegese verstanden. So spricht auch *Didymus der Blinde* von der „mystischen und geistlichen Einsicht in die Schriften".[125] Bouyer führt hierfür mit *Theodoret von Cyrus* auch eine Belegstelle über den Kreis der alexandrinischen Schule hinaus an.[126]
Gleichzeitig gibt es neben dem konkret schriftbezogenen Gebrauch auch einen auf die Glaubensinhalte bezogenen, der einerseits nahe an die ursprüngliche Banalbedeutung von ‚geheimnisvoll' und andererseits nahe an dem Gebrauch des Wortes ‚heilig' heranreicht. ‚Mystisch' wird in engerer Beziehung zu ‚geistlich' und als Gegensatz zu ‚fleischlich' verstanden, gemäß der Spannung, die an einigen Paulusstellen vorbereitet ist. So sind auch Proklus von Konstantinopel[127] und *Maximus Confessor* zu verstehen, der von einer „mystischen Beschneidung" spricht.[128] Es geht um die neue Wirklichkeit, die in Christus angebrochen ist, und der gegenüber vieles nur wie eine leere Hülle sich darstellt. „In diesem Sinn nennt Klemens die Lehre Christi ‚mystisch' und Eusebius, Prokop von Gaza und andere folgen ihm."[129]

3.2.3.2 Sakramental-liturgisches Verständnis

Ohne den Begriff Mystik kann das Christusgeheimnis nicht verstanden werden, insbesondere seine geheimnisvolle Gegenwart im Mahl und die Kraft der Wiedergeburt im Bad der Taufe. Die Bedeutung des Wortes mystisch für den eigentlichen nicht offenliegenden Sinn der Schrift, insbesondere auch des Alten Testaments, geht über auf die Bezeichnung des

124 P. Heidrich; H.-U. Lessing, Mystik 268.

125 Didymus von Alexandrien, Exposito in psalmos 1,3. PG 39, 1160 A: „ἡ μυστική καί πνευματική τῶν Γραφῶν διάνοια"; vgl. Clemens von Alexandrien, Protrepticus 10,1. GCS (12) 3, 10.

126 Theodoret von Cyrus, De providentia oratio 5. PG 83, 628 D – 629 A; L. Bouyer, ‚Mystisch' 63.

127 Proclus von Konstantinopel, Oratio 6,14. PG 65, 748 D: „'Εκτίναξαι τοίνυν τὸν κονιορτὸν τῆς σαρκικῆς ἐνθυμήσεως, καὶ περιβαλοῦ τὸ ἱμάτιον τῆς μυστικῆς γνώσεως".

128 Maximus Confessor, Capitum 5,41. PG 90, 1365 A: „Περιτομή ἐστι μυστικὴ, τῆς ἐμπαθοῦς κατὰ νοῦν περί τὴν ἐπείσακτον γένεσιν σχέσεως, παντελὴς περιαίρεσις".

129 L. Bouyer, ‚Mystisch' 63: Clemens von Alexandrien, Stromata 6,127,3. GCS (15) 2,496,17; Clemens von Alexandrien, Quis dives salvetur 5,2. GCS (17) 2,163,16-18; u. a.

rechten Verständnisses des liturgisch Gefeierten. Das mystische Verständnis ist das rechte Verständnis des christusbezogenen Geschehens im Gegensatz etwa zu dem rein äußerlich wahrnehmbaren Handlungsablauf und den daran beteiligten Gegenständen als solchen. Bouyer führt zur Verdeutlichung eine Stelle des *Cyrill von Alexandreia* aus seinem Jesajakommentar an: „Wir sagen, daß die Kraft des Brotes und die Kraft des Wassers aus der Synagoge der Juden hinweggenommen sei. Das ist mystisch zu verstehen. Wir nämlich, die wir durch den Glauben berufen sind, haben das Brot vom Himmel, das Christus ist, und zwar sein Leib."[130]

Dies ist der Bereich, wo die Rede vom mystischen Geschehen aus dem Bereich der Mysterienkulte in den christlichen Bereich übertragen wurde. Für die Möglichkeit eines solchen Vorgangs, ohne die christlichen Glaubensinhalte zu verraten, sprechen im wesentlichen zwei Tatsachen. Zum einen wurde fast von Anfang an und in fast allen Texten ein Bezug zur einmaligen Erlösungstat Christi hergestellt. Zum anderen wurde die Rede vom mystischen Leib Christi bei Paulus nicht überlagert, sondern sie hat ihrerseits die Rede von Mystik in den anderen Bereich wesentlich mitgeprägt.

„In genauer Entsprechung zu dem, was über den eucharistischen Ritus gesagt wurde, bezeichnet Eusebius die Taufe als ‚die mystische Wiedergeburt im Namen des Vaters und des Sohnes und des Heiligen Geistes'."[131] Das Adjektiv mystisch benutzt auch *Gregor von Nyssa* im Zusammenhang mit der Taufe.[132] Dabei bleibt bei ihm die Ganzheit der christlichen Sakramente im Blick. Er spricht von der „Vereinigung der mystischen Symbole und Bräuche"[133] und von der „mystischen Handlung."[134] „Auch das Charisma

130 L. Bouyer, ‚Mystisch' 64: Cyrill von Alexandrien, Commentarius in Isaiam prophetam 1,2. PG 70, 96 C: „Καὶ καθ' ἕτερον δὲ τρόπον, ἀφηρῆσθαί φαμεν ἐκ τῆς 'Ιουδαίων συναγωγῆς, ἰσχὺν ἄρτου καὶ ἰσχὺν ὕδατος· Καί ὁ λόγος ἐστὶ μυστικός. 'Ημεῖς μὲν γὰρ οἱ διὰ πίστεως κεκλημένοι πρὸς ἁγιασμόν, τὸν ἄρτον ἔχομεν τὸν ἐξ οὐρανοῦ, τοῦτ' ἔστι, Χριστὸν, ἤτοι τὸ σῶμα αὐτοῦ".

131 L. Bouyer, ‚Mystisch' 66: Eusebius, Contra Marcellum 1,1,9. GCS (4) 8,20-22: „τῆς τε σωτηρίου πίστεως τὴν μυστικὴν [καὶ] ἀναγέννησιν ‚εἰς ὄνομα τοῦ πατρὸς καὶ τοῦ υἱοῦ καὶ τοῦ ἁγίου πνεύματος'".

132 Vgl. Gregor von Nyssa, Oratio catechetica magna 34. PG 45, 85 C und ebd. 35. PG 45, 92 C.

133 Gregor von Nyssa, Contra Eunomium 3,57. Opera 2, 285: „τὴν τῶν μυστικῶν συμβόλων τε καὶ ἐθῶν κοινωνίαν".

134 Gregor von Nyssa, In diem luminum. Opera 9, 224: „διὰ τοῦτο καὶ ἐπὶ τῆς μυστικῆς πράξεως αὐτὸ προσλαμβάνομεν τῶ αἰσθητῷ πράγματι τὴν ἀσώματον δηλοῦντες λαμπρότητα".

der Salbung wird ‚mystisch' genannt – von Eusebius, Epiphanius und Theodoret."[135]

Neben den sakramentalen Handlungen werden auch andere Teile der Liturgie entsprechend bezeichnet. Der Hymnus der Cherubim, der zur Mitte der eucharistischen Liturgie führt, wird in der Liturgie des hl. Basilius oder Johannes Chrysostomus der ‚mystische Hymnus' genannt. Gregor von Nazianz nennt sogar die während der Feier vom gläubigen Volk gegebenen Antworten ‚mystische Worte'.[136] „Mystisch sind Hymnus und Worte" für Bouyer „offenbar darum, weil sie die große Handlung der kirchlichen Liturgie begleiten, in der die heilige Handlung des Erlösers selbst ihre unaufhörliche Fortsetzung findet."[137]

3.2.3.3 Erfahrung und Schau der Christuswirklichkeit als theoria

Nach *Clemens von Alexandrien* erreichen wir das Stadium der Reinigung durch Bekenntnis und das des Schauens durch Abziehen aller raumzeitlichen Eigenschaften und Konzentrieren auf die Größe Christi. Diese Erkenntnis ist allerdings nur via negativa Erkenntnis.[138] Mit der Theoria-Anschauung ist in erheblichem Maße platonisches Gedankengut in das Christentum eingetreten. Sowohl Pseudo-Dionysios Areopagita als auch im Westen Augustinus und mit ihnen die folgende mittelalterliche Tradition sind von diesem Gedanken beeinflußt.[139]

3.2.4 Augustinus und die Mystik

Obwohl die lateinischen Kirchenväter zunächst die Schüler der griechischen waren, entwickelten sie mit der Zeit auch einen eigenen Stil. „Die Entstehung dieser lateinischen Kirchlichkeit ist die erste Umschmelzung in neue geistige Formen, die das Christentum im Großen erfahren hat, und schon darum beachtenswert."[140]

Insgesamt verschiebt sich jetzt die hier angewendete Fragestellung etwas. Während bisher vorwiegend nach dem Gebrauch von μυστήριον in den

135 L. Bouyer, ‚Mystisch' 66. Vgl. Eusebius, Demonstratio evangelica 1, 10 PG 22, 89 D.

136 Gregor von Nazianz, Oratio 18,9. PG 35, 996 B.

137 L. Bouyer, ‚Mystisch' 68.

138 Vgl. Clemens von Alexandrien, Stromata 5,11,71.

139 Vgl. A. Haas, Was ist Mystik? 325.

140 H. v. Campenhausen, Lateinische Kirchenväter 9.

griechischen Quellen geschaut wurde, ist dies bei den lateinischen Texten nicht mehr möglich. Statt dessen konzentrieren wir uns auf Augustinus, der – als der bedeutendste Vertreter der *lateinischen* Patristik – zweifellos eine Gestalt ist, die die Entwicklung der Kirche in bedeutender Weise beeeinflußt hat. Eine besondere Form von Mystik ist nicht eigentlich sein Thema. Gleichwohl ist sein Denken neuplatonisch beeinflußt, und auch in seiner Lebensbeschreibung treten uns einige Szenen, die zumindest auf den ersten Blick mystische Struktur haben, entgegen.

Ob Augustinus selber ein Mystiker war, wird unterschiedlich beurteilt. Daß der sprachliche Ausdruck seiner Vision in Ostia nicht ohne literarisches Vorbild war, kann man feststellen. P. Henry weist ein solches zu Recht in den Enneaden des Plotins nach.[141] Doch ordnet er sowohl die literarische Quelle als auch die psychologische Komponente in ihrer Bedeutung, sowie in ihrer Begrenztheit recht ein. „Heißt das, daß in der Vision zu Ostia diese verschiedenen Elemente sich einfach zusammenzählen lassen, daß diese Energiebündel sich lediglich aufeinander legen? Keineswegs. Welche Synthese ließe sich jemals auf die Summe ihrer Elemente zurückführen? Das Leben selbst ist etwas anderes und besser als eine gewaltige chemische Reaktion. Die Vision zu Ostia erhält einen Sinn und nimmt eine Richtung, die weder Sinn noch Richtung irgendeiner ihrer Komponenten ist. Die resultierende Kraft ist neu, ursprünglich und gewissermaßen einmalig."[142]

Anderer Meinung ist da E. Hendrikx. Er beschreibt zunächst einmal, was er unter Mystik im engeren Sinne versteht. „Auch in der katholischen Theologie kann man zwei deutlich unterschiedliche Auffasungen des Wortes Mystik antreffen, eine weitere und eine engere. Die weitere Auffassung versteht unter Mystik das religiöse Erleben überhaupt. Da nun jeder fromme Gläubige wohl Augenblicke der Gottinnigkeit kennt, ist in diesem Sinne jeder Christ ein Mystiker. Die engere Auffassung dagegen versteht unter Mystik nur jene besonderen Formen des religiösen Erlebens, die uns von vielen heiligen Seelen auf Grund eigener Erfahrung als außerordentlich mitgeteilt worden sind. In diesem Sinne sind z. B. Theresia von Avila und Johannes vom Kreuz Mystiker. Es ist dieses Erlebnis gekennzeichnet durch die ‚cognitio Dei experimentalis', das erfahrungsgemäße Innewerden Gottes, wie es den mystischen Seelen in der eingegossenen Beschauung zuteil wird."[143] Demnach gilt es, zwischen der Kenntnis der ‚Augenblicke der Gottinnigkeit' und dem ‚erfahrungsgemäßen Innewerden Gottes' zu unter-

141 P. Henry, Die Vision 207-210.

142 Ebd. 211.

143 E. Hendrikx, Augustins Verhältnis zur Mystik 271.

scheiden. Sicherlich keine leichte Aufgabe. Im allgemeinen stützt sich Hendrikx bei seiner Definition des Mystikbegriffs auf Philippus a SS. Trinitate[144] und K. Girgensohn[145]. In seiner Untersuchung kommt Hendrikx dann zu dem Ergebnis, daß man bei Augustinus nicht von einem Mystiker im engeren Sinne sprechen könne, weil er das rationaldiskursive Denken immer viel zu sehr betone. Beispielhaft ist seine Schlußbemerkung zur Analyse der Siebengabenlehre des Augustinus. „Zusammenfassend können wir sagen, daß sämtliche Siebengabenschemata über eine erworbene Beschauung nicht hinauskommen, und daß es somit unzuläsig ist, ihnen *einen eingegossenen Charakter im Sinne der späteren mystischen Theologie zu unterschieben*".[146] Zu aktiv ist ihm die Seele bei der Suche nach Gott und der Beschauung. Ob diese Darstellung Augustinischen Denkens die Sachlage umfassend trifft, wage ich zu bezweifeln. Schöpf äußert sich in seinem Augustinusbuch positiver zur Mystik bei Augustin, ohne die Bedeutung der Vernunft zu verkennen. „Der Aufstieg der Seele findet seine Erfüllung in einem Verinnerlichen dessen, was jenseits der Innerlichkeit liegt, in einem Berühren (attingere) Gottes mit der höchsten Spitze des Geistes (acies mentis). Der konkrete Vollzug des Aufstiegs durch die erkennende und liebende Person erweist sich als rational vollziehbarer Weg zur Mystik. Die Reflexion darüber zeigt die Notwendigkeit, mit der die vernünftig zu verstehenden Stufen der Wirklichkeit zur Unbegreiflichkeit Gottes hinführen."[147] Direkt auf die Diskussion um Augustin als Mystiker bezieht er sich in einer Anmerkung. „Zum Problem der Augustinischen Mystik vgl. Hendrikx ..., der durch Überbewertung des rationalen Charakters der Augustinischen Philosophie eine mystische Erfahrung verneint. Dem widerspricht mit Recht Henry ..., der für das Erlebnis von Ostia den mystischen Charakter nachweist. Auch Courcelle unterscheidet vergebliche Versuche einer plotinischen Ekstase von den echten Erfahrungen bei der Gartenszene und in Ostia. Zu einem sehr differenzierten Ergebnis kommt Cayré, der drei verschiedene Höhenlagen mystischer Erhebung unterscheidet: eine spirituelle Grundgestimmtheit, eine jubelndlyrische Form und eine hingerissen ekstatische, die nur in wenigen punktuellen Erfahrungen erreicht wurde."[148]

144 Philippus a. SS. Trinitate, Summa Theologiae Mysticae.

145 K. Girgensohn, Der seelische Aufbau; E. Hendrikx, Augustins Verhältnis zur Mystik 272f.

146 E. Hendrikx, Augustins Verhältnis zur Mystik 345.

147 A. Schöpf, Augustinus 73.

148 Ebd. 100. Schöpf bezieht sich auf folgende Literatur: P. Courcelle: Recherches 175, 222; F. Cayré: Notion de la mystique 609-622.

Der Aufstieg zu Gott erfolgt bei Augustin in drei Etappen. Zunächst wird die äußere Welt nach Gott befragt. Doch diese hat ihn selber nicht, gleichwohl aber Zeichen auf ihn hin. Daraufhin wird der Frager in sein Innerstes gelenkt. In der eigenen Seele blickt er sich dann erstaunt um. Doch letztlich wird er im dritten Schritt über sich hinaus verwiesen. Balthasar kommentiert in seiner Ausgabe der Confessiones. „Der Aufstieg zu Gott (der über alles hinaus liegt: Kap. VI Anfang) beginnt bei der äußeren Welt, die indes den Frager weiterweist (Kap. VI Schluß), um dann zur höherstehenden inneren Seelenwelt überzugehen (Kap. VIII-XVI) ... Doch nun tritt immer deutlicher hervor, daß Gott, der zwar im Geiste wohnt, in diesem doch nicht eingesperrt ist, vielmehr der Geist des Menschen den Gott, der *in* ihm ist, *über* sich suchen muß, als den ‚Herrn des Geistes' (Kap. XXV) ..., Gott also nicht in sich findet, sondern allein in Gott (Kap. XXVI). Und so leuchtet am Ende all dieser Reflexion die schöne christliche und biblische Formulierung vom rechten *Hörer* Gottes auf (Ende Kap. XXVI)."[149]
Gott suchen mit jeder Faser seines Herzens, das ist der Weg Augustins. Doch ist diese Grundeinstellung keineswegs so zu verstehen, als daß alles vom Menschen ausginge. Die spätere Bedeutung der Gnade im Kampf gegen Pelagius ist im ganzen Werk Augustins schon angelegt. Gott ist es, der gnädig dem Menschen begegnet, der sich in seinem Gedächtnis niederläßt.[150] Der Suchende erkennt Gott als die Wahrheit. „O Wahrheit, überall waltest Du für alle, die Dich um Rat fragen, und allen gibst Du gleichzeitig Antwort, auch wenn sie Dich über Verschiedenes befragen. Klar gibst Du Antwort, doch nicht alle vernehmen Dich klar. Jeder fragt Dich was ihm am Herzen liegt, er hört aber nicht immer, was er gern hören möchte. Der ist Dein bester Diener, der nicht vor allem auf das achtet, was er gern von Dir hört, sondern lieber will, was er von dir vernimmt."[151] Begegnung mit Gott ist nicht in die Aktivität des Menschen gestellt. Letztlich ist der Mensch ein Hörender. Dies wird noch deutlicher, wenn sich Augustin die Frage stellt, warum er Gott so spät gefunden hat. Es ist nicht die Schuld Gottes. Die Dinge dieser Welt haben Augustin abgelenkt. „Du warst bei mir, ich war nicht bei Dir. Sie hielten mich fern von Dir, die Dinge, die gar nicht wären, wären sie nicht in Dir. Du hast gerufen, geschrien, meine Taubheit zerrissen, hast geleuchtet,

149 H. U. v. Balthasar, Einleitung und Anmerkungen 244 Anm.3.

150 Vgl. Augustinus, Confessiones 10,25,36. CSEL 33,1,254.

151 Ebd. 10,26,37. CSEL 33,1,255: „Veritas, ubique praesides omnibus consulentibus te simulque respondes omnibus diversa consulentibus. liquide tu respondes, sed non liquide omnes audiunt. omnes unde volunt consulent, sed non semper quod volunt audiunt. optimus minister tuus est, qui non magis intuetur hoc a te audire quod ipse voluerit, sed potius hoc velle quod a te audierit." Übers. v. H. U. v. Balthasar, Aurelius Augustinus 265.

geblitzt und meine Blindheit verscheucht, hast geduftet, und ich atmete ein und lechze jetzt nach Dir, ich habe gekostet, nun hungre und dürste ich, Du hast mich berührt, und ich bin nach Deinem Frieden entbrannt."[152]
Das Suchen nach Wahrheit, eine reflektierte Beschreibung des Weges zu Gott, die Freude über die Gnade Gottes und das Loslassen von den Dingen dieser Welt, das sind Elemente, die uns bei der Frage nach Mystik und Mystiker(inne)n immer wieder begegnen.

3.2.5 Mystik und ‚negative Theologie'

Bei den Vätern wird im allgemeinen mit mystisch weniger eine psychische Erfahrungsart bezeichnet als vielmehr die Wahrnehmung einer anderen, göttlichen Wirklichkeit. Dies trifft auch für den erstmaligen nachhaltigen Gebrauch mit einer spirituellen Färbung bei *Pseudo-Dionysios Areopagita* (um 500) zu. Ins Lateinische übersetzt und immer wieder kommentiert, haben seine Schriften im Mittelalter großen Einfluß gehabt, sowohl auf die Mystik als auch auf die Theologie allgemein. Dies wohl vor allem deswegen, weil er bis zu dem Humanisten Laurentius Valla fälschlicherweise als der in Apg 17,34 erwähnte Apostelschüler identifiziert wurde. Gegen eine Identifizierung vom Verfasser der ‚Corpus Dionysiacum' mit dem Apostelschüler lassen sich viele stichhaltige Gründe anführen.[153] Für eine Datierung nach 485 spricht seine Abhängigkeit von Proklos. 533 werden die Texte auf dem Konzil zu Konstantinopel bereits zitiert und als Autorität ins Spiel gebracht. Seine Lehre bewegt sich insbesondere um zwei Punkte: um die hierarchische stufenweise Ordnung des Seins von Gott bis hinab zur Materie und um die Nichterkennbarkeit Gottes, negative Theologie genannt, und bereits von Gregor von Nyssa betont, wie es ohnehin einige Verbindungslinien zwischen beiden gibt.[154] Von Pseudo-Dionysios Areopagita ist sein Büchlein ‚De mystica theologia' besonders hervorzuheben. Hierin widmet er sich weniger der Beschreibung einer Erfahrung als einer systematischen Erörterung. Die negative Theologie entspricht dabei der erkenntnistheoretischen

152 Augustinus, Confessiones 10,27,38: „mecum eras, et tecum non eram. ea me tenebant longe a te, quae si in te non essent, non essent. vocasti et clamasti et rupisti surditatem meam, coruscasti, splenduisti et fugasti caecitatem meam, fragasti, et duxi spiritum et anhelo tibi, gustavi et esurio et sitio, tetigisti me, et exarsi in pacem tuam." Übers. v. H. U. v. Balthasar, Aurelius Augustinus 266.

153 Vgl. W. Völker, Kontemplation und Ekstase 1-11.

154 Vgl. W. Völker, Gregor von Nyssa bes. 295 und ders., Kontemplation und Ekstase, bes. 142.

Einsicht, daß die Erhabenheit Gottes ihn unserem Schauen letztlich entzieht. Aus der „abstrakten Fassung des Gottesbildes ergibt sich das *Verborgensein Gottes*, auf das Dionys einen besonderen Nachdruck legt[155] und womit er das Dunkel verbindet, das Gott allen Blicken entzieht,[156] eine Vorstellung, die für die Ausformung der areopagitischen Mystik von zentraler Bedeutung ist."[157] Von daher wird der distanzierten analytischen Erkenntnisweise nicht der Vorzug gegenüber der tieferen Beschauung in der innigeren Vereinigung eingeräumt. Pseudo-Dionysius formuliert die mystische Vereinigung in paradoxen Begriffen. So kann der Mensch „zu Gott sowohl durch Kenntnis als auch durch Unkenntnis einen Weg finden". Allerdings führt der Weg der Unkenntnis letztlich weiter. „Aber die gottnächste Erkenntnis von Gott ist dann doch wieder diejenige, die gemäß der unmittelbaren Einung jenseits von allem Wissen und Begreifen von ihm gütig vermittelt wird."[158]
Bevor die eigentliche negative Theologie mit Pseudo-Dionysisos Areopagita beginnt, hat sie bereits einen Anfang im nichtchristlichen Raum gehabt. Während sozusagen die theoretische Grundlage eher aus dem philosophisch-griechischen Raum kommt, kennen aber auch die Schriften des Alten Testaments inhaltlich sehr wohl Elemente einer negativen Theologie. Diese Elemente sollen hier nicht ausführlich diskutiert, sondern nur an kurzen Beispielen dargestellt werden.

3.2.5.1 Elemente negativer Theologie im Alten Testament

Ob die Elemente negativer Theologie, die sich im Alten Testament finden lassen, alle genuin biblisch sind, ist eine Frage, die hier nicht beantwortet werden kann. Immerhin kann man feststellen, daß diese Elemente sich in den alttestamentlichen Schriften wiederfinden. So kommt die Nichterkennbar-

155 Dionysius Areopagita, De divinis nominibus 1,1. PG 3, 588 A: „περὶ τῆς ὑπερουσίου καὶ κρυφίας θεότητος"; ebd. 1,2, 588 C: „ἐπὶ τὴν κρυφίαν αὐτῆς ἀπειρίαν ; ebd. 1,3, 589 B; ebd. 13,3, 981 A; ders., La Hiérarchie Céleste 12,3. SCh 58,147: „τῆς θεαρχικῆς κρυφιότητος ..."; ebd. 15,9, SCh 58, 188f.

156 Dionysius Areopagita, Epistolae 1. PG 3, 1065 A; ders., Epistola 5, PG 3, 1073 A.

157 W. Völker, Kontemplation und Ekstase 143f.

158 Dionysius Areopagita, De divinis nominibus 7,3. PG 3, 885 D: „ἐστὶν ἡ θειοτάτη τοῦ Θεοῦ γνῶσις, δι' ἀγνωσίας γιγνωσκομένη κατὰ τὴν ὑπὲρ νοῦν ἕνωσιν καὶ συνάφειαν, καθὼς ἐπι φήρει, ὅταν, λέγων, ὁ νοῦς ἀποστὰς τῶν ὄντων καὶ ἑαυτὸν ἀφεὶς, ἑνωθῇ ταῖς ὑπερφαέσιν ἀκτῖσιν." Übers. W. Tritsch 118.

keit Gottes in der Warnung zum Ausdruck, daß niemand Gott schauen kann, ohne den Tod zu erleiden.[159]
An ganz besonderer Stelle, nämlich im Dekalog, finden sich weitere, diesmal sehr spezifische Elemente einer negativen Theologie im Alten Testament. Als erstes ist das Fremdgötterverbot zu nennen. Hier wird in neuer und einmaliger Weise die Verehrung anderer Götter verboten. Jahwe wird bejaht und die anderen Götter, wenn auch noch nicht in ihrer Existenz geleugnet, so doch insofern verneint, als ihnen nicht mehr angehangen werden darf. Affirmation und Negation stehen hier nebeneinander und sind auf verschiedene Götter bezogen.
Doch der Affirmation folgt eine gewichtige Einschränkung. ‚Du sollst Dir kein Gottesbild machen' (Ex 20,4). „Das atl. Bilderverbot schließt aber gerade das aus, ‚was für Nachbarreligionen das Ehrwürdigste überhaupt, nämlich Gottes Gegenwart, bedeutete'.[[160]] Es verbietet die Abbildung Gottes gerade wegen seiner Jenseitigkeit und ist deshalb in seinem Umkreis völlig analogielos."[161] Es braucht nicht extra darauf hingewiesen zu werden, daß diesem Stück negativer Theologie, dem Verbot sich ein Bildnis von Gott zu machen, sehr wohl ein affirmativer Zug zugrunde liegt. Dies gilt jedenfalls für Jahwe, der der Höchste ist, nicht aber für andere Götter, die nun eigentlich im wahren Sinne des Wortes ‚Nichtse' sind (Ps 96,5).[162]
Das gleiche Wechselspiel von Affirmation und Negation gilt auch für den Namen Gottes selbst. In Ex 3,14 sagt Gott zu Moses: „Ich bin der ‚Ich-bin-da'". Positiv gesehen gibt sich der Gott Israels als der zu erkennen, der da ist für sein Volk und bei seinem Volk. Andererseits entzieht sich Gott durch diesen Namen jedem Zugriff des Menschen. Der Name besagt nichts anderes und weiteres als seine Affirmation. Er ist da, aber ist als der da, der er da sein will. Hochstaffl faßt Affirmation und Negation wie folgt zusammen: „Nach all dem wird man den Gehalt des in den Bundesbestimmungen des Dekalogs formulierten, atl. Grundsatzes negativer Theologie etwa so umschreiben können: aufgrund der Passaherinnerung an die heilsgeschichtlichen Erfahrungen Israels mit Jahwe weiß sich Israel befähigt und verpflichtet, vermittels einer umfassend kritischen Verneinung aller naturwüchsigen Religiosität zu verweisen auf die übergreifende und endgültige Bejahung eines Gottes, der sich heilsgeschichtlich offenbart als derjenige, der die Welt als gute

159 Vgl. Gen 19,17-26. 32,31; Num 6,25 f.; Ri 6,22 f.; 13,22 aus J. Hochstaffl, Negative Theologie 16.

160 W. H. Schmidt, Bilderverbot und Gottebenbildlichkeit 209.

161 J. Hochstaffl, Negative Theologie 21.

162 Vgl. Jes 44,6.

schafft."[163] Hochstaffls Darstellung einer kritischen Beurteilung aller Religiösität durch den jüdischen Glauben zeigt eine gewisse Verwandtschaft zu Barths Ablehnung aller natürlichen Religion.

3.2.5.2 Griechische Ursprünge negativer Theologie

Wenn man nach den griechischen Ursprüngen der negativen Theologie fragt, muß man sich zunächst darüber klar sein, daß es sich bei dieser ‚Theologie' zunächst eher um philosophische Überlegungen handelt, die aber damals ganz selbstverständlich auch nach Gott fragten.[164]
Ein gutes Beispiel für das, was dann ‚negative Theologie' in der antiken Philosophie genannt werden kann, ist der platonische Sokrates. In seiner Apologie weist er auf sein ‚daimonion' hin. Dieses daimonion ist so etwas ähnliches wie die Stimme des Gewissens oder die Stimme Gottes. Sie sagt ihm interessanterweise nie etwas Positives. Sie warnt ihn aber dann, wenn er etwas zu tun im Begriffe ist, das er nicht tun sollte. So spricht Sokrates davon, daß ihm „etwas Göttliches und Daimonisches widerfährt ..., eine Stimme nämlich, die jedesmal, wenn sie kommt, mir immer von dem abrät, was ich tun will, mir aber nie zuredet."[165] So ist für Sokrates die direkte Weisung immer nur negativer und nicht positiver Art. Dem entspricht auch sein Verhalten hinsichtlich der Benennung der Götter. Im ‚Kratylos' sagt er: „... daß wir nichts über die Götter wissen, weder über sie noch über ihre Namen, wie sie sich selbst nennen. Denn es ist klar, daß jene sich richtig benennen. Die zweite richtige Art aber wäre, wie es bei den Gebeten Brauch für uns ist zu beten, daß wie und woher sie selbst gerne genannt werden, so auch wir sie nennen, weil wir nichts anderes wissen. Denn das scheint mit gut festgesetzt. Wenn du also willst, so laß uns untersuchen, als sagten wir den Göttern vorher, daß wir über sie gar nichts untersuchen werden, – denn wir glauben zu einer Untersuchung nicht in der Lage zu sein –, sondern nur über Menschen, in welcher Meinung sie ihnen die Namen gegeben haben."[166]

163 J. Hochstaffl, Negative Theologie 24.

164 Vgl. ebd. 26 Anm. 40.

165 Platon, Apologie 31 c-d: „... ὅτι μοι θεῖον τι καὶ δαιμόνιον γίγνεται [φωνή], ... φωνή τις γιγνομένη, ἣ ὅταν γένηται, ἀεὶ ἀποτρέπει με τοῦτο ὃ ἂν μέλλω πράττειν, προτρέπει δὲ οὔποτε, ..."

166 Platon, Cratylus 400 d-401 a: „... ὅτι περὶ θεῶν οὐδὲν ἴσμεν, οὔτε περὶ αὐτῶν οὔτε περὶ τῶν ὀνομάτων, ἅττα ποτὲ ἑαυτοὺς καλοῦσιν· δῆλον γὰρ ὅτι ἐκεῖνοί γε τἀληθῆ καλοῦσι. δεύτερος δ' αὖ τρόπος ὀρθότητος, ὥσπερ ἐν ταῖς εὐχαῖς νόμος ἐστὶν ἡμῖν εὔχεσθαι, οἵτινές τε καὶ ὁπόθεν χαίρουσιν ὀνομαζόμενοι, ταῦτα καὶ ἡμᾶς αὐτοὺς καλεῖν, ὡς ἄλλο μηδὲν εἰδότας· καλῶς γὰρ δὴ, ἔμοιγε δοκεῖ νενομίσθαι. εἰ οὖν βούλει, σκοπῶμεν ὥσπερ

Darüber hinaus kann auch die Frage des Philosophen nach dem Urgrund der Erkenntnis und der Wahrheit hier angeführt werden. Bei Platon zeigt sich eine erkenntnistheoretische Beschränkung. Die höchste Idee ist für ihn durchaus nicht negativ, sondern wird affirmativ bejaht. Doch ist sie nicht direkt erkennbar. Platon erwähnt dies ausdrücklich und beschreibt es in einer Analogie. Die Idee des Guten verhält sich zu unserer Erkenntnis wie die Sonne mit ihrem Licht zu unserem Sehen. Ohne das Licht können wir überhaupt nichts sehen. Das Licht der Sonne ist also die Bedingung dafür, daß wir Gegenstände und Farben wahrnehmen können. Dieses Licht, das wir zum Sehen brauchen, ist aber nicht die Sonne selber, diese ist wieder anders. So gibt auch die Idee des Guten allem Erkennen das Vermögen zu erkennen, doch ist sie selber etwas anderes noch als die Erkenntnis.
„Dieses also, was dem Erkennbaren die Wahrheit mitteilt und dem Erkennenden das Vermögen hergibt, sage, sei die Idee des Guten; aber wie sie der Erkenntnis und der Wahrheit, soweit diese erkannt wird, Ursache zwar ist: so wirst du doch, so schön auch diese beiden sind, Erkenntnis und Wahrheit, doch nur wenn du dir jenes als ein anderes und noch Schöneres als beide denkst, richtig denken. Erkenntnis aber und Wahrheit, so wie dort Licht und Gesicht für sonnenartig zu halten zwar recht war, für die Sonne selbst aber nicht recht, so ist auch hier diese beiden für gutartig zu halten zwar recht, für das Gute selbst aber gleichviel welches von beiden anzusehen nicht recht, sondern noch höher ist die Beschaffenheit des Guten zu schätzen.“[167]

3.2.5.3 Verbindungen von Philosophie und Theologie

Bei Philon, dem Juden und Platoniker aus Alexandrien, findet eine stärkere Verflechtung von philosophischem Gedankengut und Theologie statt. „Die Ursprungseinsicht der Griechen schien ihm nun mit der Offenbarung bzw. der Gotteserkenntnis im Glauben vergleichbar. Offenbarung wird ihm

προειπόντες τοῖς θεοῖς ὅτι περὶ αὐτῶν οὐδὲν ἡμεῖς σκεψόμεθα – οὐ γὰρ ἀξιοῦμεν οἷοί τ' ἂν εἶναι σκοπεῖν – ἀλλὰ περὶ τῶν ἀνδρώπων, ἥν ποτέ τινα δόξαν ἔχοντες ἐτίθεντο αὐτοῖς τὰ ὀνόματα.“

167 Platon, Res Publica 6, 508 e-509 a; Übers. F. Schleiermacher, Platon, Der Staat 543. „τοῦτο τοίνυν τὸ τὴν ἀλήθειαν παρέχον τοῖς γιγνωσκομὲνοις καὶ τῷ γιγνώσκοντι τὴν δύναμιν ἀποδιδὸν τὴν τοῦ ἀγαθοῦ ἰδέαν φάθι εἶναι· αἰτίαν δ' ἐπιστήμης οὖσαν καὶ ἀληθείας, ὡς γιγνωσκομένης μὲν διανοοῦ, οὕτω δὲ καλῶν ἀμφοτέρων ὄντων, γνώσεώς τε καὶ ἀληθείας, ἄλλο καὶ κάλλιον ἔτι τούτων ἡγούμενος αὐτὸ ὀρθῶς ἡγήσῃ· ἐπιστήμη δὲ καὶ ἀλήθειαν, ὥσπερ ἐκεῖ φῶς τε καὶ ὄψιν ἡλιοειδῆ μὲν νομίζειν ὀρθόν, ἥλιον δ' ἡγεῖσθαι οὐκ ὀρθῶς ἔχει, οὕτω καὶ ἐνταῦθα ἀγαθοειδῆ μὲν νομίζειν ταῦτ' ἀμφότερα ὀρθόν, ἀγαθὸν δὲ ἡγεῖσθαι ὁπότερον αὐτῶν οὐκ ὀρθόν, ... τιμητέον τὴν τοῦ ἀγαθοῦ ἕξιν.“ Vgl. J. Hochstaffl, Negative Theologie 28-31.

umgekehrt zur mystischen Erfahrung. Er vermochte schließlich keinen Unterschied mehr zwischen dem erkenntnismetaphysischen Ursprung der Griechen und dem heilsgeschichtlichen Gott der Juden zu erkennen."[168] Durch diese Zusammenführung von Philosophie und Offenbarungsreligion verliert Philon zum großen Teil den heilsgeschichtlichen Bezug der biblischen Botschaft, der ihr eigen ist. Dafür können jetzt in der Theologie philosophische Argumente scheinbar beheimatet sein. Seine negative Theologie beinhaltet nicht nur den religiösen Gedanken, daß der Mensch vergeht, wenn er Gott schaut, sondern auch die philosophische Überlegung der Nichterkennbarkeit und Unaussprechbarkeit des Ursprungs. „Immerhin setzt sich auch bei Philon die Radikalität des Fremdgötter- und Bilderverbots in der Weise durch, daß er selbst den *nûs*, dem seit Platon gerade die Ursprungseinsicht zugeschrieben worden ist, nicht für fähig hält, Gottes Wesen zu erfassen. Philon sagt einfach mit einem von ihm neu eingeführten Gottesattribut, Gott sei ‚unbegreiflich'."[169] Das Bemühen um die Erkenntnis Gottes ist für Philon eine ständige, aber unlösbare Aufgabe. Auch durch momentane mystische Erkenntnis wird sie nicht eigentlich gelöst. So bleibt der Glaubende ein Leben lang unterwegs zu seinem Gott.[170]

3.2.5.4 Pseudo-Dionysios Areopagita

Von Pseudo-Dionysios Areopagita haben wir eingangs bereits gesagt, daß er die negative Theologie als erkenntnistheoretische Einsicht in die letzte Unerkennbarkeit der Erhabenheit Gottes in der christlichen Theologie beheimatet. Deswegen wollen wir uns nach der kurzen Beleuchtung der Ursprünge jetzt noch einmal dieser maßgeblichen Gestalt der christlichen Mystik zuwenden. Das griechische Denken ist die formende Kraft des christlichen Überlieferungsgutes. Mystik ist kein Spitzenphänomen, sondern allgemeiner Vollzug des Glaubensgutes. Dabei geht es Pseudo-Dionysios nicht um einzelne außerordentliche Bewußtseinszustände, sondern um einen neuen Aufbruch und ein Sich-auf-den-Weg-machen. „Ziel dieses Wegs ist ein ‚Geeintwerden' mit dem [,] über allem Sein und Erkennen Liegenden' auf erkenntnislose Weise. Der Vorgang wird als Ekstase aus sich selber, als ein radikaler Abstraktionsprozeß vom eigenen Selbst hin ‚zum überwesentli-

168 J. Hochstaffl, Negative Theologie 33.

169 Ebd. 34, insbes. seine Anmerkung mit den Belegstellen: Philon, Quod deus sit immutabilis, 62 Opera 2, 70; ders., De somniis I, 67 Opera 3, 219; und H. A. Wolfson, Philo Bd. 2 119.

170 Vgl. Philon, De posteritate Caini, 18-19; Opera 2,4f.

chen Strahl des göttlichen Dunkels' beschrieben."[171] Dionysios beruft sich dabei auf einen angeblichen Lehrer Hierotheos, der, teils aus der Schrift, teils durch den Geist, „das Göttliche nicht nur lernte, sondern erfuhr und erlitt . . ."[172]

Von der Negation der weltlichen Randbedingungen gelangt der Mystiker letztlich zur überschwenglichen Fülle Gottes. Wir wollen dies nochmals am Text von Dionysios verdeutlichen. „Du aber ..., wenn du Dich um die mystische Schau strebend bemühst, verlaß die sinnliche Wahrnehmung und die Denktätigkeit, alle Sinnendinge und Denkinhalte, alles Nicht-Seiende und Seiende, und strebe erkenntnislos zum Geeintwerden – soweit dies möglich ist – mit dem über allem Sein und Erkennen Liegenden empor. Denn durch das von allem Gehaltenwerden freie und rein von allem gelöste Heraustreten (‚Ekstase') aus Dir selbst wirst Du, alles von Dir abtuend und von allem gelöst, zum überwesentlichen Strahl des göttlichen Dunkels emporgehoben werden."[173]

Die Wirkung des Dionysios auf das ganze Mittelalter und so auch noch auf die Gegenwart beruht vor allem darauf, daß in seinen Schriften die Mystik nicht nur narrativ dargeboten, sondern reflexiv durchdacht wurde und somit auch der denkerischen Auseinandersetzung in der Folgezeit zur Verfügung stand.[174]

171 A. Haas, Was ist Mystik? 326; Übers. v. E. v. Ivánka: Dionysius Areopagita 91; Dionysius Areopagita, De mystica theologia 1,1. PG 3, 1017 C: „τὴν ἀκτῖνα τῆς θεῖας ἀκαταληψὶας".

172 Dionysius Areopagita, De divinis nominibus 2,9. PG 3, 648 B: „ἐμυήθη θειοτέρας ἐπιπνοίας, οὐ μόνον μαθὶον, ἀλλὰ καὶ παθὼν τὰ θεῖα".

173 Übers. nach E. v. Ivánka, Dionysius Areopagita, 91; Dionysius Areopagita, De mystica theologia 1,1. PG 3, 1017 A-C: „Σὺ δὲ ... σὺντονος ἔσο πρὸς τὰ μυστικὰ θεὰματα, ..."

174 Vgl. A. Haas, Was ist Mystik? 328 und zur Wirkungsgeschichte vor allem W. Völker, Kontemplation und Ekstase 218-263.

3.3 DIE VERARBEITUNG DER URSPRÜNGE IM LATEINISCHEN MITTELALTER

Für die griechisch beeinflußte Philosophie des Mittelalters war die Frage nach dem Verhältnis Gott – Mensch bzw. nach der Einheit von Gott und Mensch schon immer ein Thema. Um diese Einheit geht es auch bei der Reflexion der *cognitio Dei experimentalis*, wie sie im Mittelalter auftritt.[175]
Wenn Mystik in diesem dritten Teil der vorliegenden Arbeit als Thema der Philosophie und Theologie verhandelt wird, dann liegt dem die Vorentscheidung zu Grunde, den Begriff Mystik nicht auf den Bericht von erlebten seelischen Zuständen zu beschränken, sondern in der Mystik diese Erlebnisse, sofern sie geschildert oder erzählt werden, nur als die Grundlage für die Reflexion dessen, was in diesen Erfahrungen theologisch und philosophisch unabhängig von einem isolierten Einzelfall zu bedenken ist, zu verstehen.
Wir wenden uns besonders der negativen Theologie als Konsequenz der Mystik, als äußeres Zeichen der menschlichen Sprachlosigkeit gegenüber der Vereinigung mit dem Göttlichen zu. Daneben gibt es aber auch den wortreichen und wortschöpfenden Ausfluß mystischer Erfahrungen in poetischer Sprache. Der Mystiker ist kein ‚schweigender Genießer', sondern einer, der von dem Erfahrenen weitergeben will. Diese poetische Ausdrucksweise, auch visionärer Bilder, ist im Christentum in besonderer Weise durch den Glauben an die Wortwerdung Gottes in Jesus Christus begründet. Gott ist einer, der sich mitteilt.[176]
Damit ist eine gewisse Unterscheidung zwischen mystischem Text und einem Text über Mystik, wie sie Irene Behn vorschlägt, zur Geltung gebracht.[177] Daß eine solche Unterscheidung in weiten Bereichen jedoch praktisch kaum durchführbar ist, liegt auf der Hand. Dies gilt besonders für den Bereich der spanischen Mystik, auf die wir in dieser Untersuchung nicht näher eingehen können. In ihr werden immer wieder theologische Argumentationen in mystische Texte eingebaut und andererseits lyrische Erzeugnisse erstellt, von denen man nachher nicht sagen kann, ob ihnen nun tatsächliche

175 Vgl. Thomas von Aquin, Summa theologiae II-II,q.97,a.2 ad 2. Hrsg. v. P. Caramello 465. Ein „technischer Ausdruck für Erkenntnis in der (eingegossenen) Beschauung" liegt aber wohl erst bei J. Gerson vor. A. Haas, Die Problematik 75 Anm.1. Dort finden sich auch weitere Informationen zur Begriffsgeschichte.

176 Vgl. A. Haas, Was ist Mystik? 331.

177 I. Behn, Spanische Mystik 8 u. 760-762.

mystische Erfahrung wirklich zugrundeliegt oder nicht.[178] Im Gegensatz zu Teresa von Avila bemüht sich Johannes vom Kreuz neben seinen Gedichten auch in ganz besonderer Weise um die Verbindung seiner mystischen Erfahrung mit dem Vokabular der herrschenden Theologie, obwohl seine Mystik ursprünglicher in seinen Gedichten zum Ausdruck kommt. Diese ‚Rückversicherung' der mystischen Erfahrung an dem gültigen theologischen Bezugsrahmen ist keine Seltenheit. Häufig wird von drei Wegen bzw. von drei Stadien des Weges geredet: Reinigung, Erleuchtung und Vereinigung. „Ein Modell dieser Art ist die ‚Summa Theologiae Mysticae' des französischen Karmeliten Philippe de la Trinité (†1671)."[179] Diese Spur soll nicht weiter verfolgt werden. Denn im Rahmen dieser Arbeit genügt es, einige Theologen des Mittelalters, die durch die mystische Theologie beeinflußt sind, kurz vorzustellen.

Am Anfang steht Anselm von Canterbury. Sein Ansatz ist für die mittelalterliche Theologie insgesamt von Bedeutung. Mit ihm hat sich Karl Barth näher beschäftigt. Anselm ist nicht als ausgesprochener Mystiker zu bezeichnen wie etwa Bernhard von Clairvaux. Aber auch an ihm sind vom Thema dieser Arbeit her vor allem seine theologischen Werke von Interesse, denn herausgearbeitet werden sollen gerade die mystischen Züge in der jeweiligen Theologie. An den Viktorinern werden noch einmal einige Aspekte spekulativer mystischer Theologie deutlich. Bonaventura integriert die zunächst sehr emotionale Mystik des Franziskus von Assisi in die Theologie. Im Gegensatz zu der eher platonisch-augustinischen Ausrichtung Bonaventuras versucht Thomas von Aquin, die Philosophie des Aristoteles in ein theologisches System zu überführen. Aber auch bei Thomas lassen sich mystische Züge entdecken. Eine besondere Rolle für die Reflexion mystischer Gedanken spielen Meister Eckhart und die Deutsche Mystik. Auch in größter Nähe zur mystischen Sprache bleibt doch stets die Reflexion auf die Theologie präsent. Den Abschluß soll Nicolaus von Cues bilden. Besonders wichtig ist die Bedeutung der ‚gelehrten Unwissenheit' für das Selbstverständnis seiner Theologie. Auf die Parallelen zur östlichen Mystik soll dabei weder bei Nicolaus von Cues noch bei Meister Eckhart eingegangen werden.[180]

178 Vgl. A. Haas, Was ist Mystik? 331f.

179 O. Steggink, Mystik – Wortgebrauch 22.

180 Vgl. G. Benavides, Die absolute Voraussetzung; u. a. S. Ueda, Die Gottesgeburt.

3.3.1 Credo ut intelligam

Im Mittelalter gab es in der Theologie weithin nicht die Trennung von Wissenschaft und Glaube wie heute. Bei *Anselm von Canterbury* wird dies in besonderer Weise deutlich. Einerseits kann er zu Recht als Vater der Scholastik gelten, der in der folgenden Zeit immer stärker verbreiteten Art, Theologie zu treiben. Andererseits wird aber in der Diskussion um seinen Gottesbeweis schon deutlich, daß der Glaube für diesen Beweis vorausgesetzt wird. Außer in seinen theologischen Schriften drückt sich Anselms theologische Position auch in anderer Literatur deutlich aus. Martin Grabmann urteilt: „In den Briefen, Meditationen und Gebeten des hl. *Anselm von Canterbury* (†1109), ... findet sich eine Fülle ... tiefsinniger mystischer Gedanken und Anregungen".[181] Die Gedanken der Mystik sind zunächst bei den Benediktinern heimisch gewesen.
In dem spätestens seit Scotus Eriugena und Berengar von Tours (999-1088) auch in der Theologie relevant gewordenen Universalienstreit bezieht *Anselm von Canterbury* die Stellung eines gemäßigten Realismus. In dieser Frage eher der Linie der Platoniker folgend, beeinflußt Anselm damit noch lange die sich entwickelnde scholastische Theologie, auch wenn diese sich durch Thomas insgesamt stärker dem Aristotelismus verpflichtet fühlt. Vor und über dem Einzelding stehen bei Anselm die Allgemeinbegriffe, sie „haben ein Dasein im Gedanken Gottes, in den idealen Urbildern des Allgemeinsten und darum im höchsten Sinne Seienden: als *universales substantiae.*"[182] Neu bei Anselm ist vor allem, daß er seinen Gottesbeweis darin begründet. Nicht die Tradition oder Schrift, sondern das Denken auf der Grundlage der anerkannten Universalien ist für ihn wichtig, um dem Glaubenden seinen Glauben auch *vernünftig* erscheinen zu lassen. Anselm selber formuliert dies in dem Ausdruck ‚*fides quaerens intellectum*'. „Ich suche nicht zu erkennen, um zu glauben, sondern ich glaube, um zu erkennen. Denn auch das glaube ich, daß ich ohne Glauben auch nicht erkennen kann."[183] Und an anderer Stelle weist er darauf hin, daß es zwar richtig sei, die Geheimnisse zu glauben, bevor man sie verstehe, es andererseits aber auch nicht gut sei, das Geglaubte nicht erkennen und schauen zu

181 M. Grabmann, Die Geschichte der katholischen Theologie 123.

182 J. Bernhart, Die philosophische Mystik 95.

183 Anselm von Canterbury, Proslogion 1. Opera 1, 100, 18f.: „Neque enim quaero intellegere ut credam, sed credo ut intellegam. Nam et hac credo: quia ‚nisi credidero, non intelligam'."

wollen.[184] Der Verstand hat seine Bedeutung, aber der Verstand ist nicht allein gefragt, und er hat auch nicht immer die beste Antwort. Auch die Erfahrung spielt für ihn eine wichtige Rolle. „Denn wer nicht glaubt, der wird nicht erfahren, und wer nicht erfahren hat, der erkennt nicht. Denn soviel die Erfahrung von einer Sache das bloße Hören von ihr übertrifft, soweit siegt das Wissen des Erfahrenden über die Kenntnis des Hörenden".[185] Bernhart kommentiert dazu: „. . . und nicht allein der Aufstieg des Intellekts zu der höheren Erkenntnis, auch seine gewöhnlichen Funktionen leiden ohne den Anschluß an Gottes Leben und Gebot."[186] Damit hinterläßt Anselm der folgenden Scholastik nicht nur die Betonung des Intellekts, sondern zugleich auch eine realistische Haltung im Universalienstreit und damit eine positive Haltung zum schauenden Erkennen, zur Mystik.

3.3.2 Bernhard von Clairvaux gegen Petrus Abaelardus

Ein besonders einflußreicher Theologe des Mittelalters ist *Bernhard von Clairvaux* (†1153). Er ist nicht gerade ein Vertreter der philosophischen Theologie, und J. Bernhart unterstellt ihm das Motto: „Glühen ist mehr als Wissen."[187] Im Vergleich mit Anselm ist zwar der Glaube auch für ihn die Grundlage, doch fragt er sich, warum dieser dann wohl den Überbau einer intellektuellen Denktätigkeit noch brauche? Im Grunde wird Gott für ihn insofern erkannt, als er geliebt wird.[188] Die Frage der Erkenntnis ist eher ein Zusätzliches, über dessen Nutzen man streiten kann. „Nichts aber wollen wir lieber wissen als das, was wir schon durch den Glauben wissen."[189]
Diese Position hat Bernhard von Clairvaux zum Gegenspieler von *Petrus Abaelardus* (1079-1142) gemacht. Petrus Abaelardus hat einen ausgesprochen philosophischen Ansatz entwickelt. Im Anschluß an Aristoteles betont er die besondere Fähigkeit der Vernunft und fordert kritische Arbeit. Den eher naiven Realisten ist sein Rütteln an den Fundamenten des tradierten

184 Anselm von Canterbury, Cur Deus homo 1,1. Opera 2, 47-49.

185 Anselm von Canterbury, Epistola de Incarnatione Verbi 1. Opera 2, 9, 5-8: „Nam qui non crediderit, non experietur; et qui expertus nonfuerit, non cognoscet. Quantum enim rei auditum superat experientia, tantum vincit audientis cognitionem experientis scientia."

186 J. Bernhart, Die philosophische Mystik 96.

187 So die Interpretation von J. Bernhart, Die philosophische Mystik 98, von: Bernhard v. Clairvaux' Sermo in Nativitate. Opera 5, 177,24-178,17.

188 Vgl. J. Bernhart, Die philosophische Mystik 99.

189 Bernhard v. Clairvaux, De consideratione 5,3,6. Opera 3, 471,14f.: „Nil autem malumus scire, quam quae fide iam scimus."

Glaubens ein Greuel. Aber Abaelard geht, in unserem neuzeitlichen Sinn, nicht völlig aufgeklärt an die Sache heran, er betont vielmehr nur besonders stark die Vernunft. Zu seiner Zeit gerät er durch allzu gewagte Schriften, seinen Lebenswandel und den vehementen Widerspruch Bernhards ins Abseits. Doch seine Sentenzen, die dialektisch aufgestellte Sammlung der Kirchenväter und seine dialektische Methode der scholastischen Disputation überhaupt haben in der Zukunft die Theologie geprägt.[190] Sein Wirken hat Bernhard so zusammengefaßt: „Der zwiespältige, moralisch zerrüttete Mensch rüttelt an allen Ecken und Enden der alten Fundamente. Erwägungen von orthodoxer Reinheit wechseln mit Verirrungen in das gnostische Prinzip, dem gemäß die allzeit göttlich beeinflußte Vernunft imstande ist, aus sich allein die christlichen Geheimnisse zu begreifen. Ist nicht sie, das Gottverwandte im Menschen, gerade zur Erkenntnis ihres göttlichen Urbildes berufen?[[191]] Die antike Philosophie, unter Entsprechung entstanden, ist nach mancher Seite der mosaischen Lehre überlegen und gegen das Paulinische Verdikt im Römerbrief zu schützen. Die Offenbarungswahrheit gilt philosophisch nur als Medium der Vernunfterkenntnis, ethisch nur als neue Formulierung des natürlichen Sittengesetzes."[192] Abaelard betont: „Nicht weil Gott es gesagt hat, wird es geglaubt, sondern weil der Mensch sich überzeugt hat, daß es so sei, wird es angenommen."[193]
Gegen diese Betonung der Vernunfterkenntnis setzt sich Bernhard vehement zur Wehr. „Verletzungen des Glaubens und Beleidigungen Christi, Beschimpfungen und Verachtung der Väter, Ärgernisse der Gegenwart, Gefahren für die Zukunft. Der Glaube der Einfalt wird verhöhnt, die Geheimnisse Gottes zerfleischt, ... So unterwirft sich der Menschengeist alles, nichts läßt er dem Glauben übrig. Er strebt hinaus über seine Höhe, er bricht ins Göttliche ein, ... Verschlossenes und Versiegeltes schließt er nicht aus, sondern reißt sie los ..."[194] So treten sich der Mystiker und der philosophisch rationale Theologe gegenüber. Die Antwort wird sich nicht schwer finden lassen, wenn man Barth fragt, auf wessen Seite er sich stellen würde. Er hat

190 Vgl. M. Grabmann, Die Geschichte der katholischen Theologie 37f.

191 Vgl. Petrus Abaelardus, Theologia ‚Scholarium' 3,2-8. CCh. CM 13, 499,13-503,129.

192 J. Bernhart, Die philosophische Mystik 107f.

193 Petrus Abaelardus, Theologia ‚Scholarium' 2,46. CChr. CM 13, 431,744f.: „Nec quia deus id dixerat creditur, sed quia homo sic esse convincerit recipitur."

194 Bernhard v. Clairvaux, Epistola 188, 1. Opera 8, 11, 1-3.7-9: „laesiones fidei et iniurias Christi, Patrum probra et contemptus, praesentium scandala, pericula posterorum. Irridetur simplicium fides, eviscerantur arcana Dei, ... Ita omnia usurpat sibi humanum ingenium, fidei nil reservans. Tentat altiora se, ... irruit in divina ... clausa et signata non aperit, sed deripit."

sich immer gegen eine Theologie gewandt, in der der Mensch etwas von sich aus meinte wissen zu können. In diesem Fall träfe er damit jedoch eindeutig nicht den Vertreter der Mystik, sondern würde wohl in Gemeinschaft mit ihm zu finden sein.

Bernhard von Clairvaux hat viele feurige Schriften und Predigten hinterlassen, die durch die Intuition stärker geprägt sind als durch die Stringenz logischer Verknüpfungen. Gleichzeitig hat er aber auch sehr direkt in die Kirchenpolitik eingegriffen und seinen Vorstellungen politisch geschickt Raum verschafft.[195] An philosophisch reflektierteren Schriften sind vor allem ‚De diligendo Deo', ‚De consideratione' – besonders das fünfte Buch – und die ‚Sermones in Cantica canticorum' zu nennen. In seinen Auslegungen zum Hohelied hat er die Brautmystik besonders geprägt. Bernhard von Clairvaux ist der bedeutendste Vertreter der Mystik des Zisterzienserordens geworden. „Seine Christusmystik und seine psychologische Darstellung mystischen Erlebens hat die ganze folgende Mystik des Mittelalters aufs Tiefste beeinflußt."[196] Seine Mystik beruft sich auf Paulus und ist vor allem von Augustinus geprägt. Dies gilt in besonderer Weise für seine psychologische Analyse, die seinem mystischen Verständnis zugrunde liegt. J. Bernhart stellt insbesondere fünf Punkte heraus:

1. Leib und Seele sind *eine* Substanz. Diese ist von Gott verschieden. Das Wesen des Schöpfers ist das Wesen der Geschaffenen nämlich nur als höchstes Daseinsprinzip aber nicht als Substanz.[197]

2. „Die Seele trägt das Bild der Trinität, und dieses *vestigium quoddam* besteht in Gedächtnis, Vernunft und Wille. Die Gottebenbildlichkeit befähigt sie, Gott durch Erkenntnis und Liebe unmittelbar zu erfassen. Ihre *capacitas aeternorum* ist der Grund der *appetentia supernorum* (nach Augustin).[[198]]"[199]

3. Das mystische Leben ist ethisch zu verstehen, weil es nicht ohne Aufgabe der Selbstliebe möglich ist. Der Wille wird, von Gott überwältigt, zur Liebe.

4. Der Mensch hat quasi ein eigenes Organ zur Berührung mit dem göttlichen Wesen, die *acies mentis,* die Spitze des Geistes (später auch Seelen-

195 Dabei wird man sich allerdings fragen müssen, ob er seiner Intuition und seinem Gefühl nicht manchmal zuviel zugetraut hat. Dies gilt insbesondere für seine enge Verwicklung in die Propagierung der Kreuzzüge.

196 M. Grabmann, Die Geschichte der katholischen Theologie 123.

197 Bernhard v. Clairvaux, Sermo super cantica canticorum 4. Opera 1, 18,1-21,5.

198 Vgl. Bernhard v. Clairvaux, Sermo super cantica canticorum. 80, 3. Opera 2, 278,21 bis 279,14 und Sermo super cantica canticorum 82, 6-7. Opera 2, 296,10 -297,18.

199 J. Bernhart, Die philosophische Mystik 104.

grund). „Das ‚Eine' zwischen Gott und Seele ist ein *unum consentibile*, kein *unum consubstantiale.*"[200] Intellekt und Wille münden hier in eins und werden von Gottes Seelenfünklein, der *scintilla animae* berührt. Da der Mensch sündig geschwächt ist, ist diese Berührung nur selten möglich.
5. Die Seele ist auf die Ähnlichkeit mit demerbumin erschaffen, denn dieses ist das Objekt der mystischen Erfahrung.
Es ist deutlich zu spüren, daß hier Gedanken von Paulus und Augustin enthalten sind. Dabei wird nichts wesentlich Neues geboten. Aber dadurch, daß diese Gedanken zu dieser Zeit noch einmal auftreten, werden sie weithin wirksam. „Das letzte Wort dieser Mystik, das immer wiederkehrt, ist das Einswerden von Gott und Mensch in der Liebe. *Porro per caritatem homo in Deo et Deus in homine est.*"[201] Liebe ist hier also als *unio* und nicht nur als *communio* zu verstehen. Der für Barth sicher kritische Ausdruck *deificatio* wird von Bernhard allerdings nicht wesenhaft, sondern moralisch verstanden.[202]

3.3.3 Die Viktoriner

Die spekulative Mystik wird im 12. Jahrhundert besonders bei den *Augustinerchorherren von St. Viktor* in Paris gepflegt, die der Freund Bernhards, Wilhelm von Champeaux, 1108 gegründet hat. Hugo (1096-1141) und Richard (†1173) von St. Viktor gehören gleichzeitig zu den großen Dogmatikern dieser Zeit. Dies ist ein weiterer Hinweis darauf, wie eng die Theologie und eine Mystik eher spekulativer Art hier miteinander verwoben sind. Durch ihren Einfluß bewahren die Viktoriner auf der einen Seite die Scholastik vor einer reinen Formalisierung und unterbauen andererseits die Mystik mit festeren Fundamenten, als sie rein emotionale Intuitionen bieten könnten.
Hugo von St. Viktor war ein Mann, der immer jede Möglichkeit der Bildung und Weiterbildung genutzt hat. Dieses zu tun, riet er auch seinen Studenten. „Lerne alles, später wirst du sehen, daß nichts überflüssig ist."[203] Dabei bewahrte Hugo jedoch stets den Geist der Demut, und höher als all diese

200 Ebd.

201 Ebd. 105.

202 Vgl. Bernhard v. Clairvaux, Sermo in cantica canticorum 71, 5. Opera 2, 10-23 und De diligendo Deo 10, 28. Opera 3, 143,3-27.

203 Hugo v. St. Victor, Didascalicon 6,3 „Omnia disce, videbis postea nihil esse superfluum."

Wissenschaft stand ihm die mystische Erkenntnis. Es lassen sich bei ihm drei Arten des Verhältnisses zum Glaubensinhalt ausmachen:

- das gläubige Annehmen des Glaubens unter Verzicht auf Erkenntnis;
- das forschende Streben zum Aufweis der Evidenz des Geglaubten auch vor den Augen der Vernunft;
- das sittliche Empfinden durch die Stimme des Herzens von der Identität von Glaube und Wahrheit.[204]

Hugo vertritt auch Bernhards mystisches Innewerden der göttlichen Dinge. Doch im Unterschied zu Bernhard wehrt er sich nicht vehement gegen jenen rationalen Dialog metaphysischer Begriffe, wie er durch Anselm angefangen und vor allem durch Petrus Abaelardus ausgebaut wurde. J. Bernhart betont, daß diese „beträchtliche synthetische Leistung ... der Scholastik schon in ihren Anfängen das mystische Element als dialektischen Stoff wie als religiöse Grundlage ihrer unerhörten Vitalität zugeführt [hat], sie hat die mystische Praxis vor Auflösung in Gefühl und Bild, die mystische Spekulation vor leerer Routine und Schematik bewahrt."[205]

Die mystische Begegnung mit Gott wird nach einem Aufstiegsschema ähnlich dem Augustins gedacht. „Für die Viktoriner beginnt die mystische Kontemplation bei der äußeren Wirklichkeit."[206] Daraufhin kommt das Einkehren ins Innere und dieses wird dann auf Gott hin überschritten.[207] Zu diesem Aufstieg ist die Sammlung des Bewußtseins und das Loslassen der irdischen Dinge nötig.[208] Ähnlich wie schon Boethius von einem inneren Auge gesprochen hat,[209] spricht Hugo von einem dreifachen inneren Auge, mit drei verschiedenen Wahrnehmungsbereichen. „Und die Seele selbst ... hat außerhalb ihrer die Welt, innerhalb Gott, und sie hat ein Auge empfan-

204 Vgl. J. Bernhart, Die philosophische Mystik 111. Hugo v. St. Victor, De sacramentis 1,10,4. PL 176, 332 B-333 D.

205 J. Bernhart, Die philosophische Mystik 112.

206 P. Wolff, Einleitung 25.

207 Vgl. Hugo v. St. Victor, De vanitate mundi 2 KlT 41: „Ascendere ergo ad Deum, hoc est intrare ad semetipsum, et non solum ad se intrare, sed ineffabili quodam modo in intimis etiam seipsum transire. Qui ergo seipsum, ut ita dicam, interius intrans et intrinsecus penetrans transcendit, ille veraciter ad Deum ascendit ... Quod ergo intimum est, hoc est proximum et supremum et aeternum ... Quia vero mundum hunc extra nos, Deum autem intra nos esse cognoscimus, ab hoc mundo ad Deum revertentes et quasi ab imo sursum ascendentes per nosmetipsos transire debemus."

208 Vgl. Hugo v. St. Victor, De arca Noe morali 2, 1. PL 176, 635 B: „Si ergo per studium meditationis assidue cor nostrum inhabitare coeperimus, iam quodammodo temporales esse desistimus, et quasi nostri mundo facti intus cum Deo vivimus."

209 Boethius, Philsophiae consolatio 5 pros. 4, 15. CCL 94, 96, 42.

gen, um außerhalb die Welt und was in der Welt ist zu sehen, und dies ist das Auge des Fleisches. Ein anderes Auge hat sie empfangen, um sich selbst und was in ihr ist zu sehen, und dies ist das Auge der Vernunft. Ein anderes Auge wiederum hat sie empfangen, um innerhalb ihrer Gott und was in Gott ist zu sehen, und dies ist das Auge der Betrachtung."[210]

Dieser Unterteilung und dem Aufstiegsschema entsprechen in etwa drei Sichtweisen der Erkenntnis:

1. die *cogitatio*, die Wahrnehmung der Welt durch Sinne oder Gedächtnis;
2. die *meditatio*, die denkende Verarbeitung dieser Wahrnehmung. Diese führt schon zu Gott, denn sie kann sich durch das Geschaffene des Schöpfers erfreuen;
3. die *contemplatio* richtet sich nicht auf einzelne zu erforschende Objekte wie die meditatio, sondern sie schaut im ganzen. Sie kann sich ohne medium direkt in die Schau Gottes versenken (*visio Dei*).[211]

Insgesamt gesehen ist Hugo von St. Viktor eher auf der Seite der Intellektualisten als auf der Seite derjenigen zu finden, die den Willen als führende Kraft zur Gottesbegegnung vertreten. Das letzte ist aber auf jeden Fall die Liebe. „Letztes Ziel allen Erkennens und Schauens ist die Liebe ... das ist das große Thema der mystischen Schriften Hugos ... Und die glühendste Schrift Hugos ‚*De laude charitatis*' ist ein einziger Hymnus auf die Liebe, der ausklingt: ‚So brich in uns ein, du süße und liebe Liebe, weite das Herz, breite die Sehnsucht, den Schoß unseres Geistes dehne, mach unserer Seele Wohnung räumiger, auf daß sie Gott als bleibenden Gast in sich aufnehme.'"[212]

Der Schotte *Richard von St. Viktor* hat im Anschluß an Hugo wiederum vorwiegend zusammenfassend gearbeitet. Er hat noch einmal Augustins, Bernhards und Hugos Aussagen zur Mystik in meisterlicher Weise miteinander verwoben. Vor allem seine beiden Schriften ‚Benjamin minor sive de praeparatione animi ad contemplationem' und ‚Bejamin maior sive de gratia contemplationis' sind hier zur Theorie der Mystik zu nennen. Die Titel beziehen sich auf die Septuagintaübersetzung von Psalm 67(68),28: *Ibi*

210 Hugo v. St. Victor, De sacramentis 1,10,2. PL 176, 329 C: „Et ipsa anima, habens extra se mundum, intra se Deum, et acceperat oculum quo extra se mundum videret et ea, quae in mundo erant: et hic erat oculis carnis. Alium oculum acceperat quo seipsam videret et ea, quae in ipsa erant, hic est oculus rationis. Alium rursum oculum acceperat quo intra se Deum videret et ea, quae in Deo erant, et hic est oculus contemplationis."

211 Vgl. J. Bernhart, Die philosophische Mystik 113f.

212 P. Wolff, Einleitung 31. Hugo v. St. Victor, De laude charitatis, PL 176, 976 C-D: „Illabere igitur nobis, o dulcis et suavis charitas, dilata cor nostrum, expande desiderium, distende mentis nostrae simum, amplitica cordis nostri habitaculum, ut capere possit hospitem et mansorem Deum."

Benjamin adolescentulus in excessu animi – siehe der Jüngling Benjamin in der Verzückung der Seele.[213] Auch er kennt drei Stufen der Erkenntnis. „Das Denken ist diskursiv, macht Umwege und geht langsamen Schrittes ohne Rücksicht auf das Weiterkommen voran. Die Betrachtung ist gradlinig, intuitiv, und strebt auf steilen und schwierigen Wegen zum Ziel. Das Schauen umkreist seinen Gegenstand im freien Fluge. ‚Das Denken kriecht, die Betrachtung schreitet, zuweilen läuft sie auch. Das Schauen aber umkreist alles im Fluge' (Beniamin maior 1,3)."[214]
Paul Wolff weist am Ende seiner Einleitung zu den Viktorinern noch einmal auf deren verbindende Funktion der beiden großen Richtungen hin. Die eine ist die „aristotelisch-thomistische Denkrichtung" und die andere jene „Denkbewegung, die von Augustinus über Bonaventura und Duns Scotus zu Pascal und Newman führt. Die beiden Richtungen bezeichnen ja die ewigen Wege des Menschengeistes überhaupt. Die Viktoriner gehören nun zu den seltenen Geistern echter Synthese. Sie sind in aristotelischem Realismus der äußeren Wirklichkeit gegenüber geöffnet, wo sie aber meditieren und schauen, sind sie Platoniker und Nachfahren Augustins."[215]

3.3.4 Bonaventura und die Franziskanermystik

Die Mystik im 13. Jahrhundert lebt weiter von den Quellen des 12. Jahrhunderts. Eine neue Prägung bringen die jungen Franziskaner- und Dominikanerorden mit sich. Die *Franziskanermystik* ist eine Mystik des Lebens, der Liebe und vor allem eine Christusmystik. Zunächst geprägt vom heiligen Franziskus selber, wird diese Mystik dann durch *Bonaventura* (1221-1274) wieder mit der wissenschaftlichen Theologie zusammengeführt. „In seinen großen dogmatischen Werken, in seinen Schriftkommentaren, in seinem unvergleichlichen ‚Itinerarium mentis ad Deum' und in einer Reihe kleinerer Schriften (Legenda S. Francisci, Soliloquium, Incendium amoris, Vitis mystica, De sex alis Seraphim, De quinque festivitatibus pueri Iesu) findet sich eine solche Fülle tiefer Darlegungen über Vorbereitung, Wesen und Wege der mystischen Beschauung und Gottvereinigung, daß man in ihm den Höhepunkt der mystischen Theologie des Mittelalters, ja der christlichen

213 Vgl. J. Bernhart, Die philosophische Mystik 115.

214 P. Wolff, Einleitung 29. Richard v. St. Victor, Benjamin minor 1,3, in: PL 196, 66 D: „Cogitatio serpit, meditatio incedit et ut multum currit. Contemplatio autem omnia circumvolat."

215 P. Wolff, Einleitung 42.

Mystik überhaupt, gesehen hat."[216] Ob man sich diesem überschwenglichen Urteil M. Grabmanns anschließen soll, kann hier offen bleiben. Es ist aber auf jeden Fall interessant, daß nicht zuletzt durch Bonaventura die zunächst sehr naturgebundene und sehr persönlich-emotionale Mystik des Franz von Assisi mit der herrschenden Theologie und Philosophie verbunden wird. Bonaventura ist ein Zeitgenosse des Thomas von Aquin. Er ist im selben Jahr wie Thomas in Paris zum Doktor der Theologie ernannt worden. Doch während Thomas der Theoretiker und Scholastiker ist, muß sich Bonaventura schon früh um die Leitung seines Ordens kümmern. Seine Theologie ist nicht neu und bahnbrechend, sondern eher konservativ und ausgleichend. „Augustin, der Areopagite, Anselm, Bernhard und die Viktoriner, endlich der Aristoteles der Araber ... und der liber de causis liefern ihm den Lehrstoff, dem seine Devotion, sein harmonisierendes Verfahren ein besonderes Gepräge gibt."[217] Sein ganzes Denken hat einen kontemplativen Grundzug und ist trotzdem oft praktisch orientiert. Von Augustin unterscheidet ihn, wie er die Philosophie doch eher als Werkzeug gebraucht, und daß er vor allem an den psychologischen Fragen nicht so starkes Interesse hat. „Die Hinordnung seiner Reflexion auf die heilsame Weisheit (*veritas salutaris*) tritt am klarsten in der knappen Schrift ‚*De reductione artium ad theologiam*' zutage, einer aus Hugos von St. Viktor ‚*Didascalicon*' geschöpften Wissenschaftslehre, die in der Angleichung ans Licht der göttlichen Weisheit und in der Berührung mit ihm das Ziel aller Bemühungen des von oben her zur Erkenntnis bewegten Geistes sieht."[218] Neuplatonisch ist im *Itinerarium mentis in Deum* der stufenweise Aufstieg der Kreaturen zu ihrer Quelle bzw. ihrem Schöpfer. Das Emanative spielt für seine mystische Darstellung eine große Rolle. Ein wichtiger Begriff der mystischen Erkenntnislehre ist daher das Licht, das sich selbst verströmt und dabei nicht weniger wird.[219]

Gott selbst ist in uns als Wahrheit. Er ist es, der dafür sorgt, daß wir Wahres wahrnehmen können, wenn wir wahrnehmen. Das dem Intellekt von seinem Ursprung an eingeformte Erkenntnisbild steht *unter Gott* wie sein Träger, hinwieder *über der Seele*, weil es diese zum Besseren erhebt.[220] „Nichts

216 M. Grabmann, Die Geschichte der katholischen Theologie 125.

217 J. Bernhart, Die philosophische Mystik 139; vgl. É. Gilson, Die Philosophie 94.

218 J. Bernhart, Die philosophische Mystik 140.

219 Zur Lichtmetaphysik bei Bonaventura vgl. C. Baeumker, Witelo 394-407.

220 Vgl. Bonaventura, Commentarius in primum librum sententiarum d.3 p.1 q.1. Opera 1,70: „Deus est praesens ipsi animae et omni intellectui per veritatem; ideo non est necesse, ab ipso abstrahi similitudinem, per quam cognoscatur; nihilominus tamen, dum cognoscitur

Wahres wird man inne, es sei denn kraft Gottes, dessen inneres Sprechen ein Erleuchten ist. Denn er selbst ist zu innerst in jeder Seele und läßt die vollkommene Klarheit seiner Urbilder auf die dunklen Bilder unseres Intellekts strahlen. So ist also Gott das Zuerst-Erkannte und der letzte Bewirker aller menschlichen Erkenntnis."[221]

Auch Bonaventura kennt den Dreischritt Augustins. Es gibt Dinge außer uns, in uns und über uns. Dem entsprechen drei Sehvermögen, die jeweils wieder unterteilt sind in das „sinnliche Auge, das innere Auge der Vernunft und das übermenschlich wirksame Auge der Kontemplation".[222] Unterteilt sind die Sehvermögen jeweils in Betrachtung Gottes *durch* das Gesehene und *in* dem Gesehenen.[223] Das erste Sehvermögen richtet sich auf die Geschöpfe allgemein, das zweite richtet sich auf uns selbst. Es dient der Selbsterkenntnis. „Auf den Blick *extra nos* folgt der *supra nos*, der ohne irdisches Medium Gott durch Gott, die Wahrheit durch die Wahrheit schaut. – Diese sechs Stufen, den Schöpfungstagen angleichbar,[[224]] führen in den Sabbath der ekstatischen Vereinigung, in der (nach Pseudo-Dionysius) unser Geist über sich selbst und alles Seiende in der *docta ignorantia* in die Nacht der höchsten Erleuchtung fortgerissen wird. Soll dieser *excessus mentalis et mysticus* vollkommen sein, so muß alle Tätigkeit des Intellekts aufgegeben und der Gipfel des Affekts (*apex affectus*) ganz in Gott übergehen und in ihn verwandelt werden. Dieses Eingehen in die Finsternis, dieser Tod in Gott ist eine Gewähr der Gnade."[225]

Für Bonaventura ist der *intellectus agens* nicht nur aktiv und der *intellectus possibilis* nicht nur passiv. Beide haben auch ein wenig von dem anderen.[226] Erkenntnis ist aber nicht nur durch Bilder von außen möglich, sondern es gibt auch für die Seele unmittelbar zugängliche Erkenntnisbilder. Damit folgt Bonaventura wieder Augustinus.[227] Die Theologie und auch die Mystik Bonaventuras ist stark christusbezogen.[228] Insofern genügt sie Barths Bedin-

ab intellectu, intellectus formatur quadam notitia, quae est velut similitudo quaedam non abstracta, sed impressa, inferior Deo, quia in natura inferior est, superior tamen anima, quia facit ipsam meliorem."

221 J. Bernhart, Die philosophische Mystik 142.

222 Ebd. 143.

223 Vgl. Bonaventura, Christus unus omnium magister. Sermo 4,10. Opera 5, 570; ders., In omni opere bono fructificantes ... Sermo 6. Opera 9, 456-458.

224 Vgl. W. Nyssen, Die Contemplatio 83f.

225 J. Bernhart, Die philosophische Mystik 143.

226 Vgl. É. Gilson, Die Philosophie 398.

227 Vgl. C. Baeumker, Witelo 489; E. Lutz, Die Psychologie Bonaventuras 205.

228 Vgl. A. Gerken, Bonaventura 404-406.

gung für eine mögliche Mystik. Die Erkenntnis ist immer von Gott abhängig. Deswegen kann auch durch die Dinge der Welt im Anschluß an Franziskus der Weg zu Gott gefunden werden.[229] Andererseits gibt es der Seele unmittelbar zugängige Erkenntnisbilder, die dann doch eher Barths Vorstellung der Einwirkung des Heiligen Geistes entsprechen.

3.3.5 Die Integration des Aristoteles

Der zweite Vertreter der Mendikantenordens, der nach einem langen Streit mit der nicht ordensgebundenen Professorenschaft dann doch ins Kollegium einziehen durfte, war *Thomas von Aquin* (um 1225-1274). Im Gegensatz zu Bonaventura bemüht sich Thomas besonders um die scholastische Methode und um die Integration des Philosophen Aristoteles. Damit geht einher eine besondere Anerkennung auch des Leibes und der sinnlichen Welt. Ihre Erforschung kann dem Glauben nur zuträglich sein. Der „‚Dienst', den die Erforschung der Weltwirklichkeit etwa für den Theologen bereithalten mag, ist gar nicht ein für alle Mal im voraus abzuschätzen; ganz allgemein aber gilt, daß die Erkenntnis des Glaubens das natürliche Wissen von der Welt voraussetzt und also braucht;[[230]] zuweilen führt ein Irrtum über die Schöpfung zweifellos von der Wahrheit auch des Glaubens ab;[[231]] außerdem ist schließlich das Studium der geschaffenen Dinge eben deswegen um seiner selbst willen zu loben,[[232]] weil diese Dinge Werke Gottes sind."[233] Thomas selber sieht seine Aufgabe darin, mit der aristotelischen Philosophie, soweit sie ihm bekannt war, das alles zu sagen, was die Kirche glaubt. Dazu gehört auch eine Offenheit für die Mystik. So war es nach J. Bernhart „unausbleiblich, daß er seinem System auch das mystische Element einverwob, dies um so mehr, als die Allseitigkeit seiner persönlichen Art, eine Verbindung geistiger Größe und seelischer Tiefe, antiken Formsinns und christlicher Glut der Empfindung, eine Gesamtnatur von hinreißendem Adel, der Devotion gegenüber dem Geheimnis so wenig entraten konnte wie der denkerischen Bezwingung dessen, was der Vernunft und dem Verstande

229 Vgl. auch die Schlußbemerkung zur Evidenz Gottes bei Bonaventura in É.Gilson, Die Philosophie 159.

230 Vgl. Thomas von Aquin, De veritate 14,9 ad 8.

231 Vgl. ders., Summa contra Gentiles 2,3.

232 Vgl. ders., Contra impugnantes 3,4.

233 J. Pieper, Scholastik 164f.; vgl. ders., Hinführung 209 u. 216.

zugänglich ist."[234] Dabei muß nun allerdings gesagt werden, daß seine Mystik zum einen ,unauffällig' das ganze Werk durchdringt, zum anderen explizit in gewisser Weise isoliert dasteht. Aristotelisches und augustinisches Denken bleiben letztlich doch immer irgendwie nebeneinander stehen. Die Einstrahlung des göttlichen Wahrheitslichtes bei Augustin zur Erkenntnis der Prinzipien wird jetzt umgedeutet in das Zusammenkommen des kreatürlichen Lichtes des Intellekts, dessen Urheber allerdings Gott ist, mit dem objektiven Stoff der Welt.

Anders als bei Augustin besteht für Thomas zwischen den Seelenkräften und der Seelensubstanz ein Unterschied, und die Erkenntnis hat einen passiven Charakter. „Unser Intellekt ist eine passive Potenz, der *intellectus agens* haftet in der individuellen Seele. ,*In anima est aliquid, quo est omnia fieri, et aliquid, quo est omnia facere.*' Dieser Aristotelische Satz wird um seiner mystischen Ansätze willen späterhin von Meister Eckhart und anderen an zahllosen Stellen wiederholt."[235] Der Mensch ist weder nur Seele noch nur Leib, sondern besteht aus beiden. Als *imago Dei* ist der Mensch, wie bei Augustin, der *similitudo* fähig, deren höchste Form jedoch für das Jenseits aufgespart bleibt.[236]

Die *synteresis* ist bei Thomas ein *habitus naturalis*, eine natürliche Anlage, durch die der Mensch die höchsten sittlichen Normen wahrnimmt. Sie wird bisweilen auch *scintilla conscientiae* genannt. Im Zusammenhang mit der Lehre der Gaben des Heiligen Geistes weist ihr Thomas eine besondere Bedeutung zu.[237] Der Mensch ist auf Gott zugeordnet, ihn sucht er zu erkennen. Dazu bedarf er aber des Entgegenkommens Gottes. Damit Gott erkannt werden kann, muß er selbst die Form des erkennenden Intellektes werden. „Also vereinigt sich dementsprechend die göttliche Wesenheit, also gegenwärtige erkannte, mit dem geschaffenen Verstande und macht durch sich selbst ihn zum Erkennenden."[238]

Thomas hat die Frage nach dem mystischen Element in Theologie und Leben in bestimmten Schriften besonders behandelt. „*Thomas von Aquin* hat in seinen Schriften zur Verteidigung der Mendikantenorden (besonders ,De vita spirituali') und in der Secunda der theologischen ,Summa' die Theologie

234 J. Bernhart, Die philosophische Mystik 150.

235 J. Bernhart, Die philosophische Mystik 152; vgl. M. Grabmann, Thomas 102f.

236 Vgl. J. Bernhart, Die philosophische Mystik 152.

237 Vgl. O. Renz, Die Synteresis, bes. 223-229.

238 Thomas von Aquin, Summa theologiae 1 q.12 a.2 (Hrsg. v. P. Caramello) 53: „ita divina essentia unitur intellectui creato ut intellectum in actu, per seipsam faciens intellectum in actu." Übers. nach der lat.-dtsch. Thomasausgabe 1,1-13, 212.

und Theorie der christlichen Vollkommenheit in der vita activa und contemplativa mit unvergleichlicher Tiefe dargelegt."[239] Bei seiner Theorie der *vita contemplativa* in der Summa bezieht er sich vorwiegend auf Gregor den Großen. Die Beschauung ist zwar ein Akt des Intellekts, aber sie kommt zustande durch die *vis appetitiva.* Die *vis appetitiva* bewegt nicht nur den Körper, sondern auch den Intellekt zur Kontemplation. Die Tugenden sind Hilfsmittel auf dem Wege dorthin, sie bringen die Seele in einen ruhigen und friedlichen Zustand. Vor allem distanzieren sie sie auch von den ablenkenden Begierden. „Vom Vielerlei der Erkenntnisstoffe schreitet die Vernunft vorwärts zur Schauung der einfachen Wahrheit (*ad intuitum simplicis veritatis*). Die Beschauung ist begleitet von den gemütsbewegenden Affekten der Bewunderung dessen, was die Vernunft übersteigt, der sehnsüchtigen Liebe nach der göttlichen Schönheit und der Wonne im Genuß des Geschauten".[240] Die höchste Stufe der Beschauung ist dem gnadenhaften *raptus* vorbehalten, wie er Paulus in der Entrückung zuteil geworden ist. So befand er sich zwischen diesem und dem künftigen Lebensstande. Die Kontemplation kommt jedoch in diesem Leben nicht zu ihrem *höchsten* Ziel, weil der Intellekt in seiner Erkenntnis an Vorstellungsbilder, *Phantasmata* gebunden bleibt.[241]

So schließt sich Thomas gleichwohl der Auffassung an, daß die Theologie das Letzte schließlich nicht mehr aussagen kann, wenn er die expositiones mysticae als die Gott am angemessensten empfindet. Schließlich gibt es von Thomas auch bezüglich einer negativen Theologie klare Aussagen; auch wenn es ansonsten das Ziel seiner Werke ist, die Erkenntnis voranzutreiben, so ist er sich doch des Rahmens, innerhalb dessen dies nur geschehen kann, bewußt. „Dies ist das Äußerste menschlichen Gotterkennens: zu wissen, daß wir Gott nicht wissen".[242] Dadurch hat er besonders die mittelalterliche und die spanische Mystik des 16. Jahrhundert beeinflußt. Man kann hier etwa auch an seinen selbstkritischen Kommentar denken, wenn er am Ende seines Lebens sagt, es erscheine ihm alles, was er geschrieben hat, wie Stroh, und der es dann vorzog, seine Summa nicht zu vollenden, ob dies nun auf eine

239 M. Grabmann, Die Geschichte der katholischen Theologie 126f.

240 J. Bernhart, Die philosophische Mystik 154.

241 Vgl. Thomas von Aquin, Summa theologiae 2,2 q.180 a.5.

242 Thomas von Aquin, De potentia 7,5 ad 14: „Illud est ultimum cognitionis humanae de De *quod sciat se Deum nescire*". Vgl. auch F. D. Joret, Die mystische Beschauung, bes. Kapitel 6 über ‚Die dunkle Schau Gottes' 269-328.

bestimmte Vision oder mystische Erkenntnis zurückzuführen ist oder nicht.[243]
Zwar ist der Mensch durch seine Gottebenbildlichkeit der Gottesschau und somit im Intellekt auch der Gottesvereinigung fähig, doch ist gegenüber Barths Kritik an der Mystik zu betonen, daß diese Schau bzw. Vereinigung nicht derjenigen nach dem Tode entspricht, also doch weltlich vorläufig ist und daß sie passiv erfahren wird und nicht in Besitz zu nehmen ist. Daß Thomas auch von der Kirche als corpus mysticum spricht, soll hier nur noch am Rande erwähnt werden.[244] So bleibt in gewissen Grenzen der Sprachgebrauch der Patristik in Geltung.

3.3.6 Meister Eckhart und die deutsche Mystik

Im 13. Jahrhundert gerät die Theologie insgesamt hinsichtlich der Frage nach der Möglichkeit der Gottesanschauung in einen Engpaß, da die Einsicht, daß das Endliche nicht das Unendliche fassen kann, in den Vordergrund tritt. Die Mystiker und die Franziskaner allgemein sehen den Ausweg darin, im Rückgriff auf Gregor den Großen die Erkenntnis Gottes in der Liebe zu sehen (*amor ipse notitia est*) und so, wie Bernhard von Clairvaux, die Liebe der theoretischen Erkenntnis vorzuziehen und den Primat des Willens vor der Erkenntnis zu behaupten. Damit verbunden ist eine Auffassung von der Gnade Gottes, nach der dieser vor allem in der Erhebung des Willens besteht und eine liebende Begegnung mit Gott bis zur Vereinigung möglich macht. „Die mittelalterliche Mystik nimmt hier die Tradition der Väter über ‚die Geburt Gottes in der Seele‘ wieder auf.“[245] Für die Dominikaner spielt demgegenüber oft die Erkenntnis die wichtigere Rolle. Inwieweit unsere Erkenntnis dagegen in der Gottesbegegnung tatsächlich der letzte Schritt sein kann, oder wie Erkenntnis dann anders gedacht werden müßte, ist eine andere Frage, auf die wir hier nicht näher eingehen wollen. Bei allen Mystikern und auch Theologen des Mittelalters bleibt immer ein Bewußtsein von der Differenz unseres Wissens und unseres Ausdruckvermögens von der tatsächlichen Wirklichkeit Gottes.
Als Vertreter der deutschen Mystik, in der die Rede von der Geburt Gottes in der Seele ist, sind vor allem *Meister Eckhart* und *Jan van Ruusbroec* zu

243 Vgl. J. Pieper, Hinführung 219f.

244 Vgl. G. Sabra, Thomas Aquinas‘ Vision of the Church 58-68; H. d. Lubac, Corpus Mysticum.

245 O. Steggink, Mystik – Wortgebrauch 21; vgl. H. Rahner, Die Gottesgeburt.

nennen.[246] Man darf nicht übersehen, daß Mystik und Theologie hier noch zusammengehen.[247] Denn wo nicht von der Geburt Gottes in der Seele die Rede ist, werden oft verschiedene Seelenteile zur näheren Erkenntnis Gottes unterschieden. Bei vielen, die wir heute als Mystiker bezeichnen, kommt das Wort ‚Mystik' fast nie vor, so z. B. bei Jan Ruusbroec, Hendrik Herp[248] und Meister Eckhart. Obwohl letzterer einer der bekanntesten Mystiker ist, findet sich dieser Begriff bei ihm kaum, und sein Werk zeugt von höchster philosophisch begrifflicher Denkleistung. Die Frage, ob Meister Eckhart überhaupt ein Mystiker zu nennen sei, wird neuerdings insbesondere von Flasch und Mojsisch in Frage gestellt. Doch ändert dies nichts an Eckharts Beziehung zur gemeinten Sache. „Selbst für den Vertreter der streng philosophischen Richtung gilt: ‚der zerredete Titel' von der Mystik deutet ‚auf etwas Richtiges hin: Bei der philosophischen Auslegung des Christentums, beim korrigierenden Nachvollzug der neuplatonischen Einheits- und Nusmetaphysik scheut Eckhart nicht vor der Konsequenz zurück, daß, wer die unendliche Einheit denkt, nicht außerhalb ihrer gedacht werden kann'."[249] Wir wollen hier auf diese Diskussion nicht näher eingehen. Uns geht es ohnehin nicht darum, bestimmte Theologen zu Mystikern zu stempeln, sondern nach den mystischen Elementen ihrer Theologie zu fragen. Von daher ist Meister Eckhart für uns auf jeden Fall interessant. Schließlich wird er von vielen seiner Theologie wegen Mystiker genannt, und nicht weil er besondere Visionen oder etwa Levitationen erfahren hätte.

Meister Eckhart (* ca.1260 † zwischen 1327 u. 1329) ist uns sowohl von seinen lateinischen als auch von seinen deutschen Schriften her bekannt.[250] Eckhart studierte in Köln, vermutlich noch bei Albert dem Großen, und hatte bereits verschiedene Positionen in seinem Dominikanerorden inne, als er 1300 nach Paris zum Studium Generale geschickt wurde. Nach zwei Jahren erhielt er bereits den Magistertitel. Er wurde Provinzial der neuen sächsischen Ordensprovinz und bald darauf Generalvikar der verwaisten böhmischen Provinz. 1310 wurde er ein zweites Mal nach Paris geschickt,

246 Vgl. zur ‚deutschen Mystik': L. Cognet, Gottes Geburt; F.-W. Wentzlaff-Eggebert, Deutsche Mystik; A. Haas u. H. Stirnimannn (Hrsg.), Das ‚einig Ein'; K. Ruh (Hrsg.), Altdeutsche und altniederländische Mystik.

247 Vgl. B. Mojsisch, Meister Eckhart. Die Verbundenheit von Mystik und Theologie, jedenfalls was die Abhängigkeit von theologischen Autoritäten angeht, ist jüngst für das weit verbreitete ‚Malogranatum' von M. Gerwing, Malogranatum 137-147, herausgearbeitet worden.

248 Vgl. O. Steggink, Mystik – Wortgebrauch 17.

249 A. Haas, Was ist Mystik? 330; K. Flasch, Die Intention Meister Eckharts 301.

250 Die Predigten sind vor allem als Mitschriften erhalten.

um sich dort mit den rivalisierenden Franziskanern auseinanderzusetzen. Hier begann er wohl auch sein lateinisches Gesamtwerk, das er allerdings nie beendete. 1314 wurde Meister Eckhart dann Leiter des dortigen Dominikanerkonvents und erlebte die Blütezeit seines Schaffens. Vermutlich nach 1320 wurde er nach Köln ans Studium Generale berufen. Heinrich von Virneburg, der Erzbischof von Köln, eröffnete 1326 ein Inquisitionsverfahren gegen Meister Eckhart. Dieser verteidigte sich und appellierte an den Papst. Er widerrief für den Fall, daß man ihm etwas nachweisen könnte, und reiste dann selbst nach Avignon zum Papst. Auf der Rückreise oder kurz darauf in Köln starb er, und einige seiner Thesen wurden noch im nachhinein verurteilt.[251]
Aus der Zeit, bevor er das erste Mal nach Paris ging, sind uns seine ‚Reden der Unterweisung' (1298) überliefert. Sie sind ein kraftvolles Werk, das die theologischen Autoritäten zwar kennt, aber nicht in reiner Abhängigkeit von ihnen denkt. „Daß dem Büchlein das gelehrte Bezugnehmen auf die großen Denker der Vergangenheit fast gänzlich fehlt und außer den gelegentlich erwähnten Namen Dionysius und Augustin kaum eine Spur von Belesenheit erscheint, diese Besonderheit stellt den bündigen Abriß der religiösen Lebenskunde in die Reihe jener köstlichen Dokumente einer dem Leben abgewonnen Weisheit, deren Seele Eckharts Einsicht ist: Ein Lebemeister gilt mehr denn tausend Lehrmeister."[252]

3.3.6.1 Eckharts lateinisches Werk

Doch wenden wir uns zunächst seinem lateinischen Werk zu. Das Opus tripartitum ist, wie gesagt, nicht vollendet worden. Es ist insgesamt auch nur in wenigen Handschriften erhalten. Dies ist ein Zeichen dafür, daß es keine weite Verbreitung gefunden und keinen großen Wirkungskreis gehabt hat.[253] In den Pariser Quaestionen, die uns auch noch erhalten sind, verteidigt er die eher intellektualistische Linie seines Ordens gegen die Franziskaner in Paris. Aber auch innerhalb seines Ordens bezieht er kritisch Stellung. In seiner ersten Pariser Quaestio greift er die Tradition auf, daß Sein und Erkennen in Gott zusammenfallen. Aber er sieht deren Verhältnis zueinander neu. Schon im Johanneskommentar polemisiert er, daß es heißt, am Anfang war das Wort und nicht das Seiende. Also ist für ihn das Erkennen in Gott das erste, aus dem sich das Sein ableitet und nicht umgekehrt. „Willst du aber das

251 J. Quint, Einleitung 12-18.

252 J. Bernhart, Die philosophische Mystik 179.

253 Vgl. J. Quint, Einleitung 19.

Erkennen Sein nennen, so habe ich nichts dagegen. Nichtsdestoweniger behaupte ich: wenn in Gott etwas ist, was du Sein nennen willst, so kommt es ihm zu durch das Erkennen."[254] Das Denken ist ihm der Schlüssel zu allem. Eckhart will weg von einem immer nur ontologischem Verstehen der Dinge. „Der ontologisch Denkende (als solcher) verfehlt Repräsentationsphänomene."[255] Je mehr man ein Bild als Seiendes auffaßt, um so mehr wird man von der Erkenntnis des Abgebildeten weggeführt.[256] Gott aber soll nach Eckhart nicht ontologisch gedacht werden, da er dann zur Welt der Dinge gehören würde. Diese Intention gibt Gott die Ehre. Sie tut dies, weil sie ihn über die Dingwelt erhaben sein läßt. Indem sie dies tut, stellt sie ihn aber auch außerhalb des Dingrahmens, und er kommt bei den Dingen nicht mehr vor. Die Möglichkeit, eine Welt ohne Gott zu denken, wird möglicher. Parallelen hierzu lassen sich durchaus in Barths Römerbriefkommentierung finden. Wie wenig Eckhart selbst Gott das Sein absprechen wollte, zeigt sich in der Einleitung zu seinem Opus tripartitum. *Esse est Deus* ist sein Leitsatz. Das Sein ist Gott, nicht Gott ist das Sein. Dieses Sein ist nämlich nicht als eine Eigenschaft Gottes zu verstehen, die ihm zukommen kann oder auch nicht. Andererseits ist diese Aussage auch nicht pantheistisch zu verstehen. Die Seienden haben an diesem Sein ja nur Anteil, aber nie erschöpfend.[257] Dabei hebt Eckhart in besonderer Weise die Abhängigkeit dieser einzelnen Seienden hervor. Sie haben nur Anteil am Sein. Sie sind in ihrer Beschränktheit nichtig. Sie sind dies nicht an sich, sondern weil sie Einzeldinge sind, muß man sich von ihnen lösen, um zu Gott zu kommen. Für Flasch beginnt daher das historische Verständnis Eckharts „nicht damit, daß man ihn gegen den Vorwurf des Pantheismus verteidigt, sondern daß man zeigt, daß Eckharts Gott – das einzige Sein, zugleich das Gute und die reine Vernunft – durch seine Nicht-Unterschiedenheit sich unterscheidet" von den Einzeldingen, die sich in ihrer Begrenztheit alle unterscheiden.[258] Wie kann dann die Teilhabe der einzelnen an Gott erfolgen, der doch ungeteilt ist? Eckhart macht das deutlich am Beispiel der Gerechtigkeit. *Sofern* der Gerechte gerecht ist, hat er Teil an der Gerechtigkeit. *Sofern* er als Gerechter Teil an

254 Eckhart, Quaestiones Parisienses 1,8. LW 5, 45,3-5: „Et si tu intelligere velis vocare esse, placet mihi. Dico nihilominus quod, si in deo est aliquid, quod velis vocare esse, sibi competit per intelligere." Übers. v. B. Geyer, ebd.

255 K. Flasch, Das philosophische Denken 409.

256 Eckhart, Quaestiones Parisienses 1,7. LW 5, 44,1-2: „quanto magis consideras entitatem suam, tanto magis abducit a cognitione rei cuius est imago." Übers. v. B. Geyer, ebd.

257 K. Flasch, Das philosophische Denken 414f.

258 Ebd. 416; vgl. B. Mojsisch, Meister Eckhart 42-56.

der Gerechtigkeit hat, hat er Teil an der ganzen Gerechtigkeit, ist er eins mit der Gerechtigkeit. Und Gott ist die Gerechtigkeit.[259]

3.3.6.2 Eckharts deutsche Schriften

In seiner deutschen Schrift ‚*Buch der göttlichen Tröstungen*' argumentiert er sehr ähnlich wie in seinem Johanneskommentar. Diese Schriften haben eher philosophischen Charakter als persönlichen Bezug. Wir finden auch hier wieder den Gedanken der Teilhabe und des Einsseins. „Alles, was Gott Vater seinem eingeborenen Sohne in der menschlichen Natur gegeben hat, das hat er alles auch mir gegeben: hiervon nehme ich nichts aus, weder die Einigung noch die Heiligkeit, sondern er hat mir alles ebenso gegeben wie ihm."[260] Oder an einer anderen Stelle in der Verurteilungsbulle heißt es: „Der gute Mensch ist der eingeborene Sohn Gottes."[261] Offensichtlich ging dieser direkte Kontakt, dieses direkte Einssein für die Wächter des Lehramtes nicht in Ordnung, weil sie diese Aussagen ontologisch verstanden haben. Für die Verbreitung der lateinischen Schriften und deren Behandlung an den Universitäten hatte das Urteil eine gravierende Bedeutung.
Bei den deutschen Predigten sah das anders aus. Besonders ausgeprägt ist in ihnen immer wieder die Aufwertung des Menschen, ohne seine Stellung im hierarchischen Gesellschaftssystem zu beobachten. Dies kam den religiösen Frauenbewegungen und auch den Stadtbürgern entgegen. Da spürten sie für sich neuen Lebensraum. Auch auf das starre Befolgen bestimmter Tugenden hatte es Eckhart nicht abgesehen. Der Mensch soll Gott als Gott lieben, um seiner selbst willen und nicht um eines Lohnes willen. Dabei soll der Mensch lassen von allen Bindungen an das Dies und Das des Lebens. Es liegt also ein ganz anderes Konzept vor als die sonst üblichen Mittel-Zweck-Konstruktionen.[262] „Solange du deine Werke wirkst um des Himmelreiches oder Gottes oder der ewigen Seligkeit von außen willen, so lebst du in Wirklichkeit

259 Eckhart, Predigt 39 ‚Iustus in perpetuum vivet'. DW 2, 251,1-260,6; ders., Expositio Sancti Evangelii secundum Iohannem. LW 3,13,14; vgl. K. Flasch, Das philosophische Denken 420.

260 Ioannes XXII., Constitutio ‚In agro dominico'. DS 961: „Quidquid Deus Pater dedit Filio suo unigenito in humana natura, hoc totum dedit mihi. Hic nihil excipio, nec unionem nec sanctitatem, sed totum dedit mihi sicut sibi."

261 Ioannes XXII., Constitutio ‚In agro dominico'. DS 970: „Quod bonus homo est unigenitus Filius Dei."

262 Vgl. K. Flasch, Das philosophische Denken 423.

falsch."[263] Dieser Satz schließt auf seine Weise eine von Barth abgelehnte Werkgerechtigkeit aus.
Eckharts Theologie ist eine besondere Weite eigen. Gott ist nicht in einer bestimmten Weise zu finden wie irgendein Ding. Um uns Eckharts Predigten in etwa vorzustellen, können wir auf seine eigene ‚Inhaltsangabe' zurückgreifen. „Wenn ich predige, so pflege ich zu sprechen von Abgeschiedenheit und daß der Mensch ledig werden soll seiner selbst und aller Dinge. Zum zweiten, daß man wieder eingebildet werden soll in das einfältige Gut, das Gott ist. Zum dritten, daß man des großen Adels gedenken soll, den Gott in die Seele gelegt hat, auf daß der Mensch damit auf wunderbare Weise zu Gott komme. Zum vierten von der Lauterkeit göttlicher Natur – welcher Glanz in göttlicher Natur sei, das ist unaussprechlich."[264] Der erste Schritt besteht immer im Loslassen von den Einzeldingen und auch den bestimmten Interessen, die in uns sind und uns und unsere Wahrnehmung gefangennehmen. So kann Eckhart im Anschluß an die Rede von quietistischer Andachtsfrömmigkeit sagen: „Darum sollt ihr euch nicht auf irgendeine *Weise* verlegen, denn Gott ist in keiner Weise weder dies noch das. Darum tun die, die Gott in solcher Weise nehmen, ihm unrecht. Sie nehmen die Weise, nicht aber Gott. Darum behaltet dieses Wort: daß ihr rein nur Gott im Auge habt und sucht. Welche Weisen dann anfallen, mit denen seid ganz zufrieden."[265] Der neue Ort der Abgeschiedenheit ist im einfältigen Gut. In der Abgeschiedenheit kommen wir zu unserem Eigentlichen. Es ist „etwas in der Seele, das unerschaffen und unerschaffbar ist; wenn die ganze Seele solcherart wäre, so wäre sie unerschaffen und unerschaffbar – und dies ist die Vernunft".[266]

263 Eckhart, Predigt 5b ‚In hoc apparuit'. DW 1, 90,12-91,2: „al die wîle dû dîniu werk würkest umbe himelrîche oder umbe got oder umbe dîn êwige saelicheit von ûzen zuo, sô ist dir waerlîche unreht."

264 Eckhart, Predigt 53 ‚Misit dominus manum suam'. DW 2, 528,5-529,2: „Swenne ich predige, sô pflige ich ze sprechenne von abgescheidenheit und daz der mensche ledic werde sîn selber und aller dinge. Ze dem andern mâle, daz man wider îngebildet werde in daz einvaltige guot, daz got ist. Ze dem dritten mâle, daz man gedenke der grôzen edelkeit, die got an die sêle hât geleget, daz der mensche dâ mite kome in ein wunder ze gote. Ze dem vierden mâle von götlîcher natûre lûterkeit – waz klârheit an götlîcher natûre sî, daz ist unsprechelich."

265 Eckhart, Predigt 5a ‚In hoc apparuit ...' DW 1, 82,4-82,8: „Dar umb súllent ir úch nit an kain wys legen, wenn got einst nit in kainer wyse, disz noch das. Dar umb die da got also niement, die tûnd im unrecht. Sy niement wys und nit got. Dar umb behaltent disz wort, das ir got lutterlichen mainent und sûchend. was wysen denn gevelt, der sind gantz ze fryd."

266 Ioannes XXII., Constitutio ‚In agro dominico'. DS 977: „Aliquid est in anima, quod est increatum et increabile; si tota anima esset talis, esset increata et increabilis, et hoc est intellectus."

Öfters spricht Meister Eckhart auch vom Seelenfünklein oder Seelengrund. In diesen Seelengrund gebiert Gott dann seinen Sohn. Daraufhin kommt es zur Gottesgeburt in der Seele, eine Auffassung, die ihm in der Verwerfungsbulle angekreidet worden ist. Wir haben schon darüber gesprochen: Gott unterscheidet sich durch seine Ununterschiedenheit. Aufgrund dieser Ununterschiedenheit hat der Gerechte als Gerechter tatsächlich Teil an der Gerechtigkeit, ist die Gerechtigkeit selber in ihm. „Gott macht uns sich selbst erkennen, und erkennend macht er uns sich selbst erkennen und sein Sein ist sein Erkennen, und es ist dasselbe, daß er mich erkennen macht und daß ich erkenne ... Und da denn sein Erkennen mein ist, und da seine Substanz, sein Erkennen und seine Natur und sein Sein ist, so folgt daraus, daß sein Sein und seine Substanz und seine Natur mein sind. Und wenn denn seine Substanz, sein Sein und seine Natur mein sind, so bin ich der Sohn Gottes."[267]
Doch kann man nicht sagen, daß es Eckharts höchstes Ziel sei, in Verzückung weit weg von allem Irdischen zu sein. „Wie ich auch sonst schon gesagt habe: Wäre der Mensch so in Verzückung, wie's Sankt Paulus war, und wüßte einen kranken Menschen, der eines Süppleins von ihm bedürfte, ich erachtete es für weit besser, du ließest aus Liebe von der Verzückung ab und dientest dem Bedürftigen in größerer Liebe."[268] Auf die Metaphysik des moralischen Seins bei Meister Eckhart hat Kobusch jüngst wieder hingewiesen.[269] Die Weltzugewandtheit wird auch in der Predigt über Martha und Maria deutlich. Nach Eckharts Interpretation hat Maria nur den *für sie* angemesseneren Teil erwählt. Letztlich besser ist das Handeln Marthas, weil sie die Phase der Versenkung in die Worte des Herrn wieder losgelassen hat, um anschließend den Dienst in der Welt zu tun.[270] In dieselbe Richtung geht auch der deutliche Hinweis Eckharts, Gott nicht um des eigenen Vorteils willen zu suchen. Auch an dieser Stelle erfolgt eine Absage an fromme Verzückung als Selbstzweck und jeden Versuch des Menschen, sich selbst zu

267 Eckhart, Predigt 76 ‚Videte qualem caritatem ...' DW 3, 320,8-321,4: „Got machet uns sich selber bekennende, und bekennende machet er uns sich selber bekennende, und sîn wesen ist sîn bekennen, und ez ist, daz selbe, daz er mich machet bekennende und daz ich bekenne ... Und wan denne sîn bekennen mîn ist und wan sîn substancie sîn bekennen ist und sîn natûre und sîn wesen, dar nâch volget, daz sîn wesen und sîn substancie und sîn natûre mîn ist. Und wan denne sîn substancie, sîn wesen und sîn natûre mîn ist, sô bin ich der sun gotes."

268 Eckhart, Die rede der underscheidunge 10. DW 5, 221,4-221,8: „Als ich mêr gesprochen hân: wære der mensche alsô in einem înzucke, als sant Paulus was, und weste einen siechen menschen, der eines suppelîns von ihm bedörfte, ich ahtete verre bezzer, daz dû liezest von minne von dem und dientest dem dürftigen in mêrer minne."

269 T. Kobusch, Mystik als Metaphysik.

270 Vgl. Eckhart, Predigt 2 ‚Intravit Jesus in quoddam castellum ...' DW 1, 24,1-45,3.

rechtfertigen. „Ich sage fürwahr: Solange du deine Werke wirkst um des Himmelreiches oder um Gottes oder um deiner ewigen Seligkeit willen, ‹also› von außen her, so ist es wahrlich nicht recht um dich bestellt. Denn wahrlich, wenn einer wähnt, in Innerlichkeit, Andacht, süßer Verzücktheit und in besonderer Begnadung Gottes mehr zu bekommen als beim Herdfeuer oder im Stalle, so tust du nichts anders, als ob du Gott nähmest, wändest ihm einen Mantel um das Haupt und schöbest ihn unter eine Bank."[271] A. Haas faßt zusammen, daß es bei Meister Eckhart „das absolute Veto der Nächstenliebe gegen jede Form exklusiver, genußvoller Kontemplationsmystik" gibt.[272]

Barths Vorwurf des Pantheismus an Eckharts Mystik ist, wie Eckharts Verurteilung zeigt, nicht neu. Letztlich steckt jedoch eine ontologische Fehlinterpretation Eckharts dahinter. Dies zeigt vor allem das Beispiel der Teilhabe des Gerechten an der Gerechtigkeit und sein Einssein mit ihr, ohne daß sich sein Sein verändert. Das Wirken Gottes in uns und vor allem auch die ethische Komponente der Mystik Meister Eckharts sind der Theologie Barths so unähnlich nicht. Dies gilt insbesondere auch für Eckharts Gedanken der Abgeschiedenheit des Lösens von dem ‚Dies und Das', dem die ‚dialektische Theologie' sehr nahesteht. So kann Quint in seiner Einleitung zu den deutschen Predigten und Traktaten schreiben: „Man kann allen jenen Erscheinungen, die die Mystik im ganzen in Mißkredit gebracht haben, nicht skeptischer, nicht ablehnender begegnen, als es der Meister tut ... Nein! Eckharts Mystik hat nichts mit beschaulichem Quietismus zu tun."[273]

3.3.7 Die ‚gelehrte Unwissenheit' an der Wende zur Neuzeit

Die Erkenntnis Gottes wurde schon bei Pseudo-Dionysios ‚mystische Erkenntnis' genannt. Diese Redeweise wird häufig aufgegriffen. Die Entwicklung der ‚mystischen Theologie' zu einer eigenen Disziplin setzt aber erst spät ein. Sie wird vorbereitet durch *Johannes Gerson* (†1429). Er nennt die

271 Eckhart, Predigt 5b ‚In hoc apparuit'. DW 1, 90,12-91,7: „Ich spriche wærlîche: al die wîle dûnin würkest umbe himelrîche oder umbe got oder umbe dîu êwige sælicheit von ûzen zuo, sô ist dir wærlîche unreht ... Wan wærlîche, swer gotes mê wænet bekomen in innerkeit, in andâht. in süezicheit und in sunderlîcher zuovüegunge dan bî dem viure oder in dem stalle, sô tuost dû niht anders dan ob dû got næmest und wündest im einen mantel umbe daz houbet und stiezest in under einen bank."

272 A. M. Haas, Die Problematik 92 Anm. 43.

273 J. Quint, Einleitung 36; vgl. Eckhart, ‚Expedit vobis ut ego vadam'. Hrsg. v. F. Pfeiffer, Predigt 76, 240,25.

mystische Theologie wie schon Thomas eine ‚*cognitio Dei experimentalis*'. In seinen Schriften ‚*De theologia mystica speculativa*', ‚*De theologia mystica practica*' und ‚*De monte contemplationis*' betont er etwa gegenüber *Jan van Russbroec* stärker das affektive Moment in der Mystik.[274] Dadurch wird die Mystik zunehmend zu einer eigenen Disziplin. „Vincent von Aggsbach stellt um die Mitte des 15. Jahrhunderts fest, daß die mystische Theologie und die Scholastik nicht mehr miteinander zu tun haben als die Malkunst mit dem Handwerk des Schusters."[275] Dennoch bleibt die mystische Theologie bis ins 17. Jahrhundert hinein mit der Scholastik eng verbunden.

Im 15. Jahrhundert entwickelte sich in Deutschland eine oft aszetische und emotionale Kartäusermystik. Sie rief den Widerstand von *Nicolaus von Cues* (1401-1464) und anderen hervor. „Gegen die einseitig affektive, antiintellektualistische Richtung dieser beiden Mystiker [Vinzenz von Aggsbach und Nicolaus Kemph von Straßburg] wandten sich Kardinal *Nikolaus von Cues* und die beiden Benediktiner *Johannes Slitpacher von Melk* (†1482) und *Bernhard von Waging* (†1472)."[276] Nicolaus von Cues ist nicht nur als Theologe bedeutsam gewesen. Er hat uns auch einige Schriften zur Mathematik und Physik hinterlasen. Insbesondere fühlte er sich auch der Logik zugeneigt. Raymundus Lullus wurde von ihm viel gelesen. Nicolaus von Cues war kirchenpolitisch sehr engagiert und häufig im Auftrag des Papstes unterwegs. Gleichzeitig aber forschte er laut eigener Aussage mit unermüdlichem Einsatz nach dem Unbegreiflichen.[277] Bei Nicolaus von Cues wird deutlich, daß mystische Theologie nicht eine Fortsetzung der Spekulation der Hochscholastik sein will, sondern einen anderen Weg zu gehen hat, der auf Plato, Augustin, Pseudo-Dionysios Areopagita und Meister Eckhart statt auf Aristoteles begründet ist. Die ausdifferenzierte, begriffliche Spekulation der Schultheologie kann ihn nicht befriedigen. Obwohl Nicolaus selber als Logiker und Mathematiker mit Begriffen umgeht, scheinen diese ihm in der Theologie nicht ausreichend zur Erkenntnis Gottes geeignet. Nicht gegen den Vernunftgebrauch wendet er sich, sondern er setzt sich eher für ihn ein und richtet sich im Gespräch eines armen, ungelehrten Mannes mit einem reichen Rhetor gegen die blinde Übernahme der Tradition. „Die Meinung einer Autorität hat dich gezogen, so daß du wie ein von der Natur aus freies Pferd bist, aber künstlich mit einem Halfter an die Krippe gebunden, wo es nichts anderes verzehrt als das, was ihm vorgesetzt wird.

274 M. Grabmann, Die Geschichte der katholischen Theologie 130.
275 O. Steggink, Mystik – Wortgebrauch 21.
276 M. Grabmann, Die Geschichte der katholischen Theologie 131.
277 Nicolaus von Cues, Dialogus de genesi. Opera omnia 4, 103,7-9.

Denn dein Intellekt, der von der Autorität der Schriftsteller gefesselt ist, wird mit fremden und nicht mit natürlichem Futter genährt."[278]

3.3.7.1 Die ‚gelehrte Unwissenheit' und der Ineinsfall der Gegensätze

Ein anderer Weg muß gefunden werden. Nicolaus stützt sich auf Pseudo-Dionysius und Augustin und entdeckt für sich neu die *docta ignorantia* als den einzigen Weg, Gott zu finden. Dabei spielt die *coincidentia oppositorum* eine wichtige Rolle. Alle Verstandeserkenntnis muß man also hinter sich lassen, wenn man bis zu Gott vordringen will. Nichts kann mit unseren Worten von Gott ausgesagt werden, das er nicht auch schon wieder bei weitem überstiege. Dieses nichtwissende Wissen aber kann und muß man sich bewußtmachen. Daß sich Nicolaus auf diese Weise mit den Vertretern der aristotelischen Linie anlegt, ist nicht zu vermeiden. Denn das aristotelische Denken ist durch den Satz, daß etwas nicht zu derselben Zeit unter derselben Rücksicht sein und auch nicht sein kann, geprägt. So rüstet sich denn auch der Heidelberger Theologieprofessor Johannes Wenck zum Angriff und verfaßt die Streitschrift ‚*De ignota litteratura*'.[279] In seiner Erwiderung von 1449 ‚*Apologia doctae ignorantiae*' wendet sich Nicolaus gegen diese Vorwürfe. Dabei betont er nochmals den Widerspruch von der damals gängigen aristotelischen Richtung und einer mystischen Theologie: „Nun hat die aristotelische Richtung besondere Geltung, die glaubt, die Koinzidenz der Gegensätze, in deren Anerkennung der Beginn des Aufstiegs zur mystischen Theologie liegt, sei eine Häresie."[280]
Nicht eigentlich als Abkehr vom rationalen Denken, sondern als deren Konsequenz wendet sich Nicolaus der negativen Theologie zu. „Die Washeit der Dinge, welche die Wahrheit der seienden Dinge ist, ist also in ihrer Reinheit unerreichbar und von allen Philosophen gesucht, aber von niemandem so, wie sie ist, gefunden worden; und je gründlicher wir in dieser

278 Nicolaus von Cues, Idiota de sapientia 1, 2,4-28. Opera omnia 5, 1,4f.: „Traxit te opinio auctoritatis, ut sis quasi equus natura liber, sed arte capistro alligatus praesepi, ubi non aliud comedit nisi quod sibi ministratur. Pascitur enim intellectus tuus auctoritati scribentium constrictus pabulo alieno et non naturali."

279 Vgl. J. Stallmach, Der ‚Zusammenfall der Gegensätze' 57f.

280 Nicolaus von Cues, „Apologia doctae ignorantiae". Opera omnia 2, 6,7-9: „Unde, cum nunc Aristotelica secta praevaleat, quae haeresim putat esse *oppositorum coincidentiam*, in cuius admissione est initium ascensus in mysticam theologiam ..."

Unwissenheit belehrt sind, desto näher gelangen wir zur Wahrheit selbst."[281] Doch führt die Mystik bei Nicolaus eigentlich nur zur Erkenntnis der Unendlichkeit Gottes, nicht zur Erkenntnis der Wesenheit. Die nähere Frage nach Gott bringt uns wieder zum spezifischen Punkt der Gotteslehre bzw. der Mystik des Cusaners. Gott ist für Nicolaus das Größte, weil unendlich, und gleichzeitig das Kleinste, weil absolut einfach und nicht unterschieden. Das Größte und das Kleinste koinzidieren in Gott.[282]

Da ein Begriff, der die Gegensätze aller Begriffe in sich enthält, selber wieder widersprüchlich ist, präzisiert sich der Cusaner und sagt, Gott ist *jenseits* aller Gegensätze.[283] Auch hier wird deutlich, daß Nicolaus eine Unterscheidung der Erkenntnisfähigkeit und -möglichkeit vertritt. „Wo die Koinzidenz beginnt, hört das Wissen auf – damit ist sogar zugleich eine Bestätigung der Geltung des Nichtwiderspruchsprinzips mit ausgesprochen, als *des* Prinzips unseres *Wissens,* wofern man darunter nur das ‚rationale' Wissen versteht. Denn dahinter steht eine Art Phänomenologie des Geistes, wie sie schon bei Platon (Politeia, 511 B-E) in der Unterscheidung von διάνοια und νόησις und später in der Unterscheidung von ‚ratio' und ‚intellectus' ihren Ausdruck gefunden hatte, nach der also das begriffliche Erkennen überboten wird von einem überbegrifflichen Einsehen."[284] So ergibt sich ein ständiges Aufsteigen, Gott entgegen. Der Zusammenfall steht über der Vielheit, die Vernunft über dem Verstand, und Gott ist erst zu finden hinter dem Ineinsfall und damit auch jenseits unserer Vernunft.

Anders als Hegel später siedelt Nicolaus von Cues in ‚*De Deo abscondito*' Gott noch jenseits des dialektischen Widerspruchs an und versteht ihn nicht als seine Aufhebung. „Gott ist nicht die Wurzel des Widerspruchs, sondern die Einfachheit selbst vor jeder Wurzel."[285] Gott ist die Identität „vor aller Verschiedenheit ... ja sogar ... vor der Verschiedenheit von Nichtverschiedenheit und Verschiedenheit."[286] Darin unterscheidet er sich in seiner Spätschrift deutlich von Hegel, indem er Gott diesem dialektischen Geschehen

281 Nicolaus von Cues, De docta ignorantia 1,3. Opera omnia 1, 9,24-9,28: „Quidditas ergo rerum, quae est entium veritas, in sua puritate inattingibilis est et per omnes philosophos investigata, sed per neminem, uti est, reperta; et quanto in hac ignorantia profundis docti fuerimus tanto magis ipsam accedimus veritatem!"

282 Nicolaus von Cues, De docta ignorantia 1,6. Opera omnia 1, 10,1-11,22.

283 Nicolaus von Cues, De visione Dei, cc.9,10,12,13.

284 J. Stallmach, Der ‚Zusammenfall der Gegensätze' 58.

285 Nicolaus von Cues, De Deo abscondito 10. Opera omnia 4, 8,9f.: „Nam non est radix contradictionis deus, sed est ipsa simplicitas ante omnem radicem."

286 Nicolaus von Cues, De venatione sapientiae 13 u. 35. Opera omnia 12, 35, 5f.9: „Est enim ante differentiam omnem ... atque ante differentiam indifferentiae et differentiae ..."

nicht einverleibt, ja nicht einmal dieses Geschehen sein läßt, sondern ihn diesem entzieht und ihn außerhalb dessen ansiedelt.[287] Aber andererseits gibt es auch eine Verwandtschaft der Ansichten hinsichtlich des Verhältnisses von Verstand und Mystik. In den Schlußbemerkungen zu seiner Vorlesung über die Beweise vom Dasein Gottes heißt es bei Hegel: „Wenn heut zu Tage vom Mystischen die Rede ist, so gilt dies in der Regel als gleichbedeutend mit dem Geheimnisvollen und Unbegreiflichen ... Hierüber ist zunächst zu bemerken, daß das Mystische allerdings ein Geheimnisvolles ist, jedoch nur für den Verstand und zwar einfach um des willen, weil die abstrakte Identität das Prinzip des Verstandes, das Mystische aber (als gleichbedeutend mit dem Spekulativen) die konkrete Einheit derjenigen Bestimmungen ist, welche dem Verstand nur in ihrer Trennung und Entgegensetzung für wahr gelten ... Alles Vernünftige ist somit zugleich als mystisch zu bezeichnen, womit jedoch nur soviel gesagt ist, daß dasselbe über den Verstand hinausgeht, und keineswegs, daß dasselbe überhaupt als dem Denken unzugänglich und unbegreiflich zu betrachten sey."[288]

3.3.7.2 Das Sehen Gottes

In der Schrift *‚De visione Dei‘* an die Brüder vom Tegernsee geht es Nicolaus um die Begegnung zwischen Gott und den Menschen im Sehen Gottes.[289] Wir sehen von uns weg auf Gott, und in dem Maße, in dem wir auf Gott sehen und ihn als den uns Sehenden sehen, läßt er sich sehen. In diesem Sehen sehen wir dann aber auch uns selber neu. „Was anderes ist dein Sehen, Herr, wenn Du mich mit dem Auge der Gerechtigkeit betrachtest, als daß Du von mir gesehen wirst: Indem Du mich ansiehst, gibst Du Dich zu sehen, der Du der verborgene Gott bist. Niemand kann Dich sehen, wenn nicht insoweit, wie Du Dich zu sehen gibst."[290] „Und wenn ich so im Schweigen der Betrachtung verstumme, antwortest Du mir, Herr, tief in meinem Herzen und sagst: Du mögest dein sein und ich werde dein sein."[291] Auch wenn im

287 Vgl. J. Stallmach, Der ‚Zusammenfall der Gegensätze‘ 70.

288 Hegels Vorlesungen über die Beweise vom Dasein Gottes, SW 16, 553; vgl. G. Wohlfart, Mutmaßungen 164f. Anm.

289 Vgl. G. Wohlfart, Mutmaßungen.

290 Nicolaus von Cues, De visione Dei 5 (ed. Gabriel 108): „Quid aliud, Domine, est videre tuum, quando me pietatis oculo respicis quam (te) a me videri? Videndo me, das te a me videri, qui es Deus absconditus. Nemo te videre potest nisi inquantum tu das ut videaris. Nec est aliud te videri quam quod tu videas videntem te."

291 Ebd.: „Et cum sic in silentio contemplationis quiesco tu Domine intra praecordia mea respondes dicens: sis tu tuus et ego ero tuus."

letzten Kapitel von ‚*De visione Dei*' vom raptus mentalis die Rede ist, so stellt doch Wohlfart mit Recht fest. „Der *Sprung* über die Mauer der Koinzidenz ist kein affektiver salto mortale, sondern *Resultat* des Tuns des Intellekts. In seinem Tun geht der Intellekt in seinen Grund und aus diesem Grund entspringt die visio Dei. Im Vergehen der Vernunft geht das Licht des Augenblicks Gottes auf."[292] Wobei im Sinne des Cusaners nochmals darauf hinzuweisen ist, daß dieses Aufgehen nicht automatisch immer dann vonstatten geht, wenn die Vernunft am Ende ist. Daß die visio Dei in unseren Tagen mehr noch als zu den Tagen des Cusaners ein ‚Mysterium' ist, führt Wohlfart zurück auf den „zyklopischen Verstand, der kein Auge hat für die visio Dei".[293]

Gott ist *idem ipsum* (De genesi), oder später *non aliud* (de non aliud), Gott ist nicht gegenüber, sondern alles ist auch in Gott aufgehoben. Gedanken des Areopagiten sind deutlich zu spüren.[294] An anderer Stelle kann Nicolaus auch sagen, Gott ist die Wirklichkeit aller Möglichkeit, ein possest omnipotens. Auch in ‚de possest' ist Gott dem menschlichen, verstandesmäßigen Zugriff entzogen. Letztlich ist der Wahrheitssuchende in der ‚mystischen Schau' Gott am nächsten. Dabei ist es wichtig, daß diese Schau von Gott gewährt wird – oder eben nicht. Darin ist sich Nicolaus mit Dionysios, Eckhart und anderen Mystikern einig. Die Schau ist nichts durch irgendwelche physischen oder psychischen Techniken zu Erzwingendes. „Wenn nämlich der Wahrheitssucher, alles hinter sich zurücklassend, über sich selbst hinausgestiegen und dann innegeworden ist, daß er weiter keinen Zugang mehr hat zum unsichtbaren Gott, ... dann wartet dieser Mensch in ganz hingegebener Sehnsucht auf jene allvermögende Sonne, darauf, daß durch ihren Aufgang alles Dunkel vertrieben und er erleuchtet werde, den Unsichtbaren insoweit zu erschauen, als dieser selbst sich offenbart."[295]

292 G. Wohlfart, Mutmaßungen 164.

293 Ebd.

294 Zum Verhältnis von Nicolaus von Cues und Pseudo-Dionysios Areopagita vgl. W. Völker, Kontemplation und Ekstase bes. 249-255.

295 Nicolaus von Cues, De possest 15. Opera omnia 11,2 19,4-20,10: „Quando enim supra se ipsum omnibus relictis ascenderit veritatis inquisitor et reperit se amplius non habere accessum ad invivibilem deum, ... tunc exspectat devotissimo desiderio solem illum omnipotentem er per sui ipsius ortum pulsa caligine illuminari, ut invisibilem tantum videat quantum se ipsum manifestaverit."

3.3.7.3 Fazit bezüglich des Begriffs ‚Mystik'

So wie es bei K. Barth sichtbar wurde, betont auch Nicolaus von Cues die Vernunft als eigentätiges kritisches Denken gegenüber dem reinen Gefühl und der Tradition. Gleichzeitig weist er aber auch auf die Unmöglichkeit hin, durch Verstandeserkenntnis bis zu Gott vorzustoßen. Barth und Nicolaus ist auch das Aushalten des dialektischen Gegensatzes im Unterschied zu Hegels Aufhebung eigen. Gott ist jenseits des Gegensatzes. Demgemäß kann die Schau Gottes auch nicht durch eine Technik erzwungen, sondern nur von Gott gewährt werden. Entsprechend gilt der Satz negativer Theologie, der Gott unserem begrifflichen Zugriff entzieht, ohne die Offenbarung Gottes aufzugeben. Doch Gott ist auch für Nicolaus von Cues nicht nur unbekannt. Dem christlichen Gott als der Einheit von Verborgenheit und Offenheit müßte die nichtadditive Einheit von positiver und negativer Theologie entsprechen.[296] Die Christologie ist in die Theologie des Cusaners integriert. Schönborn spricht sogar von einem christozentrischen Entwurf.[297]

296 Vgl. K. Flasch, Die Metaphysik des Einen 318-329.
297 C. Schönborn, ‚De docta ignorantia'; vgl. R. Haubst, Die Christologie.

4 MYSTISCHE ZÜGE DER THEOLOGIE VON KARL BARTH

Nachdem im letzten Kapitel den Spuren zu einem möglichen Verständnis der Mystik nachgegangen wurde, welches aus dem ursprünglichen Gebrauch der Begriffe μυστήριον und μυστική in der Antike und der Übernahme durch das lateinische Mittelalter erwachsen ist, wollen wir uns jetzt noch einmal Karl Barth zuwenden. Wie schon am Anfang gesagt, ist es nicht das Ziel dieser Arbeit, Karl Barth als Mystiker darzustellen. Es zeigt sich bei näherem Hinsehen allerdings doch, daß es sehr wohl vergleichbare Züge in der Theologie Karl Barths, so wie sie im ersten und zweiten Teil zur Darstellung kam, und der im dritten Teil aufgesuchten mystischen Theologie der Patristik und des Mittelalters gibt. Dies soll jetzt im einzelnen näher dargelegt werden.

Dabei geht es nicht um eine Kritik an Barths Mystikbegriff, soweit dieser sich kritisch mit einer Theologie Schleiermacherscher Provenienz auseinandersetzt. Dazu müßte eine intensivere Diskussion mit der Theologie der Neuzeit und des 19. sowie des beginnenden 20. Jahrhunderts geführt werden. Dies ist nicht die Absicht der vorliegenden Untersuchung.[1] Es soll vielmehr ein fundierter alternativer Mystikbegriff dem entgegenhalten werden, was Barth oftmals ablehnt. Wenn Barth bei der Genealogie des Begriffs Mystik anmerkt, sie sei „diejenige passive und aktive Zurückhaltung gegenüber der Außenwelt, die zugleich zu einer höheren Weihe des Menschen geeignet ist",[2] so stellt sich doch die Frage, ob er, vom Mysterienkult ausgehend, nicht die sich anschließende Übernahme in den christlichen Sprachgebrauch[3] und die folgende theologische Entwicklung zu stark vernachlässigt.

Die Darstellung der mystischen Züge in der Theologie Karl Barths erfolgt in drei Kapiteln. In ihnen kommen drei Aspekte zur Sprache, die einerseits eine je eigene Bedeutung für die Problematik haben, aber andererseits untereinander in enger Beziehung stehen. Auf die nach Barth sich in der Mystik vollziehende unzulässige Aufwertung des Menschen wird nicht mehr näher

1 Vgl. F.-D. Maaß, Mystik; A. Mager, Mystik als Lehre und Leben, bes. seine Kritik an Görres, ebd. 457-469, vgl. auch 449-456; M. Grabmann, Wesen und Grundlagen; R. Schaeffler, Die Wechselbeziehungen.

2 K. Barth, KD I/2 348.

3 Vgl. L. Bouyer, Einführung in die christliche Spiritualität 263, der deutlich darauf hinweist, daß im christlichen Bereich unter Mystik gerade keine ‚menschlichen Kunstgriffe' verstanden werden, wie es Barth der Mystik so oft vorwirft.

eingegangen. Bei diesem Problem würde es sich eher um eine Verteidigung der Mystik handeln und man müßte zeigen, daß die Mystiker sich selber keineswegs vergottet fühlten oder auch nicht meinten, Gewalt über Gott zu haben.[4] Demgegenüber wird vielmehr nach mystischen Zügen in der Theologie Barths selber gefragt. Deswegen wird in den einzelnen Kapiteln Barths jeweiliges Verhältnis zur mystischen Theologie bzw. gerade nichtmystischen Theologie untersucht. Das erste Kapitel behandelt die Beziehung von Glaube und Wissen als wissenschaftlichem Wissen, das immer in einer gewissen Spannung zu einer mystischen Theologie steht. Diesem gespannten Verhältnis entspricht in der Theologie ein Streit um die Methoden. In ihm offenbart sich Barths Einstellung zur Frage des Verhältnisses von Vernunft und Glaube in der theologischen Rede. Im zweiten Kapitel wird dann sozusagen die andere Seite befragt: Wie verhalten sich der konkrete Glaube und das Nichtwissen einer ‚negativen Theologie' zueinander? Thema des letzten Kapitels ist das Verhältnis von Offenbarung und Mystik. Ziel ist es aufzuweisen, daß vom Selbstverständnis der Mystik die Vorwürfe Barths zu entkräften sind, ja daß letztlich Barth Offenbarung nicht ohne recht verstandene Mystik denkt.

4.1 GLAUBE UND WISSEN

In diesem Kapitel wird aufgezeigt, welche Rolle das Verhältnis von Glaube und Wissen für Barth spielt und wie es sich zu dem verhält, was ursprünglich unter dem Begriff Mystik verstanden wurde.
Dabei ist zunächst Barths Stellung zu seinen theologischen Mitstreitern zu untersuchen, denen gegenüber er oftmals eine andere Einstellung hatte in bezug auf das Verhältnis von wissenschaftlicher Theologie und Glauben. Anschließend ist noch einmal näher auf seine Entdeckung bei der Beschäftigung mit Anselm von Canterbury einzugehen, die sowohl in der Konsequenz seiner Kontroverse zu seinen Mitstreitern lag als auch seine zukünftige Theologie geprägt hat. Zum Schluß werden die Ergebnisse der ersten beiden Punkte vor dem Hintergrund des bezüglich der Mystik Gesagten reflektiert.

4 Dies dürfte auch im dritten Teil der vorliegenden Untersuchung deutlich geworden sein. Die Unterscheidung zwischen Mystik und Magie von E. Underhill, Mystik, bes.93-95, 196-219, ist in diesem Zusammenhang hilfreich.

4.1.1 Barth in der Auseinandersetzung mit seinen theologischen Zeitgenossen

Am Ende der chronologischen Darstellung von Barths Wirken wurde schon deutlich, daß Barth eigentlich zeitlebens ein einsamer Kämpfer in der Theologie war. Zwar haben sich anfangs einige Theologen zusammengefunden, die die ,Dialektische Theologie' begründeten, doch sah sich Barth schon bald gezwungen, sich von ihnen zu distanzieren. Mit seinen ,einstigen' Freunden und Weggefährten E. Brunner und R. Bultmann ging Barth dabei auch öffentlich nicht gerade zimperlich ins Gericht, wie wir gesehen haben.

4.1.1.1 Die Kontroverse mit Harnack

Die erste Auseinandersetzung, die noch einmal näher zu untersuchen ist, fand zwischen Barth und Harnack statt. Es begann mit Barths Vortrag ,*Biblische Fragen, Einsichten und Ausblicke*'. A. von Harnack sah in Barth einen existentialistischen Theologen. Barth betonte sehr deutlich die Entscheidungssituation, in die der einzelne durch die Botschaft gestellt ist. Damit hatte er sich auch klar von der Geschichtsforschung, etwa als Erforschung des historischen Jesus, abgesetzt. „Mag es sich mit dem historischen Jesus verhalten, wie es will, Jesus der Christus des lebendigen Gottes Sohn gehört weder der Historie noch der Psychologie an; denn was historisch und psychisch ist, das ist eben als solches auch verweslich."[5] Barth zielte gerade auf den Punkt ab, an dem „unsere vermeintlichen Erlebnisse aufhören, in der Krisis unserer Erlebnisse."[6] Der daraufhin entstandene Streit mit Harnack wurde, wie erwähnt, drei Jahre später in der Zeitschrift ,*Christliche Welt*' offen ausgetragen. In diesem Zusammenhang interessieren hier nicht so sehr die Beiträge Harnacks als vielmehr der Tenor der Erwiderungen Barths.
Barth gibt immer wieder zu bedenken, daß sich die Offenbarung nur im Geiste erschließe und nicht der Wissenschaft als solcher. Insofern unterscheidet sich der Glaube auch nicht von ,unkontrollierbarer Schwärmerei'.[7] Gleichzeitig betont Barth auch, daß wir nicht in der Erkenntnis Gottes sind, das heißt, daß unser jetziges Reden von Gott immer in Paradoxien verhaftet, also immer auch negative Theologie ist. Die wissenschaftliche Forschung einer kritischen Theologie darf für Barth nicht zu einer neuen ,religiösen

5 K. Barth, Biblische Fragen 95.

6 Ebd. 97.

7 K. Barth, Ein Briefwechsel mit A. v. Harnack 10.

Erkenntnisquelle‘ werden.[8] Später im Rückblick weist Barth nochmals darauf hin, daß er nichts gegen wissenschaftliche Forschung habe, daß aber das Verhältnis gewahrt bleiben müsse. Die wissenschaftliche Forschung könne den Glauben weder hervorrufen noch begründen.[9]

4.1.1.2 Der Streit um die Bedeutung der Natur im Gegensatz zur Gnade

In der Auseinandersetzung mit Brunner steht nicht in erster Linie die Bedeutung und Eigenständigkeit einer wissenschaftlichen Theologie zur Debatte. Die Meinungsverschiedenheit entzündet sich vielmehr an der Frage nach dem Verhältnis von Natur und Gnade.

Barth weiß sich mit Brunner darin einig, daß die Schrift allein das Maß sein soll, und daß Gottes Gnade frei wählt und selber nicht Rechenschaft schuldet. Dies sind in der Tat die Punkte, die Barth besonders wichtig erscheinen. Vor allem auf die Konsequenzen legt er großen Wert: Es gibt keinen Weg an der Offenbarung vorbei zu Gott, und man kann Gottes Gnade nicht erzwingen. In diesem Zusammenhang kritisiert Barth die Mystik, weil er der Meinung ist, daß sie von dieser klaren Haltung abweichen würde. Gegen Brunner wendet sich Barth demzufolge, soweit dieser von einer Erkennbarkeit Gottes aus der Welt spricht. De facto wäre dies für Barth eine Verstandestätigkeit, durch die aber der Mensch gerade nicht – an der Offenbarung vorbei – zu Gott kommen kann. Barth betont dies immer wieder. Er kennt keinen Anknüpfungspunkt im Menschen. Barth will der Offenbarung *nach*denken und ihr nicht entgegenkommen im Denken. Das aber kennzeichnet gerade die Tätigkeit des Verstandes, der, von allgemein bekannten und gegebenen Fakten, Erfahrungen und Regeln ausgehend, sich Neues erschließt.

4.1.1.3 Die Entmythologisierungsdebatte

Die dritte Auseinandersetzung, in der deutlich wird, daß Barth eher ein Vertreter des Bemühens um den Aufweis einer inneren Logik des Offenbarungsglaubens ist als ein Übersetzer der Botschaft in eine dem Verstand

8 Ebd. 12.

9 Zur biblischen Aufgabe der ‚wissenschaftlichen Theologie‘ vgl. K. Barth, 1. Römerbrief V.: „Die historisch-kritische Methode der Bibelforschung hat ihr Recht: sie weist hin auf eine Vorbereitung des Verständnisses, die nirgends überflüssig ist.“ Vgl. auch C. v. d. Kooi, Anfängliche Theologie 242f.; W. Lindemann, Karl Barth und die kritische Schriftauslegung; C. Link, Barths Anfragen.

allgemein zugängige Form für die der Botschaft bis dahin Fernstehenden, ist die Entmythologisierungsdebatte, die Bultmann entfacht hat.
Wie wir oben gesehen haben, meldet Barth vor allem in den Punkten Widerspruch an, an denen er den christlichen Glauben vor einer Mystik wie er sie versteht, in Schutz nehmen zu müssen meint. Zum einen stört er sich daran, daß der Mensch zu sehr im Mittelpunkt steht, zum anderen sieht er die Offenbarung als Offenbarung nicht mehr ernst genug genommen. So kommt für ihn der Inhalt der Botschaft zu kurz.
Dabei interessiert in diesem Zusammenhang besonders ein genereller Vorbehalt Barths gegenüber dem Unternehmen Bultmanns. Im Grunde ist Barth mit Buri der Meinung, daß einer Entmythologisierung eine Entkerygmatisierung folgen müsse. Zwar vertritt Bultmann für Barth inhaltlich noch die ursprüngliche Botschaft der Auferstehung, doch kann er dies genau genommen nicht mehr begründen. Anders ausgedrückt: Die ganze Entmythologisierung, als Entgegenkommen gegenüber einem neuzeitlichen Verstandesdenken, darf nicht radikal zu Ende gedacht werden, wenn nicht die eigentliche Botschaft mit eliminiert werden soll. Daraus schließt Barth umgekehrt für seine eigene Theologie: Man soll sich besser erst gar nicht darauf einlassen, dem neuzeitlichen Verstandesdenken, das rational und logisch die Dinge nach innerweltlichem Muster begründet und erklärt haben will, nachzugehen und nachzugeben. Ein Verstehen, das innerhalb des in der Botschaft Gesagten einen Ort hat, ist für Barth die richtige Konsequenz: das ontologisch wahr und ernst nehmen, was in der neutestamentlichen Botschaft gesagt wird, auch wenn es von unserer heutigen Alltagserfahrung weit entfernt liegt. Denn nur so komme das Eigentliche der Botschaft zum Tragen.
Für das Verhältnis von Barth zur Mystik heißt dies im übertragenen Sinne folgendes: Barths Kritik an der Mystik fußt nicht darin, daß sich Mystik und neuzeitliches, naturwissenschaftliches Denken widersprechen. Im Gegenteil: Barth selber hat seine Schwierigkeit mit solchem Denken. Die Unversöhnlichkeit, wenn es sie denn überhaupt geben sollte, liegt nicht zwischen neuzeitlichem Denken und mystischem Denken. Die entscheidende Frage ist für ihn immer nur die, wie die Botschaft des Neuen Testaments in ihrer eigentlichen Bedeutung zur Sprache kommt. Und ‚in ihrer eigentlichen Bedeutung zur Sprache kommen' heißt für Barth im wesentlichen, daß der Mensch nicht im Mittelpunkt stehen darf, und daß die Offenbarung des Christusgeschehens nicht durch andere Offenbarungsquellen überflüssig werden darf.

4.1.2 Barths Entdeckung Anselms

Im ersten Teil dieser Arbeit wurde die Beschäftigung Barths mit Anselm bereits angeführt. Jetzt ist es an der Zeit, darauf zurückzukommen. Für Barth war die Beschäftigung mit Anselm eine ganz bedeutende Phase in der Entwicklung seiner eigenen Theologie, die quasi eine weichenstellende Funktion hatte. Damals entwickelte sich die Art und Weise, in der Barth später methodisch zu denken pflegte. Vom Zeitablauf seiner theologischen Arbeit her gesehen steht dieses Geschehen zwischen der ersten positiven Aufarbeitung seines eigenen theologischen Ansatzes nach der reinen kritisch dialektischen Bewegung und dem Beginn seines systematischen Entwurfes in der ‚Kirchlichen Dogmatik'. Die Beschäftigung mit Anselm setzte schon etwas eher an,[10] erreichte aber erst hier ihren Höhepunkt.
Da in der Anselmschrift selber nicht die Grundlegung einer eigenen Methode für das kommende Barthsche Denken reflektiert wird, ist es sinnvoll, die Rahmenbedingungen vorweg kurz zu erwähnen. Insgesamt ist es Barths Bemühen, die Theologie von den täglich neu gestellten Fragen der Theologie, Philosophie und Politik abzulösen und wieder auf dem Wort Gottes zu gründen. Bei Anselm meinte Barth zu lernen, daß Theologie nicht auf anthropologischen Gegebenheiten und Konstanten zu gründen habe, sondern allein in der Wahrheit Jesu Christi. Es kommt bei Barth, wie Schmid sagt, „zu einer Klärung der ontologischen Voraussetzungen seiner Hermeneutik".[11]

4.1.2.1 Das theologische Programm

Zunächst ist auf das Verhältnis von *credere, intelligere* und Theologie bei Karl Barth hinzuweisen. Es „kann das Gegebensein oder Nichtgegebensein der Wirkungen des *intelligere* auf keinen Fall eine Existenzfrage für den Glauben bedeuten. Der Zweck der Theologie kann also nicht der sein, die Menschen zum Glauben zu führen, aber auch nicht der, sie im Glauben zu bestärken, ja nicht einmal der, ihren Glauben vom Zweifel zu befreien."[12] Das *intelligere* als Verstehen und die Theologie werden hier von Barth gleichgesetzt. Ebenso wird betont, daß der Glaube keineswegs von der Theologie, also vom Verstehen abhängt, denn er ist darin nicht begründet. „Kommt das *intelligere* reicht zum Ziel (und es kommt wahrlich weithin

10 K. Barth, Die Christliche Dogmatik 97ff. u. 226ff.

11 F. Schmid, Verkündigung 128.

12 K. Barth, Fides quaerens intellectum 15.

nicht zum Ziel), dann bleibt an der Stelle der Freude an der Erkenntnis die Ehrfurcht vor der Wahrheit selbst, die auch so um nichts weniger die Wahrheit ist."[13]

Von einer Begründung der Theologie in ihrer *Notwendigkeit* als Hilfe für den Glauben, wie es am Anfang der Theologie Karl Barths noch oft zu spüren war, ist jetzt nicht mehr die Rede.[14] Das Bemühen um Erkenntnis ist dennoch nicht generell überflüssig, sondern liegt im Glauben selbst begründet. Der Glaube sucht das Verstehen, er strebt nach Gott hin. Auch den nächsten Schritt in Richtung (mystischer) Teilhabe sieht Barth deutlich. „Glauben heißt nämlich bei Anselm nicht nur ein *Hin*streben des menschlichen Willens zu Gott hin, sondern ein *Hinein*streben des menschlichen Willens in Gott und also auch ein wenn auch geschöpflich begrenztes Teilnehmen an der Seinsweise Gottes, also auch ein geschöpflich begrenztes Teilnehmen an der Aseität, der Selbst- und Alleinherrlichkeit und also an der Bedürfnislosigkeit Gottes."[15] Der Intellectus gehört auch für den schon Glaubenden zum Glauben dazu. Das bemüht sich Anselm in die Theologie einzubringen. Andererseits gehört für ihn der ‚feste' Glaube und das Hineinstreben in Gott bzw. die Teilhabe an ihm auch dazu. Die Notwendigkeit der Theologie liegt also jetzt, pointiert gesprochen, eher in dem Streben nach Teilhabe als in der Sicherung des Glaubens.

Nach Barth ist für Anselm Theologie *möglich*, weil sie hören kann auf die Worte der Heiligen Schrift und deren rechtmäßige Konsequenzen, nämlich Kirche und Dogmen.[16] Ferner ist Theologie möglich, weil sie sich zwischen der Kenntnisnahme des Wortes Gottes und dessen Bejahung abspielt. „Nur um das Begehen der Mittelstrecke zwischen der *stattgefundenen* Kenntnisnahme und der *ebenfalls schon stattgefundenen* Bejahung kann es sich also handeln, wenn *fides quaerit intellectum.*"[17] Vor diesem Hintergrund kann man auch Barth besser verstehen, wenn er nicht nach der Vernünftigkeit des Glaubens für einen Nichtglaubenden fragt, sondern nach der Vernünftigkeit des Glaubens in Relation zum ergangenen Wort Gottes, welches er meist als zur Kenntnis genommen und mehr oder weniger bejaht voraussetzt.

Nach der *Möglichkeit* der Theologie nennt Barth aber auch einige *Bedingungen* für Theologie. Zunächst hält er fest, daß Theologie naturgemäß ihre eigene Möglichkeit nicht verlassen darf, das heißt, sie darf sich nicht außer-

13 Ebd. 16.

14 Vgl. F. Schmid, Verkündigung 130.

15 K. Barth, Fides quaerens intellectum 15.

16 Deren nähere Bestimmung läßt Barth allerdings offen.

17 K. Barth, Fides quaerens intellectum 24.

halb der Schrift und des Credos der Kirche stellen. „*Intelligere*, das *intelligere*, nach dem der Glaube sucht, verträgt sich mit ehrfürchtigem Nochnichtwissen und mit endgültigem Nichtwissen um das Inwiefern? der im Glauben bejahten Wahrheit, es verträgt sich aber nicht mit keckem Besserwissen gegenüber dem Daß dieser Wahrheit.“[18]

Ebenso ist zu bedenken, daß die Theologie von ihrem Gegenstande immer inadäquat redet. Unsere Gottesbegriffe sind immer nur Begriffe von Gegenständen, die eben nicht Gott sind. Einen adäquaten Gottesbegriff hat nur Gott selbst. Auch wenn Anselm zu den wenigen mittelalterlichen Autoren gehört, die Pseudo-Dionysios Areopagita am wenigsten zitieren, ist hier doch ein gutes Beispiel für die fundamentale Bedeutung einer *theologia negativa* gegeben. Theologische Aussagen sind deswegen immer anfechtbar und werden auch immer angefochten, es sei denn, sie decken sich mit Glaubenssätzen. Doch dann sind sie keine theologischen Aussagen im eigentlichen Sinne.

Zum Theologie-Treiben gehört das *intelligere*. Dieses ist aber nicht denkbar ohne das rechte Wollen und den rechten Glauben. Beides gehört also zur Theologie immer dazu, sonst läuft das *intelligere* Gefahr, in die Leere zu gehen. Diese Bedingung als solche zu erkennen, ist allerdings wieder ein Akt des Glaubens. „Denn im Glauben nur könne das, dieses Zusammensein von Gehorsamsglauben und Kirchenglauben erfahren und nur in der Erfahrung könne es verstanden werden.“[19]

Die letzte und etwas aus dem Rahmen fallende Bedingung ist das Gebet. Theologische Erkenntnis ist immer auch Frucht der Gnade. Sich Gott mit dem Intellekt nähern heißt für Anselm immer auch, ihm mit dem Herzen nahe zu sein. Um beides ist zu beten. Gott muß nicht nur recht bedacht sein, er muß sich auch zeigen. „Alles hängt ja nicht nur daran, daß ihm Gott die Gnade gibt, *recht* von ihm zu denken, sondern auch daran, daß Gott selbst als *Gegenstand* dieses Denkens auf dem Plane ist, sich selber dem Denker ‚zeigt‘ und damit ein ‚rechtes‘ Denken qualifiziert zu einem *intelligere esse in re*.“[20]

Der *Weg der Theologie* ergibt sich jetzt eigentlich schon aus dem Gesagten. Zunächst weist Barth auf den ursprünglichen Wortsinn von *intelligere* hin: *intus legere*. Dies bedeutet für Barth hinsichtlich des Anselmschen Denkens zweierlei: Zum einen ‚*nach*denken‘ dem was durch Schrift, Credo usw. vorgegeben ist, und zum anderen ‚nach*denken*‘, also das bereits Gesagte neu

18 Ebd. 26.

19 Ebd. 34.

20 Ebd. 38f.

bedenken und neu ins rechte, entsprechende Licht stellen, „also die Wahrheit als Wahrheit *verstehen.*"[21] Anselms Hinweis in ‚*Cur deus homo*', ‚*sola ratione*' zu suchen,[22] heißt für Barth keineswegs, die Grundlage des Glaubens verlassen, sondern quasi auf ihrem Boden *sola ratione* zu suchen. Er begründet diese Interpretation mit den von Anselm tatsächlich vorgebrachten Argumenten. „Der entscheidende Beweis gegen den angeblichen ‚Rationalismus' Anselms besteht doch, wie schon einmal berührt, in dem, was er in seinen Schriften faktisch *getan* hat. Daß etwa die in den Abhandlungen über die Fleischwerdung des Wortes bzw. über das Verhältnis von ‚Natur' und ‚Personen' in Gott, über den Ausgang des Heiligen Geistes vom Vater und vom Sohne, über Jungfrauengeburt und Erbsünde, über den Fall Luzifers vorgebrachten ‚Argumente' Vernunftgründe im Sinne von Ableitungen aus allgemeinen Wahrheiten seien, hat m. W. noch niemand behaupten wollen."[23]

Das *Ziel der Theologie* ist nach Barth für Anselm der Beweis. Von Beweis redet Anselm da, „wo er eine bestimmte Wirkung, nämlich die polemisch-apologetische Wirkung seiner theologischen Arbeit vor Augen hat."[24] Schon fast überflüssig zu erwähnen, daß Barth immer wieder betont, Anselm verlasse die dem Credo innewohnende *ratio veritas* keinen Augenblick, diese bilde vielmehr die Grundlage der ‚Diskussion'. „So ist der Boden und das Dach der Kirche auch hier keinen Augenblick verlassen."[25] Die Beunruhigung, die die Anselmsche Theologie bewegt ergibt sich also, um es noch einmal zu sagen, nicht aus dem *Daß* des Glaubens, sondern dem *Inwiefern.* Wie der Mensch innerhalb des vorgegebenen Glaubens diesen recht und vernünftig verstehen kann, das ist und bleibt für Barth die Frage, die Anselm bewegt. Sofern der Dialog mit Heiden, Juden und Häretikern geführt wird, wird auch dieser innerhalb der Kirche geführt. Anselms Argumente bewegen sich faktisch nicht über ihr erklärtes Fundament, die Schrift und das Credo, hinaus. „Man wird keine Stelle bei Anselm finden, wo er etwa das ‚Beweisen', also die nach außen, an die Adresse des Ungläubigen sich richtende Argumentation als eine von der vom Glauben selbst aus anzustrebenden Untersuchung verschiedene Aktion durchgeführt hätte, wo etwa auf die ‚dogmatische' noch eine besondere ‚apologetische' Aktion folgen oder eine solche der dogmatischen Ak-

21 Ebd. 40.

22 Ebd. 43; Anselm von Canterbury, Cur deus homo I 20, Opera 1,88.

23 K. Barth, Fides quaerens intellectum 54.

24 Ebd. 59.

25 Ebd. 61.

tion begründend oder doch raumschaffend, anagogisch oder apagogisch vorangehen würde."[26]

4.1.2.2 Barths Hermeneutik

Auf den zweiten Teil von Barths Anselmbuch, zum Beweis der Existenz Gottes, gehen wir hier nicht weiter ein. Unser Interesse gilt ja dem Einfluß, den die Beschäftigung mit Anselm auf die Theologie Karl Barths ausgeübt hat, und dieser Einfluß ist im Kapitel über die Theologie Anselms im wesentlichen abzulesen. Barths hermeneutischer Ansatz zeigt sich hier wesentlich als ein ontologischer, jedenfalls wenn man davon ausgeht, daß die Beschäftigung mit Anselm tatsächlich prägend für Barths Theologie gewesen ist.[27]

Rückblickend wird man sehr wohl einen Niederschlag der Beschäftigung mit Anselm in Barths Methode, Theologie zu treiben, finden. Barths ‚Theologie des Wortes Gottes' geht eben, und das ist ihre Eigenart, vom Wort Gottes aus, und von nichts sonst. Von hierher ist auch ihre Ablehnung jeglicher ‚natürlicher Theologie' zu verstehen. Barth ist ja nicht gegen sie, sondern er hält sie schlichtweg in der Theologie nicht für verhandelbar. Er will eben ‚dem Glauben nachdenken' und nicht ihm ‚entgegendenken'.

Wenn auch Anselm durch seine Betonung des Nach*denkens* zu dem ‚weniger mystischem Flügel' des Mittelalters gehört, darf man doch nicht verkennen, daß Barth seine Betonung insbesondere auf das *Nach*denken legt. Damit tritt Barth sehr wohl in die Gefolgschaft eines mystischen Zuges in der Theologie ein. Josef Pieper weist darauf eigens hin. Er charakterisiert die Stellungnahme von Stolz zu Anselms Gottesbeweis mit der Feststellung, „daß Anselms Argument nicht das Mindeste zu schaffen habe mit einem ‚Gottesbeweis': ‚Anselm dachte gar nicht daran, die Existenz Gottes zu beweisen', so sagt ein moderner Ordensgenosse Anselms.[28] Nicht allein mit Philosophie, nein, auch mit Theologie im Sinn einer argumentierenden Wissenschaft habe Anselms Gedanke nichts zu tun; das ‚Proslogion' sei vielmehr ‚ein Stück *mystischer Theologie*'.[29] Es gibt noch andere allerdings ausnahmslos moderne Interpreten, die ähnliches behaupten. Vor allem ist hier Karl Barth zu zitieren: ‚Es handelte sich (bei Anselms Argument) nicht um eine vom

26 Ebd. 67.

27 So Barth selbst im Vorwort von ‚Fides quaerens intellectum' 2.Aufl.; vgl. auch F. Schmid, Verkündigung, bes. 140.

28 A. Stolz, Zur Theologie Anselms.

29 Ebd 4.

Glauben der Kirche sich lösende, den Glauben der Kirche *von anderswoher* als aus sich selbst begründende Wissenschaft. Es handelte sich um Theologie. Es handelte sich um den Beweis des schon vorher, auch ohne Beweis, in sich selbst feststehenden Glaubens durch den Glauben ... Daß man Anselms Beweis der Existenz Gottes immer wieder den ‚ontologischen‘ Gottesbeweis hat nennen mögen, ... das war eine Gedankenlosigkeit, über die nun kein Wort mehr verloren sein soll.‘[30] Barth übersieht, daß Anselm die Fähigkeit des Menschen, das im Glauben Angenommene mit der Vernunft zu erfassen, mit der Gottebenbildlichkeit der menschlichen Vernunft begründet. Der Mensch versteht also nicht nur, *daß* und *wie*, sondern auch *warum* sich Gott geoffenbart hat. Denn Gott handelt vernünftig, und der Mensch hat als Mensch durch seine Gottebenbildlichkeit an dieser Vernunft teil. Entgegen einer anderen möglichen Lesart wird Anselm von Barth als mystischer Theologe interpretiert und gerade als solcher zum Vorbild der eigenen Theologie.

4.1.3 Der Vorrang des Glaubens

Barths Analyse der theologischen Konzeption Anselms hat deutlich werden lassen, was Barth im Grunde schon im Streit mit seinen theologischen Zeitgenossen vertreten hat. Dahinter verbirgt sich letztlich Barths eigene Grundlage seiner Theologie. Man könnte diesen mystischen Zug in der Theologie Barths den ‚*Vorrang des Glaubens*‘ nennen.

Dieser Vorrang des Glaubens gilt für das ‚Theologie-Treiben‘ überhaupt. Karl Barth hat das in der Kontroverse mit A. v. Harnack deutlich gemacht. Barth hat nichts gegen die historisch-kritische Methode als solche. Er meint aber, deutlich sagen zu müssen, daß diese Methode nicht eigentlich der Theologie angemessen ist. Um so mit Geschichte umzugehen, braucht man keine Theologen und keine Theologische Fakultät.[31] Theologie hat von ihrem Glauben zu reden. Sie hat für Barth das Wort Gottes zur Geltung zu bringen. Darunter stellt er sich eine Denkbewegung vor, wie wir sie in seiner Anselminterpretation angetroffen haben: Gott *nach*denken und nicht von unseren Gegebenheiten und Erfahrungen und Wissenschaften ihm *entgegen*-denken. Damit korreliert Barths eigenes Verständnis von Theologie als *kirchlicher* Wissenschaft. Von daher ist auch der Titel ‚Kirchliche Dogmatik‘

30 K. Barth, Fides quaerens intellectum 173f. nach J. Pieper, Scholastik 64, Hervorhebung von J. Pieper.

31 Vgl. K. Barth, Das Wort als Aufgabe nach 162-164; K. Barth, KD I/1 2-10.

für sein Lebenswerk zu verstehen. Nur innerhalb der Kirchlichkeit, innerhalb der Vorentscheidung für den Glauben und die Kirche, kann man nach Barth Theologie treiben.[32]
Der Vorrang des Glaubens vor der Vernunft und dem Verstand gilt ganz besonders hinsichtlich jeder *Begründung* des Glaubens. Dies tritt deutlich bei der Entmythologisierungsdebatte zutage. Der Versuch, die frohe Botschaft neu zu interpretieren, und zwar so, daß der heutige Mensch sie besser verstehen kann, ist für Barth nicht akzeptabel. Dies gilt nicht nur für die von Bultmann aktualisierte Durchführung dieses Unternehmens, sondern für ein solches Ansinnen überhaupt. In dieser Kontroverse der Begründungsstrategie des Glaubens liegt auch der Grund für den Streit mit Brunner. Barths Kampf gegen die Vorstellung eines Anknüpfungspunktes beim Menschen hat hier seinen Ort. Für Barth hat der Mensch nichts in der Hand, keine Eigenart, kein menschliches Proprium, keine weltliche Erfahrung, mit der er ohne Gottes Entgegenkommen zu Gott sich vortasten könnte. Diese Einstellung Barths hat sich insbesondere im Kirchenkampf herauskristallisiert und bei der Barmer Synode eine entscheidende Rolle gespielt.[33] Auf diesem Problem basiert auch die Frage nach der Analogia entis oder fidei.[34]
Wenn Anselm von Canterbury im Proslogion sein Leitmotiv, ‚*Ich suche nicht zu erkennen, um zu glauben, sondern ich glaube, um zu erkennen*‘ explizit als Gegenstand seines Glaubens wertet, ‚*denn auch das glaube ich, daß ich ohne Glauben auch nicht erkennen kann*‘, so kann man schon deutlich sehen, wie sehr sich Barth in seiner eigenen Theologie bei Anselm bestätigt gesehen haben muß. Kein Wunder, daß er dieser Beschäftigung mit Anselm im Rückblick so große Bedeutung beimißt. Dabei können wir aus Barths Distanz zu dem Wissenschaftsverständnis von Harnacks und zu dem Entmythologisierungsprogramm Bultmanns deutlich erkennen, daß für Barth die Grundlegung der Erkenntnis im Glauben das Wichtige bei Anselm ist und nicht in erster Linie das darauf aufbauende erkennende Erfassen des Glaubens. Das Erkennen ist bei Anselm letztlich also immer auch schauendes Erkennen, weil es auf dem Boden des Glaubens steht, den es nicht mehr hinterfragt.
In diesem Sinne stimmt Karl Barth mit Bernhard von Clairvaux überein, der ja gerade die fehlende Begründetheit der Erkenntnis im Glauben bei Petrus Abaelardus moniert. Der bei diesem zu findende Versuch der Vernunft, selbständig zu werden, ist es, der den Mystiker auf den Plan ruft. Der

32 Vgl. K. Barth, KD I/1 §1.

33 Vgl. K. Barth, ‚Texte‘; W. Krötke, Christus im Zentrum.

34 Vgl. E. Przywara, Analogia Entis, und B. Gertz, Glaubenswelt als Analogie.

Mystiker wahrt den Glauben als jenes Mysterium, an dem uns Gott, sofern er es möchte, teilhaben läßt.
Bei Bonaventura wird wiederum deutlich, wie wenig die mystische Begegnung mit Gott in der Hand des Menschen liegt. Gott selber ist es, der Erkenntnis schenkt. Er ist die Grundlage aller Erkenntnis überhaupt. Er ist es, „der unseren Intellekt mit der Klarheit seines Lichtes erfüllt."[35] Im Blick auf Gott, im Blick über uns hinaus schauen wir Gott durch Gott, schauen wir also auch nur kraft seines Schauens in uns. Kein Gedanke an menschliche Überheblichkeit läßt sich an dieser Stelle bei Bonaventura finden. Am Gipfel der Ekstase muß gerade die Tätigkeit des menschlichen Intellekts aufgegeben werden. Und wenn es zu einer Vereinigung mit Gott kommt, so ist dies ein Zeichen der Gnade und nicht irgendwelcher Fähigkeiten.[36]
Auch bei Thomas von Aquin muß Gott dem Intellekt entgegenkommen, wenn Erkenntnis des Göttlichen stattfinden soll.[37] Letztlich aber räumt Thomas ein, daß der Intellekt auch in der Kontemplation nicht zu seinem höchsten Ziel kommt, weil er an Vorstellungsbilder gebunden bleibt. Das Letzte ist deswegen für Thomas das Verstummen, er bricht die Arbeit an der Summa ab. Damit schließt sich der Kreis, denn schon zu Beginn der Summa hat Thomas darauf hingewiesen, daß wir mit unserem Verstand zwar erkennen können, daß Gott ist, aber nicht wie er ist.[38]
In der deutschen Mystik bei Meister Eckhart läßt sich das bereits Gesagte erhärten. Nicht der Mensch mit seiner Vernunft ist es, der sich Gott in der Erkenntnis zu eigen macht. Thomas von Aquin hat in seinen Analysen der Transzendentalien aristotelisch von dem in der Erfahrung her Zugänglichen Gottes Wesen zu bestimmen gesucht, soweit das eben für Menschen möglich ist. Meister „Eckhart philosophiert demgegenüber als echter Neuplatoniker ‚von oben' d. h. von Gott her."[39] Das heißt im Sinne Barths positiv, daß nicht der Mensch Ausgangspunkt der Überlegungen ist. „Nicht transzendieren des Menschlichen, Kreatürlichen, Seienden als Göttliches ist das Ziel, sondern Erkennen des durch Gott Wesentlichen."[40] Damit ist der Vernunft hinsichtlich der eigentätigen Gotteserkenntnis eine Grenze gesetzt. „Das kann exemplifiziert werden an der obersten Kraft der Seele der ‚vernünfticheit' bzw. ‚vernunft', auch als ‚bekanntnisse' bezeichnet. Diese ist, wie

35 Bonaventura, Commentarius in primum librum sententiarum d.3 p. 1 q. 1. Opera 1, 69.
36 Vgl. J. Bernhart, Die philosophische Mystik 143.
37 Thomas von Aquin, Summa theologiae I. qu. 9 a.1.
38 Ebd. qu. 12 a 12.
39 J. Koch, Zur Analogielehre 288.
40 U. Kern, Eckharts Intention 28.

Hermann Kunisch zu Recht sagt, ‚nicht identisch mit dem Verstandesvermögen des Menschen, so wie das ihr eigene Erkennen des *Wesens* Gottes jenseits des Verstandes und Vernunfterkennens liegt. Es ist ein von sonstiger menschlicher Erkenntnis und Erfahrung und ihren Mitteln unabhängiges, in der Gnade unmittelbar (...) geschenktes Aufleuchten der Wesenheit Gottes.‘[41]“[42] Dies bestätigt auch L. Hödl, wenn er darauf hinweist, daß bei Eckhart Gott nicht mit der Vernunft aktiv erkannt wird und dann anschließend das Erkennen als ‚analog‘ apostrophiert wird, sondern die Denkbewegung bei Eckhart so ist wie bei Barth, von Gott her, Gott gibt sich zu erkennen, oder wir erkennen nicht. „Nach dem Modell der Transzendentalien wird das Vollkommen-Sein Gott nicht aus Sicht der Schöpfungswirklichkeit zuerkannt. Unser wirkliches Gotterkennen lebt nicht von Attributen, Prädikaten und Nomina, die Gott nur analog und in der transzendentalen Bewegung des Intellekts zugesprochen werden, sondern die absolute Fülle der Vollkommenheiten Gottes spricht uns an, erweckt Erkennen und Wollen zu der ihnen möglichen Vollkommenheit.“[43]

Bei Nicolaus von Cues sieht es auch nicht anders aus als in unseren bisherigen Erhebungen. Keineswegs will der Cusaner auf den Gebrauch seines Verstandes verzichten. Aber andererseits weiß er auch sehr deutlich um die Grenzen seiner eigenen Möglichkeiten. Jeder vermag Gott nur soweit zu sehen, als er es ihm gewährt.[44]

Ungeachtet seiner Kritik an der Mystik als Eigenmächtigkeit des Menschen geht Barth in seiner theologischen Konzeption bezüglich der Frage des Wissens und Erkennens im Verhältnis zum Glauben mit der mystischen Theologie des Mittelalters, wie sie hier aufgezeigt werden konnte, konform. Gegenüber einer wissenschaftlichen Auseinandersetzung ist der klar und einfach zu bekennende Glaube doch wieder ein Geheimnis. „Wir sollen Beides, daß wir von Gott reden sollen und nicht können, wissen und eben damit Gott die Ehre geben.“[45]

41 H. Kunisch, Offenbarung und Gehorsam 120f.

42 U. Kern, Eckharts Intention 28.

43 L. Hödl, Meister Eckharts theologische Kritik 48.

44 Vgl. G. Wohlfart, Mutmaßungen 153 Anm. 15.

45 K. Barth, Das Wort als Aufgabe 175.

4.2 GLAUBE UND NICHTWISSEN

Im letzten Kapitel wurde Barths hermeneutischer Standpunkt in der Frage wissenschaftlicher Theologie erörtert. Dabei wurde deutlich, daß für Barth Glaube nicht aufgrund des Daseins und Soseins der Welt gefunden oder begründet werden kann. Der Glaube baute gerade nicht auf einem bestimmten ‚weltlichen' Wissen auf, sondern eher, wie bei Paulus, allein darauf, Jesus Christus als den Gekreuzigten und Auferstandenen zu wissen.
In diesem Kapitel ist die Frage weiterzuverfolgen, ob das Wissen nur praktisch nichts zum Glauben beiträgt, oder ob nicht sogar die Enthaltsamkeit gegenüber dem Wissen, wie es sich in etwa schon angedeutet hat, eine christliche Tugend sein kann. Es geht nun also um die ‚negative Theologie'. Dabei wird zunächst noch einmal die Rede von der negativen Theologie im bisher zur Mystik Gesagten zusammengefaßt und ihr Platz im christlichen Glauben bedacht. Abschließend richten sich die Überlegungen auf die Frage nach Barths Verhältnis zur negativen Theologie, die ja immerhin ein ganz wesentliches Moment mystischer Spiritualität darstellt.

4.2.1 Die negative Theologie im Christentum

Zur Darstellung der negativen Theologie, die aus der Konfrontation mit griechischem Gedankengut stammt, geht H. U. v. Balthasar von der Areopagrede Pauli aus. Den Menschen ist die Pluralität eigen. Gott ist die sammelnde Einheit. Der Mensch kann von seiner Vielfalt zur Einheit finden, bleibt aber selbstverschuldet bei den Götzen stehen. Hierbei tritt dann die doppelte Negation zutage: „Die Welt ist nicht Gott, und von Gott kann das Sein, wie es den weltlichen Seienden zukommt, nicht ausgesagt werden. Von der Welt aus gewertet, ist Gott Nichtsein, und das bedingt, daß, wenn dieses Nichtsein Gottes die wahre Wirklichkeit ist, die Welt dann, von ihm her gewertet, ebenfalls (wenn auch in anderem Sinn) Nichtsein, bloße ‚Meinung' (Platon), trügerische Vorspiegelung von Sein ist."[46] Dies bedeutet entweder Selbstverneinung oder wenigstens Befreiung eines Selbstkerns von seiner Weltlichkeit.
Diese Verneinung der Welt wird zum Wegweiser auf und zur indirekten Bejahung von Gott. Diesen Hinweis und Bejahungscharakter hat auch die negative Theologie.

46 H. U. v. Balthasar, Bibel und negative Theologie 21.

Mit Pseudo-Dionysios Areopagita und seinem Buch über die Mystik tritt die negative Theologie nach ihrer Vorgeschichte nunmehr ausdrücklich in die christliche Reflexion ein, indem Dionysios sagt, „in Beziehung auf Göttliches seien Verneinungen wahr, Bejahungen aber unangemessen“.[47] Pseudo-Dionysius Areopagita hängt von Proklos ab und führt den Begriff ‚*theologia negativa*‘ in die christliche Theologie ein. Der Anlaß dafür war der Kontakt des Christentums mit dem neuplatonischen Denken und das Bedürfnis, christliche Offenbarung der kritischen Reflexion menschlichen Denkens zu unterziehen. Der Begriff ‚negative Theologie‘ birgt ein gewisses Problem in sich. Deswegen ist es sinnvoll, sich darüber klar zu werden, inwiefern die Negation auf die Theologie bezogen sein soll. Da sich Theologie als Rede von Gott versteht, wäre es für sie gleichsam vernichtend, wenn sich die Negation auf Gott – den ‚Gegenstand‘ ihres Redens – oder auf das Reden – ihre eigentliche Tätigkeit – bezöge. Dies kann also nicht so sein.[48]
Für Pseudo-Dionysios hat die Negation keinen ontologischen, sondern gnoseologischen Charakter. Die reine negative Theologie in der Hochscholastik verschwindet bis auf die Dionysioskommentare fast ganz. Gleichwohl drangen die Gedanken des Dionysios in die rheinische Mystik und die sogenannte École Française, begründet von Pierre de Bérulle, ein. „Der Grundgedanke ist die Forderung einer vollkommenen Selbstentleerung, damit Gott alles in uns sei.“[49] In dieser ins Ethische gewandten Form ist negative Theologie in der Tat bei Meister Eckhart am deutlichsten zu finden gewesen. Aber selbst bei Thomas von Aquin sind wir auf die Züge einer negativen Theologie gestoßen. Krahe unterscheidet zwischen zwei Formen negativer Theologie. Zum einen sieht sie negative Theologie als Antwort auf das erkenntnistheoretische Problem, das sich einer wissenschaftlichen Theologie stellt, die endliche Aussagen über ein unendliches Wesen tätigen will. Zum anderen weist sie darauf hin, daß der Mystiker von seiner Erfahrung her weiß, daß seine Sprache nicht genügt, um von Gott zu sprechen.[50] Für Krahe gehört es mit zum Anliegen ihrer Arbeit, aufzuzeigen, „wie negative Theologie ein Produkt der mystischen Erfahrung sein kann und ebenso zu einem Weg zur mystischen Theologie zu werden vermag“.[51]

47 Dionysius Areopagita, La Hiérarchie Céleste 2,3. SCh 58,77-80: „Εἰ τοίνυν αἱ μὲν άποφάτεις ἐπι τῶν θείων ἀληθεῖς, αἱ δε καταφάτεις ἀνάρμοστοι τῇ κρυψιότητι τῶν ἀπορρήτων ...“

48 Vgl. M.-J. Krahe, Von der Wesensart 363f.

49 H. U. v. Balthasar, Bibel und negative Theologie 30.

50 Vgl. M.-J. Krahe, Von der Wesensart 32f.

51 Ebd. 34.

Im Abschnitt 3.3 dieser Arbeit zeigte sich negative Theologie – bei aller Unterschiedlichkeit – als vom ‚Gegenstand' der Theologie her gegebene Relativierung alles Begreifens und Redens von ihm. Der Grund für eine Einschränkung in der Rede von Gott ist somit von dem Schweigegebot der antiken Mysterienkulte jedenfalls zu unterscheiden. Er hängt auch nicht mit einer eigentlichen Unkenntnis zusammen, sondern eher mit der *besseren* Einsicht in die unser Erkenntnis- und Ausdrucksvermögen übersteigenden Größe Gottes. Dies war bei Bernhard von Clairvaux und Nicolaus von Cues sehr gut zu sehen, gilt aber zweifelsohne für alle im dritten Teil vorgestellten Theologen. Nicht um einen Agnostizismus geht es, sondern um die gelehrte Unwissenheit, die wenigstens ihr Unwissen noch weiß.[52] Der *theologia negativa* geht stets eine Affirmation der göttlichen Erhabenheit voran,[53] die eine letzte Negation ebenso ausschließt wie das letztliche Verstehen.

4.2.2 Das Verhältnis von Affirmation und Negation bei Karl Barth

Es bleibt die Frage zu beantworten, inwiefern Barth diesen mystischen Zug negativer Theologie in seine Theologie integriert hat. Kennt er eine Beziehung von Affirmation und Negation? Wenn man über Barths Stellung zwischen positiver, also rein affirmativer, und negativer Theologie nachdenkt, wird man zunächst vielleicht meinen, der affirmative Zug seiner Theologe sei überstark ausgeprägt, und er könne der negativen Theologie nichts abgewinnen. Barths Theologie hat sicherlich einen starken Zug zum Positiven. Verschiedendlich wird Barth ja mit Offenbarungspositivismus in Verbindung gebracht.[54] Dies hängt eng mit seiner im vorigen Kapitel beschriebenen Methode zusammen, im Denken vom Wort Gottes auszugehen und Gott *nach*zudenken. So stellt sich in der Auseinandersetzung naturgemäß immer wieder die Frage, woher er das weiß, was er vertritt. Die andere Frage, der jetzt nachgegangen werden soll, zielt auf die Bedeutung des Nichtwissens innerhalb der Barthschen Theologie.
Gegenüber der Priorität des unbeschränkten Gebrauchs der Vernunft in der liberalen Theologie bietet die negative Theologie ein Gegengewicht. Die negative Theologie räumt von vornherein die prinzipielle Unerkennbarkeit Gottes durch den Menschen ein, statt, wie es heute meist üblich ist, zu

52 Vgl. W. Kasper, Der Gott 126-128.

53 Dies betont besonders J. Hochstaffl, Negative Theologie.

54 K. Barth, 2. Römerbrief 117; vgl. R. Prenter, Dietrich Bonhoeffer.

denken, so weit man ‚wissenschaftlich' kommt, und dann anschließend zu sagen, das Ergebnis sei aber nur analog zu verstehen. Die Verwandtschaft von ‚positiver' und ‚negativer Theologie' liegt also in ihrer kritischen Funktion gegenüber einem durch nichts begrenzten und korrigierbaren Gebrauch der Vernunft im neuzeitlichen Wissenschaftsverständnis hinsichtlich der Erkennbarkeit Gottes. Die nächste Frage ist, ob Barth auch Elemente einer negativen Theologie in seiner eigenen Theologie hat und welche Rolle sie dort spielen.

Wenn wir uns auf die Anfänge der Dialektischen Theologie zurückbesinnen und auf die Rolle, die Karl Barth dabei gespielt hat, dann können wir eine wichtige Funktion negativer Theologie als erkenntnsikritisches Moment in der Theologie Barths wiedererkennen. Das Wesen der ‚Dialektischen Theologie' hat sich ja, insbesondere im Römerbrief, als kritische Negation zu verstehen gegeben. Gott ist nicht erkennbar außer in seinem Urteil über den Menschen. Nur indem der Mensch sich als der nichtige Sünder, der er ist, erkennt, kann er etwas von Gott erkennen. „Der wahre Gott ist aber der aller Gegenständlichkeit entbehrende Ursprung der *Krisis* aller Gegenständlichkeit, der Richter, das Nichtsein der Welt."[55] Gott ist aber immer der ganz andere. Nur in Jesus als dem Christus können wir Gott erkennen, erkennen ihn dann aber als unbekannten! „Als der *unbekannte* Gott wird Gott in Jesus *erkannt*."[56] Zu Beginn der Dialektischen Theologie ist der Ansatz negativer Theologie sehr deutlich und gewollt, das charakterisiert auch E. Huovinen: „In der Erkenntnis dessen, daß er eine gänzlich andere Seinswirklichkeit ist als Gott, also in seiner Einsicht der ‚absoluten Heteronomie' ‚hebt' der Mensch einerseits sein eigenes Sein ‚auf', ‚begründet' es aber auf der anderen Seite zugleich. Gerade im ‚Nicht-Wissen' zeigt sich, daß der ewige ‚Ursprung' in Gott liegt. Gott ist der ‚verborgene Abgrund' bzw. Daseinsgrund von Mensch und Welt, sogar die übergeschichtliche ‚verborgene Heimat' des Menschen. In Ort und Zeit bleibt Gott der Verborgene, ‚als Frage und Warnung', aber in der Ewigkeit, in der ursprünglichen und letzten Wirklichkeit, ist Gott dem Menschen der ‚Eigenste' und der ‚Nächstliegende'."[57]

In der Folgezeit gewinnt bei Barth die Bedeutung der Offenbarung an Boden. Doch auch in der Kommentierung des Johannesevangeliums weist er einschränkend darauf hin, daß es Gott offensichtlich gefällt, durch Johannes zu uns zu sprechen, wobei Johannes selber sich nicht rühmen kann, Gottes Wort auf den Lippen zu haben. Damit sein Wort Gottes Wort wird, bedarf es

55 K. Barth, 2. Römerbrief 57.

56 Ebd. 88; vgl. H. Bouillard, Dialektische Theologie 335.

57 E. Huovinen, Karl Barth 18.

der Gnade Gottes. Im ‚*Unterricht in der christlichen Religion*' weist Barth ebenfalls, wie wir bereits sahen, nochmals deutlich auf die Grenze der Erkenntnis Gottes auch in der Offenbarung hin. „Aber nun ist auch das Andere zu sagen, so wenig man sich an den Explikationen, an den konkreten Mitteilungen und Forderungen, also an den Dogmen *vorbei* ins Allgemeine, Mystische und Unmittelbare flüchten darf, weil man sich sonst vor der Offenbarung selbst flüchtet, so wenig sind die Explikationen *selbst* die Offenbarung ..."[58] Barth vertritt also gerade gegenüber der Mystik, so wie er sie versteht, das Moment der Negativität aller Erkenntnis des Menschen. In der KD spricht er es noch einmal andersherum aus, wenn er betont, das Geheimnis muß uns offenbar sein, damit wir es anbeten können, aber es ist uns nur als Geheimnis offenbar. „Es muß uns das *Geheimnis* als solches *offenbar* sein, d. h. es muß einen bestimmten *Charakter* haben, der uns zu einem ebenso bestimmten Schweigen, Anbeten und Uns-demütigen zu veranlassen die Würde und die Kraft hat. Sonst ist es nämlich unvermeidlich, daß wir die Lücke von uns aus ausfüllen, ... daß wir vor diesem oder jenem selbstentworfenen Bild Gottes und des Menschen in ein Schweigen, eine Anbetung, eine Demut versinken, die der, der uns in dieses Dunkel weist, gewiß nicht gemeint hat, von denen er uns aber schwerlich wird abhalten können, solange er sich ... weigert, uns die rechte Gestalt des Geheimnisses zu zeigen, der wir dann auch mit der rechten, nicht eigenmächtigen, sondern durch diese Gestalt geforderten Stille, Anbetung und Demut gegenübertreten können und müßten."[59] Hier tritt wieder der Zug negativer Theologie, der zur dialektischen Theologie gehört und Barths Theologie insgesamt prägt, deutlich hervor.

4.3 OFFENBARUNG UND MYSTIK

Nach der Auseinandersetzung von Glaube und Wissen sowie negativer Theologie, die Barth in einem weitgehenden materialen Einverständnis mit mystischer Theologie zeigte, stellt sich nun die Frage nach dem Verhältnis christlicher Offenbarung zur Mystik.
Dabei sollen zunächst die diesbezüglichen Kritikpunkte Karl Barths gegenüber der Mystik aufgezeigt werden. In einem zweiten Schritt ist zu fragen, inwieweit nicht ein Verständnis der Tradition, wie es im dritten Teil dieser

58 K. Barth, Unterricht Bd.1 238.

59 K. Barth, KD II/2 159.

Arbeit geboten wurde, diese Kritikpunkte relativiert. Darüber hinausgehend wird anschließend noch einmal Barth selbst befragt, inwieweit er in seiner Theologie Ansätze zur Überwindung seiner Mystikkritik bietet und mystische Elemente im Christentum als Offenbarungsreligion kennt.

4.3.1 Der Vorwurf der Konkurrenz von Mystik und Offenbarung

Eng verwandt mit Barths massiven Einwand gegen eine falsch verstandene Mystik, aufgrund der Überbetonung der menschlichen Fähigkeiten ist auch ein anderer Vorwurf. Die dialektische Gegenüberstellung heißt bei ihm nicht mehr in erster Linie ,Werk des Menschen' oder ,Werk Gottes'. Die von ihm betonte Alternative liegt aber in der Fortsetzung des ersten Problems. Auf der einen Seite steht die Offenbarung Gottes, auf der anderen Seite die Frage des Menschen und sein Bemühen, auf diese Frage anderswoher als von Gott, etwa von der Natur, eine Antwort zu bekommen. In diesem ersten Punkt dieses Kapitels kommen nur Barths Kritikpunkte zur Sprache.

4.3.1.1 Offenbarungswort und allzuviel Gewißheit in der Mystik

Bereits sehr früh weist Barth im ,Unterricht in der christlichen Religion' darauf hin, daß die menschliche Weitergabe der Offenbarung nur eine menschliche Weitergabe sei und nicht mit der göttlichen Sicherheit einer „Mystik, Verschmelzung, Verwandlung" ausgestattet sei.[60] Er sieht hier also den falschen Anspruch der Mystik darin, Wort Gottes tatsächlich als Wort Gottes und nicht als Wort Gottes durch Menschenwort weiterzugeben. Dem Mystiker wird so eine Art Wortoffenbarung unterstellt.
An anderer Stelle weist Barth geradezu konträr darauf hin, daß die zu verkündigende Offenbarung im Gegensatz zu Mystik und Moral nicht von Natur aus von allen als Wahrheit einsehbar ist.[61] Aus dieser Perspektive ist die Mystik für Barth ein Gegner der Offenbarung. Denn wenn der Mystiker weiß, wer Gott ist und was er zu den Menschen spricht, und wenn es der Mystiker gar noch besser weiß als jeder andere, weil sein Kontakt mit Gott am engsten ist, dann ist für Barth die Offenbarung schlichtweg überflüssig. So darf der Christ seiner Meinung nach deshalb nicht denken.[62] Dies zeigt

60 K. Barth, Unterricht Bd.1 328.

61 Vgl. K. Barth, Ethik II 96.

62 Vgl. K. Barth, Die Theologie Schleiermachers 48 u. 421.

sich für Barth auch im subjektiven Kirchenlied des 18. Jahrhunderts. Die Lieder von Tersteegen und Gellert sind für ihn Beispiele, in denen von Mystik und Moral so gesprochen wird, daß das Glaubensbekenntnis dann auch gut wegfallen könnte. Der hier gekannte Heilige Geist ist für Barth nicht der Geist Jesu Christi und insofern auch nicht der Heilige Geist.[63] Die Mystik berauscht sich in dieser Sicht an ihrem Wissen und ist nicht bereit, wieder auf den Boden der Schrift zurückzukehren. So verliert sie diese aus den Augen.[64] Deswegen befindet sie sich auch mit dem Atheismus zusammen als eine der beiden möglichen Fortsetzungen der Religion im Gegensatz zur Offenbarung.[65]
Diese Kritik Barths wird noch durch seine besondere Betonung der Christologie verstärkt. An der Offenbarung vorbei heißt auch an Christus vorbei. Einen entsprechenden Vorwurf macht er der Ostkirche bezüglich ihrer Schwierigkeiten mit dem filioque, die Barth als mystischen Zug interpretiert. Es wird eine Beziehung über den Heiligen Geist direkt mit dem Vater gesucht, wobei der Sohn und die gesamte historische Dimension ausgeschaltet werden sollen. So kann es nach Barth nicht gehen. Der Sohn soll immer eine wichtige Rolle spielen.[66]
Alles was wir von Gott wissen, dürfen wir erst durch Christus von ihm wissen. Von ihm und nur von ihm, nicht von Mystik und Moral, dürfen wir uns sagen lassen, wer Gott ist.[67]

4.3.1.2 Statt sich das Wort sagen zu lassen, wird der Mensch tätig

Ein anderer Vorwurf Barths gegen die Mystik lautet, daß sie den Menschen zu hoch bewerte, der Mensch sich damit eine Macht anmaße, die er Gott gegenüber nicht habe, und auf ein Ziel zusteuere, nämlich die Vereinigung, die es mit Gott nicht geben könne. Der Mensch selber wolle sich so über seine eigene Sphäre des endlichen Sünders erheben.
In der Auseinandersetzung mit Schleiermacher stellt Barth das Wort, das *Gott spricht* dem Gefühl, das *der Mensch hat* gegenüber. Dieses Gefühl sei das Heiligtum der „heidnischen und christlichen Mystik".[68]

63 Vgl. ebd. 278f.

64 Vgl. K. Barth, KD I/1 186.

65 Vgl. ebd. I/2 348-356.

66 Vgl. K. Barth, Die christliche Dogmatik 288; K. Barth, Unterricht Bd. 1 159.

67 Vgl. K. Barth, Ethik II 119.

68 K. Barth, Brunners Schleiermacherbuch 49.

Auch an anderer Stelle ist Mystik wiederum die *Tat* des Menschen[69] und zwar die als *Triumph*tat verstandene. Dem widersetzt sich Barth von seiner Rechtfertigungslehre her.[70] Eine Nachbildung des Sterbens und der Erlösung finden im Glauben der Christen zwar statt, aber dies darf eben nicht als dessen Tat verstanden werden.[71] Die Tat des Menschen, sich Gottes in der Vorstellung zu bemächtigen, wird immer dann naheliegend sein, wenn Gott selber zum absoluten Geheimnis geworden ist und Christus für die Frömmigkeit keine Rolle mehr spielt.[72]
In der Ethikvorlesung von 1928/30 wandte sich Barth gegen eine *unio mystica*, weil sie eine ontologische Verschmelzung meine. Doch Gott und Mensch sind und werden nicht identisch. Die einzige Ausnahme ist in Jesus Christus selber gegeben, aber sie ist einmalig. Dieses Argument führt Barth auch in der christlichen Dogmatik noch einmal an. Er sieht in der Bedeutung des Seelengrundes, quasi als Bestandteil des Menschen, als ihm zur Verfügung Anheimgestelltes, eine Aufwertung des Menschen. Die Grenzen zwischen Mensch und Christus verschwimmen. Jeder Mensch ist dann für Barth ein Christus, da Gott in seiner Seele geboren werden kann. So wird versucht, den Menschen besser und göttlicher zu machen als er ist. Dies lehnt Barth als Selbsttäuschung ab.
Als menschlichen Versuch, sich Gottes zu bemächtigen, lehnt Barth Versenkungstechniken jeglicher Art ab. Sie führen für ihn im weiten Bogen an der Offenbarung vorbei.[73] Dies gelte auch für die Ekstase bei der geschlechtlichen Begegnung. Diese sei zwar gut und gottgewollt, jene führe aber nicht zu Gott. Auch das Insichgehen führt nach Barth nicht über sich hinaus und zu Gott hin, wohl aber das Schauen auf Christus.[74] Besonders auf Schleiermacher gemünzt ist Barths Verurteilung des Ineinsgehens von Mystik und Freude an der Kultur.[75] Im zweiten Römerbrief wird Mystik mit Weltflucht

69 Vgl. K. Barth, Die Theologie Schleiermachers 187.

70 Vgl. ebd. 410; K. Barth, KD II/2 116-119; K. Barth, KD I/2 343f. und 431.

71 K. Barth, KD IV/1 702.

72 K. Barth, KD II/2 121f. und 159.

73 K. Barth, KD III/4 64 u. 67; ebd. IV/3 620; ebd. IV/12.

74 K. Barth, KD IV/2 315.

75 K. Barth, Die Theologie Schleiermachers 410 u. 440; K. Barth, Die christliche Dogmatik Bd.1 176f.

in ein besseres Jenseits in Verbindung gebracht, als falscher Idealismus.[76] Verantwortung für die Welt wird so nicht übernommen.[77]

4.3.2 Die fehlende Eigenmächtigkeit einer christlichen Mystik

Angesichts dieser Vorwürfe Karl Barths sollen noch einmal die Stimmen der Tradition zu Wort kommen. Aus biblischer und historischer Sicht wird vor dem Hintergrund des 3. Teils dieser Arbeit gefragt, ob die Mystik tatsächlich durch ihre Betonung der Eigenmächtigkeit des Menschen der Bedeutung der Offenbarung als Geschenk und historischer Größe im Christentum zu wenig Raum läßt.

4.3.2.1 Die biblische Sicht

Die Rede vom Mysterion ist immer Rede von dem, was nicht offen zutage liegt und nicht von jedermann verstanden wird. Sie ist und beinhaltet ein Geheimnis, jedenfalls für alle, die nur mit den Augen der Welt zu sehen gewohnt sind. Immer aber ist diese Rede eingebunden in die ‚Rede' von der Offenbarung der Liebe Gottes und seiner Gnadengaben den gläubigen Christen gegenüber. Alle andere Rede, etwa die von den Charismen und von der Prophetie oder Zungenrede, sind innerhalb dieses Rahmens zu sehen. Es gibt keine privilegierten Kreise. Nach der Apokalypse (Offb 1,10) werden letztlich alle den Himmel offen sehen. „Auf der Koordinate Offenbarung-Glaube liegt im Neuen Testament der ganze Ton; die subjektiven Formen, in denen der entgegennehmende Glaube auftreten kann, werden zwar einigermaßen unterschieden, aber ohne daß ein Wertakzent darauf gelegt oder ein psychologisches Interesse daran bekundet wird."[78] Neben der generellen Öffentlichkeit ist das Fehlen eines Wertakzentes für uns in diesem Zusammenhang wichtig. Es ist gerade nicht das primäre Ziel im Christentum, bestimmte Visionen zu haben, wohl aber in Christus zu leben.
Vom Gebrauch des Begriffs μυστήριον, wie er dargelegt wurde, kann man sicherlich nicht sagen, daß er außerhalb des Wirkens vom Heiligen Geist private Offenbarungen enthüllt, die nicht im Christusgeschehen enthalten wären. Bei den apokalyptischen Visionen etwa in Daniel klingt noch etwas

76 K. Barth, 2. Römerbrief 117; K. Barth, Die Theologie Schleiermachers 166; K. Barth, Ethik I 424 u. II 91.

77 K. Barth, KD IV/2 616.

78 H. U. v. Balthasar, Zur Ortsbestimmung 300.

vom Mysterienkult an. Doch sind die Unterschiede gerade dahingehend, daß zum einen Gott selber nicht dem offenbarten Schicksal unterworfen ist, und zweitens der Visionär nicht vergottet wird. Mensch bleibt Mensch und Gott bleibt Gott. Dies gilt auch für den neutestamentlichen Gebrauch von μυστήριον. Dem Gleichnis vom Sämann folgt das Verstockungswort. Dem Menschen ist das rechte Verständnis der Botschaft gegeben oder nicht. Es gibt keinen Hinweis darauf, daß der Mensch von sich aus etwas machen könnte. Auch wenn Paulus von μυστήριον spricht, so ist dies gerade dem Zugriff weltlicher Weisheit entzogen. In der Verkündigung wird das Geheimnis angesagt, und in ihr vollzieht sich auch seine Ankunft. Die Christen haben allerdings daran teil und sind nicht unbeteiligte Zuschauer.

4.3.2.2 Beispiele der Geschichte

Bei den Kirchenvätern und im Mittelalter ist das Adjektiv ‚μυστικός – mysticus' dem Mysterium zugeordnet, unter dem die in Christus geoffenbarte Heilsökonomie zu verstehen ist. Es ist wichtig, hinter den zugänglichen Worten der Heiligen Schrift jene heilszusagende Botschaft Gottes zu erkennen, die sich als Geheimnis nur einer spirituellen Auslegung im Heiligen Geist erschließt. Von daher ist auch die Liturgie mit einbezogen. Hier wird das tiefere Verständnis, vor allem des Altarsakramentes, signalisiert. Darin sieht Balthasar den besonderen Unterschied von allem anderen religionsgeschichtlichen und -philosophischen Gebrauch.[79]

Wenn in der *alexandrinischen Schule* von Mystagogie die Rede ist, dann doch so, daß Christus der Mystagoge ist und der Mensch von ihm geführt wird und geführt werden muß. Auch bei den Sakramenten handelt es sich um etwas Empfangenes und um nichts, was der Mensch von sich aus ins Spiel bringen könnte. *Pseudo-Dionysios* beschreibt den letzten Teil des Weges zur Vereinigung nicht als aktiven. Sein angeblicher Lehrer Hierotheos ‚erlitt' das Göttliche, und der sich von allen irdischen Dingen und Gedanken Lösende wird ‚emporgehoben werden' und nicht ‚sich selber hinaufschwingen'. Bei *Augustinus* wird besonders gut deutlich, daß er nicht von sich aus Gott erobert, sondern daß er die Gnade der Bekehrung erhält. Dies tritt auch in den Visionserzählungen deutlich zutage. Man wird nach dem Studium der Bekenntnisse nicht sagen können, daß Augustin es wäre, der jetzt ständig freien Zugang zu Gott habe. Gott ist es, so sagt er, der ihn berührt. Augustins Streben ist dann nur die entsprechende Antwort.

Die Antwort des *Bernhard von Clairvaux* auf *Petrus Abaelard* ist ein

79 Ebd. 301.

Hinweis auf diese passive Seite des menschlichen Glaubens. Bernhard wirft Abaelard vor, daß er über seine Höhe hinausstrebe und ins Göttliche einbreche. Hier verteidigt der Mystiker geradezu im Sinne Barths die Begrenztheit der menschlichen Erkenntnisfähigkeit, was Gott angeht. Ein anderes Problem sind die vestigia trinitatis, die Bernhard sehr wohl in Gedächtnis, Vernunft und Wille sehen kann. Allerdings sind sie bei Bernhard und anderen nicht als etwas, dessen der Mensch sich rühmen kann, zu verstehen, sondern eher als Hinweis auf den dreifaltigen Gott. Deswegen steht auch Barth den *vestigia trinitatis* nicht ganz ablehnend gegenüber. Barth setzt sich in der KD sehr intensiv mit ihnen auseinander. Dabei hält er diese Rede zwar für irreführend, räumt aber zumindest die gute Absicht ein: „Die Erfinder der *vestigia trinitatis* wollten keine zweite andere Wurzel der Trinitätslehre neben der Offenbarung angeben, geschweige denn, daß sie diese andere als die eine und wahre angeben und die Offenbarung des trinitarischen Gottes leugnen wollten.“[80] Ähnlich verhält es sich mit der Rede vom *acies mentis,* der Spitze des Geistes oder auch vom Seelengrund. Hier muß man berücksichtigen, daß es hier um ein *unum consentibile* und nicht um ein *unum consubstantiale* geht. Dies ist sicherlich insgesamt ein wichtiger Punkt, der gegen die Ablehnung Barths spricht und dieser die Schärfe nimmt.

Die *Viktoriner* können als Grenzgänger zwischen Aristotelismus und Neuplatonismus gelten. So kennen sie auch die Phase der Verzückung und der Einigung der Seele mit Gott, aber sie bleiben hinsichtlich der Beurteilung des Menschen sicherlich realistisch und sprechen nicht von seiner Vergottung im ontischen Sinne. Bei *Bonaventura* heißt es zwar, Gott selbst sei zuinnerst in jeder Seele und laße die vollkommene Klarheit seiner Urbilder auf die dunklen Bilder unseres Intellekts strahlen,[81] doch wird im nächsten Satz schon darauf hingewiesen, daß damit gemeint sei, daß unsere Erkenntnis letztlich durch Gott bewirkt ist, sofern sie tatsächlich Erkenntnis ist. Dies ist also gerade keine Möglichkeit, die der Mensch von sich aus hat.

Auch bei *Thomas* gibt es die Lehre von einer höchsten Seelenspitze. Sie erkennt die sittlichen Normen und empfängt die Gaben des Heiligen Geistes. Erkennen Gottes ist auch bei Thomas ohne die Hilfe Gottes nicht denkbar. Er selber ist es ja, der der Substanz des erkennenden Intellekts die Form geben muß, damit es zu einer Erkenntnis kommt. Also auch hier liegt keine Möglichkeit allein des Menschen vor. Zu sehr betont jede mittelalterliche

80 K. Barth, KD I/1 364; vgl. ebd. 352-367.

81 Vgl. Bonaventura, Commentarius in primum librum sententiarum d.3 p.1 q.1. Opera omnia 1, 67-70, und ders., Itinerarium cap. 2 passim. Opera omnia 5, 299-303.

Erkenntnistheorie das Mitwirken Gottes beim Erkenntnisprozeß, als daß eine Erkenntnis als solche dem Menschen selbst möglich wäre.
Ebenso ist bei *Meister Eckhart* die Vereinigung nicht als etwas für den Menschen Verfügbares zu verstehen. Wie wir am Beispiel der Gerechtigkeit gezeigt haben, ist nicht etwa jemand dadurch gerecht, daß er Gott in sich hat. Sondern insofern jemand tatsächlich gerecht lebt, ist die Gerechtigkeit, ist Gott bei ihm. Dies ist natürlich ein ganz bedeutsamer Unterschied. Dabei haben wir auch schon darauf hingewiesen, daß diese Aussagen eben nicht ontologisch zu verstehen sind. Es wird damit keine tatsächliche und andauernde Verfügungsgewalt des Menschen über Gott ausgesprochen. Eckhart ist ohnehin skeptisch gegenüber allen Unternehmungen des Menschen qua Mensch. Selbst wenn der Mensch Gott in bestimmter Weise oder zu einem bestimmten Zweck sucht, so wird er ihn nicht finden. Die Rede vom Seelengrund oder Seelenfünklein besagt also nicht, daß der Mensch sich in irgendeiner Weise Gott zu eigen machen könnte. Auch *Nicolaus von Cues* sagt es deutlich. „Jeder vermag Dich nur soweit zu sehen, als daß Du es ihm gewährst.“[82]

4.3.3 Barths positive Ortsbestimmung von Mystik im Offenbarungsglauben

Die Offenbarung tritt uns bei Barth im Gegensatz zu allzuvertrauter Erfahrungsgewißheit der Mystik mit der Forderung nach Gehorsam entgegen, und zwar Gehorsam gegenüber den biblischen Aussagen und Dogmen, in denen uns die Offenbarung heute begegnet. Dabei sind die Dogmen nicht selbst die Offenbarung. Man darf sich nicht in das Mystische und Unmittelbare flüchten, „weil man sonst vor der Offenbarung flüchtet, [ebensowenig sind jedoch] die Explikationen *selbst* die Offenbarung.“[83] Flüchten darf man also zu keiner Seite. Demzufolge müßte jede Seite auch in der richtigen Dosierung etwas Gutes beinhalten.
Barth kann sogar sagen, daß sich im Gebet das Gegenüber von Beter und Gott auflösen kann, weil der Heilige Geist selber im Beter betet. Dieser Mensch steht dann „der Offenbarung nicht mehr gegenüber, sondern *in* der Offenbarung“.[84] Der Vorstellung, daß der Heilige Geist selber im Beter

82 Nicolaus von Cues, De visione Dei 5. Opera omnia 6: „Nemo te videre potest nisi inquantum tu das ut videraris.“ Übers. v. G. Wohlfart, Mutmaßungen 153 Anm. 15.

83 K. Barth, Unterricht Bd.1 238.

84 K. Barth, Erklärung des Johannes-Evangeliums 248f.

betet, entspricht Barths Zustimmung zu Augustins Forderung ‚Erhebet Eure Herzen', genau dies sei zu tun.[85]
In der Auseinandersetzung mit Augustin scheint Barth überhaupt eine gewisse Sympathie für den Gedanken aufzubringen, Gott in seiner Schöpfung und in unserer Geschichte zu begegnen. Dies behauptet er jedenfalls positiv gegenüber einer ort- und zeitlosen Mystik. Wollten wir hinaufeilen, eilten wir an Gott vorbei, „der ja in seiner Offenbarung in diese unsere Welt gerade heruntersteigt".[86] Im Zusammenhang mit Überlegungen zum Begriff Liebe kennt Barth tatsächlich so etwas wie ein mystisches Moment. Obwohl er es gefühlsbetont beschreibt, qualifiziert er es doch nicht ab. „Ein Gefühl genießender Betrachtung Gottes kann – man sei kein allzu fanatischer Anti-Mystiker! – als Moment des die Liebe zu Gott ins Werk setzenden Handelns in Frage kommen, kann aber nicht an dessen Stelle treten."[87] Dieser sehr spät von ihm geäußerte Gedanke kann nur unterstrichen werden. Auch von unserer historischen Betrachtung aus wird man nicht sagen können, daß die Betrachtung Gottes nicht zum Handeln führen dürfte. Im Gegenteil: Die vitae derer, die wir Mystiker nennen, zeugen zum großen Teil von sehr reger Tätigkeit.[88] Auch wenn Barth in der Kirchlichen Dogmatik meint, in der mittelalterlichen Mystik „schreckliche Beispiele" finden zu können,[89] ohne diese aber anzugeben, spricht er im folgenden doch insgesamt ein positives Wort zur Gottesliebe und in diesem Zusammenhang auch zur Mystik.

4.3.3.1 Christus in mir

Die bekannte Paulusstelle von Gal 2,20 ‚Christus lebt in mir' ist für Barth im ‚*Unterricht in der christlichen Religion*' von 1924 noch „ohne alle Christusmystik" zu lesen.[90] Später, in der Kirchlichen Dogmatik, qualifiziert er zunächst die Stelle als nichtmystisch, sagt dann aber ganz deutlich: „Ist Mystik *das*, dann ist Mystik eine unentbehrliche Bestimmung des christlichen Glaubens."[91] Sein anschließender Einwand, daß Mystik von den Mystikern statt dessen als Technik verstanden wird, mit der an der Heilsgeschichte

85 Ebd. 10.
86 K. Barth, KD II/1 10.
87 Ebd. IV/1 113.
88 Bernhard, Eckhart, Nicolaus, Teresa v. Avila u. Johannes etc.
89 K. Barth, KD IV/2 901.
90 K. Barth, Unterricht Bd.1 239.
91 K. Barth, KD III/4 64.

vorbei die Einigung erreicht werden soll, kann hinsichtlich der Zeugnisse der Mystiker und Theologen nicht überzeugen.

In der Kirchlichen Dogmatik zitiert Barth die Verse von Angelus Silesius: „Wird Christus tausendmal in Bethlehem geboren und nicht in dir: du bleibst doch ewiglich verloren." In Parallelität zu der Paulusstelle Gal 2,20 ist auch hier das Urteil Barths trotz der mystischen Formulierung des Verses positiv. „Das Problem hat in der Tat auch diesen zeitlichen oder also räumlichen Aspekt."[92]

Dabei ist Barth die christologische Dimension dieser Aussage besonders wichtig. „Paulus hat nun einmal nicht geschrieben: Gott – sondern *Christus* lebt in mir! So redet eine die Distanzen wahrende Mystik – wenn man die Sache überhaupt so nennen will."[93] Dem entspricht auch, daß die Bernhardinische Mystik zu christozentrisch ist, um schlecht zu sein. Außerdem hat Calvin sie sehr geschätzt.[94] Durch ihre Christusnähe ist sie für Barth dann gar keine Mystik mehr. Hier wird deutlich, daß der Begriff Mystik für Barth besonders dadurch abqualifiziert ist, daß er angeblich beinhaltet, christusfern zu sein. Dabei wird Barth allerdings den historischen Mystikern und Theologen nicht gerecht, wie im dritten Teil der vorliegenden Arbeit gezeigt werden konnte.

Auch die Auseinandersetzung mit der Stelle, an der Calvin die Gemeinschaft vom berufenden Christus und dem hörenden Christen eine unio mystica nennt, entspricht voll und ganz unseren bisherigen Beobachtungen. Barth betont hierbei wieder, daß unio nicht das Werk des Menschen ist, und daß der Mensch nicht seine Identität in der Vereinigung verliert. Dabei entwirft Barth dann sogar eine eigene Vorstellung einer *„unio cum Christo"*.[95] Um die Eigenart des Christen zu wahren, muß Barth der Eigentätigkeit dann aber doch einigen Platz einräumen. „Die Vereinigung des Christen mit Christus, die den Menschen zum Christen macht, ist ihre *Verbindung* in ihrer beiderseitigen *Selbständigkeit, Eigenart* und *Eigentätigkeit.*" So ist sie für ihn aber auch eine gänzliche und unauflösliche Verbindung.[96] Diese unio cum Christo ist im wesentlichen nicht punktuell gesehen. Sie macht den Christen zum Christen, daß heißt jeder Christ hat sie. Sie ist zugleich zeitlich beständig. Barth versteht sie im Anschluß an Calvin auch als Ruf in die Nachfolge. Er sträubt sich aber, sie Mystik zu nennen, weil dies für ihn etwas mit

92 Ebd. IV/1 316.

93 Ebd. IV/2 61f.

94 Vgl. ebd. III/4 64.

95 Ebd. IV/3 620.

96 Ebd. 621.

Eigenleistung des Menschen zu tun hätte. Wir stoßen so immer wieder auf Stellen, an denen Barth eigentlich den Ort der Mystik kennt, diesen aber nicht benennen will, weil er das Vorurteil hat, Mystik wäre Tat des Menschen. Damit steht er jedoch, was die geschichtliche Erhebung angeht, nicht auf der Linie der patristischen und mittelalterlichen Theologie, wie wir sie zuvor skizziert haben. Barth ist zuzustimmen, daß Visionen und Trancezustände nicht das Wesentliche der Mystik sind, und daß diese vor allem den Menschen vor Gott nicht aufwerten.[97] Sie sind allenfalls Zeichen für etwas anderes.

4.3.3.2 Sterben vor Gott

Daneben gibt es bei Barth aber noch eine andere Bedeutung von Mystik. Im Bereich des Sterbens des Menschen vor Gott scheint Barth mystische Begrifflichkeit nicht nur bei Luther und Calvin zu finden, sondern sie für diesen Bereich auch zu bejahen, sofern nur klar ist, daß dies nicht die Macht des Menschen erweitert. Der Mensch muß bei Calvin gegenüber der göttlichen Tat sterben. „Will man das Denken des dann sichtbar werdenden Jenseits aller Erfahrung mystisches Denken nennen, so lohnt es sich nicht, etwa gegen dieses Wort zu streiten."[98]
Auf dieser Linie, wenn man einmal von dem Verständnis der Mystik als Tat des Menschen absieht, bringt Barth der Mystik viel Zustimmung entgegen. „Wenn wir uns, mit oder ohne Mystik, wirklich selbst verleugnen, dann werden wir nie sagen können, daß wir das getan haben, sondern daß Gott aus lauter Gnaden das in unserem Tun gefunden hat."[99] So gesehen kündigt sich in der „herben gesunden abnegatio nostri" des Reformiertentums die „Glut der Mystik Tersteegens" an.[100] Diese ‚*abnegatio nostri*' befindet sich auch in einer gewissen Nähe zur Ignatianischen Mystik, deren Wahlspruch lautet ‚*Omnia ad maiorem Dei gloriam*'. „Von dieser Losung aus wird die Mystik des Igantius ins rechte Licht gerückt. Es ist eine Mystik des Dienens, des Unterwerfens unter den göttlichen Willen, denn außerhalb des göttlichen Willens gibt es keinen anderen Willen, der zu rechtfertigen wäre."[101]

97 Vgl. K. Barth, Unterrricht Bd.1, 218.

98 K. Barth, KD I/1 233.

99 K. Barth, Ethik II 271.

100 K. Barth, Reformierte Lehre 188.

101 W. Brixner, Die Mystiker 93.

5 ABSCHLIESSENDE BEMERKUNGEN

Was ist nun am Ende dieser Arbeit zum Begriff ‚Mystik' bei Karl Barth zu sagen? Im ersten und zweiten Teil dieser Untersuchung wurde der Gebrauch des Begriffs bei Karl Barth dargestellt. Wie es sich schon im Lebenslauf andeutete, so hat es sich im systematischen Überblick bestätigt. Bereits in der frühen Zeit spielen mystische Elemente in der ‚dialektischen Theologie' eine wichtige Rolle. Gleichzeitig wird eine emotionale Mystik Schleiermacherscher Provenienz abgelehnt. Die Differenziertheit des Urteils und auch das Wohlwollen insgesamt gegenüber dem Begriff ‚Mystik' nehmen in Barths Schriften allmählich zu. Nachdenklich blickt er 1956 in seinem Vortrag ‚*Die Menschlichkeit Gottes*' zurück: „Alles, wie gut es auch gemeint sein und wieviel auch dran sein mochte, doch ein bißchen arg unmenschlich und teilweise auch schon wieder – nur nun eben nach der andern Seite – häretisierend gesagt! ... Wie wurde da alles, was auch nur von ferne nach Mystik und Moral, nach Pietismus und Romantik oder gar nach Idealismus schmeckte, verdächtigt und unter scharfe Verbote oder doch in die Klammer von faktisch prohibitiv klingenden Vorbehalten gestellt!"[1]
Zwar ging Barth in den meisten Fällen auf Distanz zur Mystik, doch war auch zu sehen, daß ein ganz bestimmtes Mystikverständnis auf seiten Barths seine Skepsis der Sache gegenüber hervorrief.

5.1 BARTHS KRITIKPUNKTE

Barths Kritik an der Mystik mag zu einem gewissen Teil die subjektbetonte Kirchenlieddichtung des 17. und 18. Jahrhunderts[2] sowie die Mystik des 18. und 19. Jahrhunderts betreffen,[3] die ihm wohl vornehmlich vor Augen standen. Ob seine Kritik in dieser Hinsicht tatsächlich trifft, wäre an anderer Stelle zu untersuchen. Sie trifft jedenfalls nicht jenes Mystikverständnis, welches sich nach der Übernahme des Begriffs μυστήριον in das christliche

1 K. Barth, Die Menschlichkeit Gottes 8.

2 Vgl. K. Barth, KD I/2 276f.

3 Barth setzte sich hauptsächlich mit F. Schleiermacher und seiner Betonung des Gefühls auseinander.

Denken zunächst herausgebildet hat. Auch an der mystischen Theologie des Mittelalters geht Barths Kritik im wesentlichen vorbei. Dies soll an vier Punkten der Kritik Barths noch einmal kurz dargestellt werden.

5.1.1 Mystik und Menschentat

Barth wirft dem Menschen vor, sich vermittels gewisser Techniken und aufgrund seiner eigenen Fähigkeiten die Rechtfertigung vor Gott selbst erarbeiten zu wollen. Dieser Vorwurf setzt zum einen ein – in Underhills Terminologie – *magisches* Verständnis der Mystik voraus und zum anderen verurteilt er Überlegungen, die menschliche Fähigkeiten zum Hören auf Gottes Wort annehmen als unstatthaften Versuch der Selbstrechtfertigung. Demgegenüber weiß die frühe christliche Literatur bei aller Freude über die Erlösung durch Christus nicht nur um den Geheimnis-, sondern auch um den Geschenkcharakter dieser Tat Gottes. Auch im Mittelalter wurde Mystik gerade nicht als etwas in der Verfügungsgewalt des Gläubigen Stehendes verstanden. Der mystische Zug in der Theologie wandte sich vielmehr gegen die Auffassung, Gott, wenn auch nur begrifflich, *erfassen* zu können. Der mystische Zug einer *theologia negativa* brachte demgegenüber zur Geltung, daß Gott jenseits unseres Begreifenkönnens steht. Auch der mystische Weg versteht sich nicht als magische Technik, sondern weiß sich abhängig vom Entgegenkommen Gottes. Die Rede von Mystik ist immer Rede von der Gnade Gottes.

5.1.2 Mystik und Vergöttlichung

Im Zusammenhang mit dem ersten Vorwurf erhält dieser zweite seine Bedeutung bei Barth. Die Vergöttlichung des Menschen, von der in der Mystik tatsächlich bisweilen die Rede ist, wird von Barth ontologisch mißverstanden. So tritt sie in Konkurrenz zur Gottmenschlichkeit Jesu Christi. Daß dies von der Mystik nicht so gemeint ist, wurde z. B. für Meister Eckhart an der etwas ausführlicheren Auseinandersetzung mit dem Bild vom Gerechten und der Gerechtigkeit aufgezeigt. Die Mystik von Bernhard von Clairvaux, Bonaventura und auch Nicolaus von Cues kann je in ihrer Weise als christozentrisch oder doch wenigstens stark christusbezogen gelten, so daß sie der Forderung Barths nach einer christologischen Ausrichtung genügt.

5.1.3 Mystik und Offenbarung

Aufgrund der ausdrücklichen Christusbezogenheit großer Teile der frühen und mittelalterlichen Mystik ist auch der dritte Vorwurf Barths weithin unzutreffend, nämlich, die Mystik wolle an der Offenbarung vorbei die Verbindung mit Gott. In der Mystik ist dagegen vielmehr das Wirken des Heiligen Geistes nicht neben oder ohne Offenbarung zu sehen, sondern als Explizierung und Aktualisierung der Offenbarung. Jedenfalls läßt sich die Gegenüberstellung von Mystik und Offenbarung von seiten der Mystik nicht rechtfertigen. Bei einer mystischen Theologie geht es nicht primär um Visionen. Wenn Visionen eine Rolle spielen, sagen sie nur aus, was auf dem Boden der Offenbarung steht und nichts von der Offenbarung Verschiedenes. Dies gilt auch für H. U. von Balthasar, wenn er das mystische Erlebnis als Erkenntnisquelle hinsichtlich der Form der konkreten Nachfolge betrachtet.[4]

5.1.4 Mystik und Welt

Damit kommen wir zum vierten Punkt: einer von Barth der Mystik unterstellten Weltfeindlichkeit.[5] Doch auch der Vorwurf der Weltfeindschaft oder der Gleichgültigkeit gegenüber der Welt trifft die mystischen Theologen nicht generell. Bernhard von Clairvaux und Nicolaus von Cues sind kirchenpolitisch äußerst wirksam gewesen. Meister Eckhart hat in seinem Orden Großes geleistet. Das wesentliche mystische Element ihrer Theologie ist es, sich nicht an die Welt oder an eine rein rationale Theologie, so nötig diese auch ist, zu verlieren, sondern sich daneben, oder besser gesagt: davor, für Gott zu öffnen und seine Nähe zu suchen. Für sie gehört zur Frömmigkeit die Schau Gottes und die unio mystica. Diese ist allerdings kein ständiges Entrücktsein von dieser Welt, sondern etwas zeitlich Punktuelles, welches jedoch das Leben prägt.

4 Vgl. H. U. v. Balthasar, Erster Blick 223, und sein ‚Rechenschaftsbericht': H. U. v. Balthasar, Unser Auftrag.

5 Dies gilt jedenfalls, wie wir sahen, für die meisten Stellen, an denen sich Barth zum Verhältnis des Mystikers zur Welt äußerte. Eine Sonderstellung nehmen hier Barths Äußerungen zum Kulturprotestantismus ein, dem er ganz entgegengesetzt geradezu eine Vergötterung der Welt vorwirft.

5.2 BARTHS DENKEN

Wenn also der von Barth abgelehnte Mystikbegriff gar nicht die oben skizzierte Mystik trifft, so bleibt die Frage, ob sich womöglich in Barths Theologie selbst Elemente einer mystischen Theologie finden. Barths Theologie war vor allem im Aufbruch der dialektischen Theologie von der Devise bestimmt: Gott ist der ganz andere. Der Mensch ist Sünder, und Gott ist Gott. Beide befinden sich in einem unendlichen Abstand voneinander jenseits einer Todeslinie. Doch so sehr dieses vom Menschen aus unüberbrückbare Gegenüber jegliche Mystik unmöglich zu machen scheint, so sehr ruft es auch eigene mystische Züge hervor. Die Theologie baut ganz auf der Schrift und nicht auf einer natürlichen Erkennbarkeit Gottes auf. Dem entspricht folgerichtig eine ‚unnatürliche' Erkennbarkeit Gottes durch die Schrift im Heiligen Geist. Gerade in seiner Absetzung von aller wissenschaftlichen und weltlichen Erkenntnis und in seinem Bemühen, Gott ganz *von Gott* her zu verstehen, liegt der wesentlich mystische Zug in der Theologie Barths.
Dies wurde deutlich in seinen eigenen Schriften zur Aufbruchszeit. In ihnen wird die Mystik als kritisches Korrektiv zur Dogmatik verstanden. Im Römerbriefkommentar ist die Geschichte im Oberlicht des Glaubens zu betrachten. Nur durch den Geist, der dem Glaubenden nicht mehr gegenübersteht, läßt sich in der Auslegung des Johannesevangeliums letztlich die Schrift als Gottes Wort verstehen.
Konsequenterweise kann sich Barth deswegen auch nicht an Brunners absolutem Nein zur Mystik als dem Gegensatz zum Wort oder an Bultmanns Entmythologisierung beteiligen. Mystische und mythische Elemente sind auch für Barth in der Theologie notwendig, und das nicht nur, weil er sie auch bei Luther und Calvin wiederfindet.
Dem entspricht auch sein Rückblick auf das eigene Wirken, wenn er einräumt, in seiner Kritik an der für ihn ehedem kritikwürdigen Mystik doch zu einseitig gewesen und zu weit gegangen zu sein. Dieser Rückblick entspricht der schon im Vollzug seiner Theologie hier und da gezeigten Zustimmung zu mystischen Gedanken. Auf die von der Mystik zur Geltung gebrachte Ruhe wollte Barth schon seinerzeit nicht verzichten. Die *unio mystica* als der Höhepunkt mystischen ‚Erlebens' ist auch für Barth nicht einfach indiskutabel. Er weist nur darauf hin, daß sie nicht mit der *unio hypostatica* zu verwechseln sei. Barth bevorzugt eindeutig eine Christusmystik, jedenfalls aber keine Mystik, die an Christus vorbei und ohne die Offenbarung in ihm schon alles wüßte. Diese Bedenken treffen eine christli-

che Mystik, wie sie in dieser Arbeit vorgetragen wurde, nicht.[6] Das Gespräch mit außerchristlichen Formen der Mystik bleibt dagegen für Barth besonders schwierig.

Barths Forderung bezüglich einer ethischen Relevanz der Mystik wird vom Leben der mystischen Theologen erfüllt. Eine mystische Theologie ist, wie wir sahen, nicht zwangsläufig unpolitisch. Die christliche Mystik drängt nicht nur zum sprachlichen Ausdruck, sondern auch zur entsprechenden Aktivität. Dies gilt sowohl für von Balthasars überdeutliche Betonung des Gehorsams als auch für das Zeugnis der hier untersuchten mystischen Theologen. Augustinus entzog sich nicht der Verantwortung des Bischofsamtes und der theologischen Auseinandersetzung. Bei Meister Eckhart wurden ethische Implikationen seiner mystischen Theologie am Beispiel von Maria und Martha deutlich. Ähnlich wie Karl Barth selbst, insbesondere im Kirchenkampf, haben sich auch die mystischen Theologen des Mittelalters von Bernhard von Clairvaux über Bonaventura bis Nicolaus von Cues nicht ihrer politischen und kirchenpolitischen Verantwortung entzogen.

Übereinstimmung liegt auch in der methodologischen Frage vor. So wie Barth die historisch-kritische Methode als Beispiel wissenschaftlicher Theologie nicht verneint, aber relativiert, auf ihren Platz verweist, so verhalten sich in unterschiedlicher Intensität und Nähe zum Gefühl die Mystiker. Von Anfang an wird der Geheimnischarakter der Glaubensbotschaft betont. Aber das Ringen um eine verständliche Artikulierung des Gemeinten ist enorm.[7] Dabei geht es, ganz im Sinne Barths, nicht um das Vergnügen einer spirituellen Verzückung, sondern um die Erfahrung der Heilsnähe Gottes in der jeweiligen Zeit und im jeweiligen gläubigen Christen. Es ist Barth auch darin zuzustimmen, daß es nicht etwa auf das Wort ‚Mystik' ankommt, wohl aber auf den gemeinten Inhalt. Diesen, jedenfalls im Hinblick auf Karl Barth, zu klären und als Anstoß zur spirituellen Vertiefung in das ökumenische Gespräch einzubringen, ist die Absicht dieser Untersuchung.

6 Dies gilt auch für andere große Mystiker, wie etwa Teresa von Avila, Johannes vom Kreuz, Ignatius von Loyola und viele andere.

7 Es schlägt sich oft genug auch sprachschöpferisch nieder.

LITERATURVERZEICHNIS

Abkürzungen

Die benutzten Abkürzungen sind dem Abkürzungsverzeichnis der Theologischen Realenzyklopädie, zusammengestellt von S. Schwertner (Berlin/New York 1976) entnommen. Sources Chretiennes wird entgegen dem TRE Abkürzungsverzeichnis mit SCh abgekürzt. KD steht für die Kirchliche Dogmatik von Karl Barth. DS bedeutet H. Denzinger/A. Schönmetzer, Enchiridion symbolorum. Definitionum et declarationum de rebus fidei et morum, 36. Aufl., Freiburg 1976.

Quellen

Petrus Abaelardus, Theologia „Scholarium". Opera theologica III, hrsg. v. E. M. Buytaert/C. J. Mews, Turnhoult 1987, 313-549 = CChr. CM 13.

Angelus Silesius (Johannes Scheffler), Cherubinischer Wandersmann. Kritische Ausgabe, hrsg. v. L. Gnädinger, Stuttgart 1984.

Anselm von Canterbury, Opera omnia. Ad fidem codicum recensuit, hrsg. v. F. S. Schmitt, 6 Bde., Seckau/Rom/Edingburgh 1938-1961.

–, Cur Deus homo = Opera 2, 39-96.

–, Epistola de incarnatione verbi = Opera 2, 3-35.

–, Proslogion = Opera 1, 93-122.

Augustinus, Confessiones = CSEL 33,1.

Übersetzung: Aurelius Augustinus. Die Bekenntnisse, übers. u. hrsg. v. H. U. v. Balthasar, Einsiedeln 1985.

–, Sermones = PL 38.

–, Tractatus in Ioannis Evangelium = PL 35, 1379-1976.

Bernhard von Clairvaux, Opera. Ad fidem codicum recensuerunt, hrsg. v. J. Leclercq u. a., 8 Bde., Rom 1957-1977.

–, De consideratione ad Eugenium Papam = Opera 3, 393-493.

–, De diligendo Deo = Opera 3, 119-154.

–, Epistola 188 = Opera 8, 10-12.

–, Sermones in nativitate Sancti Ioannis Baptistae = Opera 5, 176-184.

–, Sermones super Cantica Canticorum = Opera 1-2.

Boethius, Anicius Manlius Severinus, Philosophiae consolatio, hrsg. v. L. Bieler, Turnholti 1957 = CCl 94.

Bonaventura, Opera omnia, 10 Bde., hrsg. v. Collegium S. Bonaventura, Quaracchi 1882-1902.

–, Commentarius in primum librum sententiarum = Opera 1.

–, Itinerarium mentis in Deum = Opera 5, 295-313.

–, Sermones selecti de rebus theologicis = Opera 5, 532-579.

–, Sermones de tempore = Opera 9, 23-461.

Johannes Calvin, Unterricht in der christlichen Religion. Institutio Christianae Religionis, hrsg. v. O. Weber, 2. durchges. Aufl., Neukirchen-Vluyn 1963.

Clemens von Alexandrien, Protrepticus, hrsg. v. O. Stählin, 3. Aufl., Berlin 1972 = GCS, Clemens Alexandrinus, 1. Bd., 1-86.

–, Bd. 3: Quis dives salvetur, hrsg. v. O. Stählin, Leipzig 1909 = GCS 17.

–, Bd. 2: Stromata 1-6, hrsg. v. O. Stählin, Leipzig 1906 (2. Aufl. 1960) = GCS 15.

Cyrill von Alexandrien, Commentarius in Isaiam prophetam = PG 70, 9 A - 1450 C.

Didymus von Alexandrien, Expositio in psalmos = PG 39, 1155 A - 1616 D.

Dionysius Areopagita, De divinis nominibus = PG 3, 585-996 B.

–, De mystica theologia = PG 3, 997 A - 1064 A.

Übersetzung: Dionysios Areopagita. Mystische Theologie und andere Schriften, übers. u. hrsg. v. W. Tritsch, München 1956.

–, Epistola 1 = PG 3, 1065 A - B.

–, Epistola 5 = PG 3, 1073 A-1075 A.

–, La Hiérarchie Céleste, hrsg. v. R. Roques/G. Heil/M. de Gandillac, Paris 1958 = SCh 58.

Meister Eckhart, Die deutschen und lateinischen Werke (= DW und LW), hrsg. im Auftrag der Deutschen Forschungsgemeinschaft, Stuttgart 1936ff.

–, Expositio Sancti Evangelii secundum Iohannem, hrsg. u. übers. v. K. Christ/B. Decker/J. Koch = LW 3.

–, Meister Eckharts Predigten, hrsg. u. übers. v. J. Quint = DW 1-3.

–, Meister Eckharts Traktate, hrsg. u. übers. v. J. Quint = DW 5.

–, Quaestiones Parisienses, hrsg. u. übers. v. B. Geyer = LW 5, 29-83.

–, Meister Eckhart, hrsg. v. F. Pfeiffer, Aalen 1962 (Neudr. der Ausgabe Leipzig 1857) = Deutsche Mystiker des vierzehnten Jahrhunderts 2.

Eusebius, Contra Marcellum, Werke Bd. 4, 1-58, hrsg. v. E. Klostermann, 2. Aufl., Berlin 1972 = GCS.

–, Demonstratio evangelica = PG 22, 13 A - 794 D.

Gregor von Nazianz, Oratio 18 = PG 35, 985 A - 1044 A.

Gregor von Nyssa, Contra Eunomium. Liber 3, Opera 2, hrsg. v. W. Jaeger, Leiden 1960, 1-311.

–, In diem luminum, Opera 9, hrsg. v. E. Gebbhardt, Leiden 1967, 221-242.

–, Oratio catechetia magna = PG 45, 9 A - 106 C.

Hippolyt, Refutatio omnium haeresium, hrsg. v. P. Wendland, Leipzig 1916 = GCS 26.

Übersetzung: Des Heiligen Hippolytus von Rom Widerlegung aller Häresien, übers. u. hrsg. v. K. Preysing, München 1922 = BKV 40.

Hugo von St. Victor, Diascolicon, hrsg. v. Ch. H. Buttimer, Washington 1939 = The Catholic University of America. Studies in Medieval and Renaissance Latin 10.

–, De arca Noe morali = PL 176, 618-680.

–, De laude charitatis = PL 176, 969-976.

–, De sacramentis christianae fidei = PL 176, 173-617.

–, De vanitate mundi, hrsg. v. K. Müller, Berlin 1913 = KIT 123.

Johannes vom Kreuz, Dunkle Nacht, hrsg. v. P. Aloysius ab Immac. Conceptione, 2. Aufl., München 1931.

Maximus Confessor, Capitum Quinquies Centenorum Centuria 5 = PG 90, 1347 D - 1392 C.

Nicolaus von Cues, Opera omnia.

–, Apologia doctae ignorantiae, Opera 2, hrsg. v. E. Hoffmann/R. Klibansky, Leipzig 1932.

–, De docta ignorantia, Opera 1, hrsg. v. E. Hoffmann/R. Klibansky, Leipzig 1932.

–, De possest, Opera 11, hrsg. v. R. Steiger, Hamburg 1973.

–, De venatione sapientiae, Opera 12, hrsg. v. R. Klibansky/I. G. Senger, Hamburg 1982.

–, De visione Dei, Philosophisch-theologische Schriften, hrsg. v. L. Gabriel, Bd. 3, Wien 1967, 93-219.

–, Dialogus de generi, Opera 4, hrsg. v. P. Wilpert, Hamburg 1959.

–, Idiota de sapientia, Opera 5, hrsg. v. R. Steiger, Hamburg 1983.

Origenes, Commentaire sur Saint Jean, Bd. 1 mit 5 Büchern, hrsg. v. C. Blanc, Paris 1966 = SCh 120.

Philon von Alexandrien, Opera quae supersunt, hrsg. v. L. Cohn u. a., Berlin 1896-1915.

–, De posteritate Caini = Opera 2, 1-41.

–, De somniis = Opera 3, 204-306.

–, Quod deus sit immutabilis = Opera 2, 56-94.

Platon, Opera, hrsg. v. J. Burnet, Oxford 1900-1907.

–, Apologie = Opera 1, 17a-42a.

–, Cratylus = Opera 1, 383a-440e.

–, Phaedrus = Opera 3, 227a-279c.
Übersetzung: Werke 5, Phaedrus 2-193, hrsg. v. G. Eigler (Übers. F. Schleiermacher/D. Kurz, 2. Aufl. Berlin 1817), Darmstadt 1983.

–, Res publica = Opera 4, 327a-621d.
Übersetzung: Werke 4, Der Staat, hrsg. v. G. Eigler (Übers. F. Schleiermacher, Berlin 1828), Darmstadt 1971.

–, Symposium = Opera 3, 172a-223d.

Übersetzung: Werke 3, Das Gastmahl 209-393, hrsg. v. G. Eigler (Übers. v. F. Schleiermacher, 2. Aufl. Berlin 1824), Darmstadt 1974.

–, Theaetetus = Opera 1, 142a-210d.

Plotin, Opera.

–, Enneades 1-3, Opera 1, hrsg. v. P. Henry/H.-R. Schwyzer, Paris/Brüssel 1951.

–, Enneas 5, Opera 3, hrsg. v. P. Henry/H.-R. Schwyzer, Leiden 1973.

Proclus von Konstantinopel, Oratio de Laudibus S. Mariae 6 = PG 65, 721 B - 758 B.

Richard von St. Victor, Benjamin minor = PL 196, 1 - 64 A.

–, Benjamin major = PL 196, 63 B - 202 B.

Theodoret von Cyrus, De providentia oratio 5 = PG 83, 623 A - 644 A.

Thomas von Aquin, Contra impugnantes Dei cultum et religionem. Opuscula Theologica 2, hrsg. v. R. M. Spiazzi, 2 Bde. Turin 1954, 5-110.

–, Quaestiones disputatae, hrsg. v. R. M. Spiazzi u. a., 2 Bde. Turin 1949.

–, Summa contra gentiles, Editio Leonina. Bde. 13-15, Rom 1918-1930.

–, Summa theologiae. Cum textu ex recensione Leonina, hrsg. v. P. Caramello, Turin-Rom 1952.
Übersetzung: Vollständige, ungekürzte deutsch-lateinische Ausgabe der Summa Theologica, übers. v. Dominikanern und Benediktinern Österreichs, hrsg. v. Katholischen Akademikerverband Salzburg 1933ff.

Thomas von Kempen, De imitatione Christi, Paris 1772.

Primärliteratur: Karl Barth

Barth, Karl, Karl Barth – Eduard Thurneysen. Briefwechsel Bd.1: 1913 bis 1921, hrsg. v. E. Thurneysen, Zürich 1973 = Karl Barth Gesamtausgabe V 1913-1921.

–, Biblische Fragen, Einsichten und Ausblicke. In: Das Wort Gottes und die Theologie. Gesammelte Vorträge, hrsg. v. K. Barth, München 1924, 70-98.

–, Ein Briefwechsel mit Adolf v. Harnack. „Die christliche Welt", Jahrgang 1923, Hefte 1/2 u. ff. In: Theologische Fragen und Antworten. Gesammelte Vorträge Bd.3, hrsg. v. K. Barth, Zollikon 1957, 7-31.

–, Brunners Schleiermacherbuch. In: ZdZ 2 (1924) 49-64.

–, Der Christ in der Gesellschaft. In: Das Wort Gottes und die Theologie. Gesammelte Vorträge, hrsg. v. K. Barth, München 1924, 33-69.

–, Die christliche Dogmatik im Entwurf. Bd. 1: Die Lehre vom Worte Gottes. Prolegomena zur christlichen Dogmatik, hrsg. v. G. Sauter, Zürich 1982 = Karl Barth Gesamtausgabe II 1927.

–, Christus und wir Christen, München 1948 = TEH NF 11.

–, Credo. Die Hauptprobleme der Dogmatik dargestellt im Anschluß an das apostolische Glaubensbekenntnis, Zollikon/Zürich 1948.

–, Dogmatik im Grundriß. Vorlesungen gehalten im Sommersemester 1946 an der Universität Bonn, 2. Aufl., Zollikon 1947.

–, Einführung in die evangelische Theologie, 3. Aufl., Zürich 1985.

–, Erklärung des Johannes-Evangeliums (Kapitel 1-8). Vorlesung Münster Wintersemester 1925/26 u. Bonn Sommersemester 1933, hrsg. v. W. Fürst, Zürich 1976 = Karl Barth Gesamtausgabe II 1925/26.

–, Ethik I. Vorlesung Münster Sommersemester 1928, wiederholt in Bonn Sommersemester 1930, hrsg. v. D. Braun, Zürich 1973 = Karl Barth Gesamtausgabe II 1928/30.

–, Ethik II. Vorlesung Münster Wintersemester 1928/29, wiederholt in Bonn Wintersemester 1930/31, hrsg. v. D. Braun, Zürich 1978 = Karl Barth Gesamtausgabe II 1928/31.

–, Evangelische Theologie im 19. Jahrhundert, Zollikon/Zürich 1957 = Theologische Studien 49.

–, Evangelium und Gesetz, München 1935 = TEH 32 (=TEH NF 50).

–, Fides quaerens intellectum. Anselms Beweis der Existenz Gottes im Zusammenhang seines theologischen Programms, hrsg. v. E. Jüngel/ I. U. Dalferth, 2. Aufl., Zürich 1986 = Karl Barth Gesamtausgabe II 1931.

–, Gottes Wille und unsere Wünsche, München 1934 = TEH 7.

–, Die Kirchliche Dogmatik (= KD), 4 Bde. in 13 Teilbänden, Zollikon/ Zürich 1932-1967.

–, Die Menschlichkeit Gottes. Vortrag, gehalten an der Tagung des Schweiz. Ref. Pfarrvereins in Aarau am 25.9.1956, Zollikon/Zürich 1956 = ThSt(B) 48.

–, Nein! Antwort an Emil Brunner, München 1934 = TEH 14.

–, Not und Verheißung der christlichen Verkündigung. In: Das Wort Gottes und die Theologie. Gesammelte Vorträge, hrsg. v. K. Barth, München 1924, 99-124.

–, Philosophie und Theologie. In: Philosophie und christliche Existenz. Festschrift für Heinrich Barth zum 70. Geburtstag am 3. Februar 1960, hrsg. v. G. Huber, Basel/Stuttgart 1960, 93-106.

–, Reformierte Lehre, ihr Wesen und ihre Aufgabe. In: Das Wort Gottes und die Theologie. Gesammelte Vorträge, hrsg. v. K. Barth, München 1924, 179-212.

–, Die protestantische Theologie im 19. Jahrhundert. Ihre Vorgeschichte und ihre Geschichte, 5. Aufl., Zürich 1985.

–, Der Römerbrief. (Erste Fassung) 1919, hrsg. v. H. Schmidt, Zürich 1985 = Karl Barth Gesamtausgabe II 1919. (1. Römerbrief)

–, Der Römerbrief. 13. unveränderter Abdruck der neuen Bearbeitung von 1922, Zürich 1984. (2. Römerbrief)

–, Rudolf Bultmann. Ein Versuch ihn zu verstehen. Christus und Adam, nach Röm 5. Zwei theologische Studien, 3. Aufl., Zürich 1952 = ThSt(B) 34.

–, ‚Texte' zur Barmer Theologischen Erklärung von Karl Barth. Eingel. v. E. Jüngel. Editionsbericht v. M. Rohkrämer, hrsg. v. M. Rohkrämer, Zürich 1984.

–, Die Theologie Schleiermachers. Vorlesung Göttingen Wintersemester 1923/24, hrsg. v. D. Ritschl, Zürich 1978 = Karl Barth Gesamtausgabe II 1923/24.

–, Unerledigte Anfragen an die heutige Theologie. In: Die Theologie und die Kirche. Gesammelte Vorträge Bd. 2, hrsg. v. K. Barth, München 1928, 1-25.

–, Unterricht in der christlichen Religion. Bd. 1: Prolegomena 1924, hrsg. v. H. Reiffen, Zürich 1985 = Karl Barth Gesamtausgabe II 1924.

–, Das Wort als Aufgabe der Theologie. In: Das Wort Gottes und die Theologie. Gesammelte Vorträge, hrsg. v. K. Barth, München 1924, 156-178.

Sekundärliteratur

Albert, Karl, Mystik und Philosophie, Sankt Augustin 1986.

Albrecht, Carl, Psychologie des mystischen Bewußtseins, Bremen 1951.

Baeumker, Clemens, Witelo, ein Philosoph und Naturforscher des XIII. Jahrhunderts. In: Beiträge zur Geschichte der Philosophie des Mittelalters. Texte und Untersuchungen Bd. 3,2, hrsg. v. C. Baeumker/ G. v. Hertling, Münster 1908.

Balthasar, Hans Urs von, Adrienne von Speyr (1902-1967). Die Miterfahrung der Passion und Gottverlassenheit. In: GuL 58 (1985) 61-66.

–, Bibel und negative Theologie. In: Sein und Nichts in der abendländischen Mystik, hrsg. v. W. Strolz, Freiburg u. a. 1981, 13-31.

–, Einleitung und Anmerkungen. In: Augustinus. Die Bekenntnisse. Vollständige Ausgabe, hrsg. v. H. U. v. Balthasar, Einsiedeln 1985.

–, Erster Blick auf Adrienne von Speyr, 3. Aufl., Einsiedeln 1968.

–, Karl Barth. Darstellung und Deutung seiner Theologie, 2. Aufl., Köln 1962.

–, Kommentar zu den Quaestiones II/171-II/182 der summa theologica Bd. 23 der dt.-lat. Thomasausgabe. Besondere Gnadengaben und die zwei Wege menschlichen Lebens. Heidelberg/Graz 1954, 252-464.

–, Unser Auftrag. Bericht und Entwurf, Einsiedeln 1984.

–, Zur Ortsbestimmung christlicher Mystik. In: Skizzen zur Theologie 4: Pneuma und Institution, Einsiedeln 1974, 298-339.

Barth, Hans-Ulrich, Mystik als Herausforderung des Protestantismus. In: Una sancta 43 (1988) 38-50.

Behn, Ingrid, Spanische Mystik. Darstellung und Deutung, Düsseldorf 1957.

Beintker, Michael, Die Dialektik in der ‚dialektischen Theologie' Karl Barths. Studien zur Entwicklung der Barthschen Theologie und zur Vorgeschichte der ‚Kirchlichen Dogmatik', München 1987.

–, Krisis und Gnade. Zur theologischen Deutung der Dialektik beim frühen Barth. In: EvTh 46 (1986) 442-456.

Benavides, Gustavo, Die absolute Vorausetzung von Sein und Nichts bei Nagarjuna und Nicolaus Cusanus. In: Sein und Nichts in der abendländischen Mystik, hrsg. v. W. Strolz, Freiburg u. a. 1984, 59-71.

Bernhart, Joseph, Die philosophische Mystik des Mittelalters. Von ihren antiken Ursprüngen bis zur Renaissance, Darmstadt 1967.

Biser, Eugen, Abhängigkeit und Kontingenzbewältigung. Zur Aktualität Friedrich Schleiermachers. In: Forum Katholische Theologie 2 (1968) 268.

Bornkamm, Günther, μυστήριον, μυέω. In: Theologisches Wörterbuch zum Neuen Testament. Bd. 4: L-N, hrsg. v. G. Kittel, Stuttgart 1942, 809-834.

Bouillard, Henry, Dialektische Theologie. In: LTHK, 3. Aufl., 1959, 334 bis 339.

–, Karl Barth Bd.1: Genése et évolution de la théologie dialectique, Paris 1957.

Bouyer, Louis, Einführung in die christliche Spiritualität, Mainz 1965.

–, ‚Mystisch' – Zur Geschichte eines Wortes. In: Das Mysterium und die Mystik. Beiträge zur Theologie der christlichen Gotteserfahrungen, hrsg. v. J. Sudbrack, Würzburg 1974, 57-75 = Geist und Leben. Studien.

Brixner, Wolf, Die Mystiker. Leben und Werk, Augsburg 1987.

Brugger, Walter, Neuplatonismus. In: Philosophisches Wörterbuch, hrsg. v. W. Brugger, 17. Aufl., Freiburg u. a. 1976.

Brunner, August, Der Schritt über die Grenzen. Wesen und Sinn der Mystik, Würzburg 1972.

Brunner, Emil, Die Mystik und das Wort. Der Gegensatz zwischen moderner Religionsauffassung und christlichem Glauben dargestellt an der Theologie Schleiermachers, Tübingen 1928.

–, Natur und Gnade. Zum Gespräch mit Karl Barth, Tübingen 1934.

Busch, Eberhard, Karl Barths Lebenslauf. Nach seinen Briefen und autobiographischen Texten, 3. Aufl., München 1978.

–, Theologie und Biographie. Das Problem des Verhältnisses der beiden Größen in Karl Barths ‚Theologie'. In: EvTh 46 (1986) 325-339.

Campenhausen, Hans von, Lateinische Kirchenväter, 4. Aufl., Stuttgart u. a. 1978.

Capra, Fritjof, Das Neue Denken. Von harter Wissenschaft und sanften Verschwörern – die Entstehung des neuen Weltbildes im Spannungsfeld zwischen Naturwissenschaft und Mystik, München 1987.

–, Das Tao der Physik. Die Konvergenz von westlicher Wissenschaft und östlicher Weisheit, erw. Neuausg. München 1984.

Cayré, F. Notion de la mystique d'après les grandes traites de S. Augustin. In: AM 2, 609-622.

Clark, Walter Houston, Chemische Ekstase. Drogen und Religion. Mit einer Einführung von Wilhelm Josef Revers, Salzburg 1971.

Cognet, Louis, Gottes Geburt in der Seele. Einführung in die deutsche Mystik, Freiburg u. a. 1980.

Courcelle, Pierre, Recherches sur les Confessions de Saint Augustin, Paris 1950.

Davison, James E., Can God speak a Word to Man? Barth's Critique of Schleiermacher's Theology. In: Scottish Journal of Theology 37 (1984) 189 bis 211.

Drewes, Hans-Anton (Hrsg.), Bibliographie Karl Barth. Bd. 1: Veröffentlichungen von Karl Barth, Zürich 1984.

Dumoulin, H., Östliche Meditation und christliche Mystik, Frankfurt 1966.

Egerding, Michael, Gott erfahren und davon sprechen – Überlegungen zu Gedanken der deutschen Mystik. In: Erbe und Auftrag 63 (1987) 95-106.

Flasch, Kurt, Die Intention Meister Eckharts. In: Sprache und Begriff. Festschrift für B. Liebrucks, hrsg. v. H. Röttges u. a., Meisenheim a. Glan 1974, 292-318.

–, Die Metaphysik des Einen bei Nikolaus von Kues. Problemgeschichtliche Stellung und systematische Bedeutung, Leiden 1973.

–, Das philosophische Denken im Mittelalter. Von Augustin zu Machiavelli, Stuttgart 1986.

Garrigou-Lagrange, Reginald, Mystik und christliche Vollendung, Augsburg 1927.

–, Perfection chrétienne et contemplation selon S. Thomas d'Aquin et S. Jean de la Croix. 2 Bde., Rom 1923.

Gerken, A., Bonaventura, II: Werk. In: Lexikon des Mittelalters, München/Zürich 1983, 404-407.

Gertz, Bernhard, Glaubenswelt als Analogie. Die theologische Analogie-Lehre Erich Przywaras und ihr Ort in der Auseinandersetzung um die analogia fidei, Düsseldorf 1969.

Gerwing, Manfred, Malogranatum oder der dreifache Weg zur Vollkommenheit. Ein Beitrag zur Spiritualität des Spätmittelalters, München 1986.

Gilson, Étienne, Die Philosophie des heiligen Bonaventura, 2. Aufl., Köln/Olten 1960.

Girgensohn, K., Der seelische Aufbau des religiösen Erlebens, Leipzig 1930.

Gogarten, Friedrich, Die religiöse Entscheidung, Jena 1921.

Grabmann, Martin, Die Geschichte der katholischen Theologie seit dem Ausgang der Väterzeit. Unveränd. Nachdruck von 1933, Darmstadt 1983.

–, Thomas von Aquin. Persönlichkeit und Gedankenwelt. Eine Einführung, 7. überarb. Aufl., München 1946.

–, Wesen und Grundlagen der katholischen Mystik, München 1922 = Der Katholische Gedanke.

Graf, Friedrich W., ‚Der Götze wackelt'? Erste Überlegungen zu Karl Barths Liberalismuskritik. In: EvTh 46 (1986) 422-441.

Haas, Alois M., Die Problematik von Sprache und Erfahrung in der deutschen Mystik. In: Grundfragen der Mystik, hrsg. v. H. U. v. Balthasar u. a., Einsiedeln 1974.

–, Was ist Mystik? In: Abendländische Mystik im Mittelalter. Symposion Kloster Engelberg 1984, hrsg. v. K. Ruh, Stuttgart 1986, 319-341.

Haas, Alois M./Stirnimann, Heinrich (Hrsg.), ‚Das einig Ein' – Untersuchungen zu Texten der deutschen Mystik, Freiburg (Schweiz) 1980.

Härle, Wilfried, Der Aufruf der 93 Intellektuellen und Karl Barths Bruch mit der liberalen Theologie. In: ZThK 72 (1975) 207-224.

–, Dialektische Theologie. In: TRE Bd. 8, Berlin/New York 1981, 683-696.

Haubst, Rudolf, Die Christologie des Nikolaus von Kues, Freiburg 1956.

Haug, Walter, Zur Grundlegung einer Theorie des mystischen Sprechens. In: Abendländische Mystik im Mittelalter. Symposion Kloster Engelberg 1984, hrsg. v. K. Ruh, Stuttgart 1986, 494-508.

Hegel, Georg W. F., Vorlesungen über die Philosophie der Religion Bd. 2, hrsg. v. H. Glockner, Stuttgart/Bad Cannstatt 1965, sämtliche Werke 16.

Heidrich, P./H.-U. Lessing, Mystik, mystisch. In: HWP Bd. 6, Basel 1984, 268-279.

Heiler, Friedrich, Die Bedeutung der Mystik für die Weltreligionen, München 1919.

–, Das Gebet. Eine religionsgeschichtliche und religionspsychologische Untersuchung, 4. Aufl., München 1921.

Hendrikx, Ephraim, Augustins Verhältnis zur Mystik. In: Zum Augustin-Gespräch der Gegenwart, hrsg. v. C. Andresen, Darmstadt 1962, 271-346 = Wege der Forschung 5.

Hendry, George S., The Transcendental Method in the Theology of Karl Barth. In: Scottish Journal of Theology 37 (1984) 213-227.

Henry, Paul, Die Vision zu Ostia. In: Zum Augustin-Gespräch der Gegenwart, hrsg. v. C. Andresen, Darmstadt 1962, 201-270 = Wege der Forschung 5.

Herlyn, Okko, Religion oder Gebet. Karl Barths Bedeutung für ein ‚religionsloses Christentum', Neukirchen-Vluyn 1979.

Heron, Alasdair I. C., Karl Barths Neugestaltung der reformierten Theologie. In: Evangelische Theologie 46 (1986) 393-402.

Hochstaffl, Josef, Negative Theologie. Ein Versuch zur Vermittlung des patristischen Begriffs, München 1976.

Hödl, Ludwig, Meister Eckharts theologische Kritik des reinen Glaubensbewußtseins. In: Freiheit und Gelassenheit. Meister Eckhart heute, hrsg. v. U. Kern, München/Mainz 1980, 34-52.

Hügel, Friedrich von, The mystical Element of religion as studied in Saint Catherine of Genoa and her friends. 2 Bde., London/Göttingen 1908.

Hunsinger, George, Barth, Barmen und bekennende Kirche heute. In: EvTh 45 (1985) 173-189.

–, Karl Barth and Liberation Theology. In: Journal of Religion 63 (1983) 247-263.

Huovinen, Eero, Karl Barth und die Mystik. In: KuD 34 (1988) 11-21.

Ivánka, Endre von, Dionysius Areopagita. Von den Namen zum Unnennbaren, Einsiedeln o. J. (1956).

Izutsu, Toshihiko, Philosophie des Zen-Buddhismus, Hamburg 1979.

James, William, Die Vielfalt religiöser Erfahrung. Eine Studie über die menschliche Natur, hrsg. v. E. Herms, Olten-Freiburg 1979.

Joret, F. D., Die mystische Beschauung nach dem heiligen Thomas von Aquin, Dülmen/Westf. 1931.

Jüngel, Eberhard, Barth-Studien, Zürich u. a. 1982.

–, Barth, Karl. In: TRE Bd. 5, Berlin/New York 1980, 251-268.

–, Einführung in Leben und Werk Karl Barths. In: Barth-Studien, hrsg. v. E. Jüngel, Zürich u. a. 1982, 22-60.

–, Gott als Geheimnis der Welt. Zur Begründung der Theologie des Gekreuzigten im Streit zwischen Theismus und Atheismus, 4. durchges. Aufl., Tübingen 1982.

–, Gottes Sein ist im Werden. Verantwortliche Rede vom Sein Gottes bei Karl Barth. Eine Paraphrase, Tübingen 1965.

Kasper, Walter, Der Gott Jesu Christi, Mainz 1982.

Kern, Udo, Eckharts Intention. In: Freiheit und Gelassenheit. Meister Eckhart heute, hrsg. v. U. Kern, München/Mainz 1980, 24-33.

Kirchert, Klaus, Diskussionsbericht. In: Abendländische Mystik im Mittelalter. Symposion Kloster Engelberg 1984, hrsg. v. K. Ruh, Stuttgart 1986, 342-346.

Klimek, Nicolaus, Der Gott – der Liebe ist. Zur trinitarischen Auslegung des Begriffs ‚Liebe' bei Eberhard Jüngel, Essen 1986 = Theologie in der Blauen Eule 1.

Kobusch, Theo, Mystik als Metaphysik des moralischen Seins. Bemerkungen zur spekulativen Ethik Meister Eckharts. In: Abendländische Mystik im Mittelalter. Symposion Kloster Engelberg 1984, hrsg. v. K. Ruh, Stuttgart 1986, 49-62.

Koch, Josef, Zur Analogielehre Meister Eckharts. In: Altdeutsche und altniederländische Mystik, hrsg. v. K. Ruh, Darmstadt 1964 = Wege der Forschung 23.

Kooi, Cornelis van d., Anfängliche Theologie. Der Denkweg des jungen Karl Barth (1909 bis 1927), München 1987.

Krahe, Maria-Judith, Von der Wesensart negativer Theologie. Ein Beitrag zur Erhellung ihrer Struktur. Masch. Diss., München 1976.

Krebs, Engelbert, Grundfragen der kirchlichen Mystik. Dogmatisch erörtert und für das Leben gewertet, Freiburg 1921.

Krötke, Wolf, Christus im Zentrum – Karl Barths Verständnis der Barmer Theologischen Erklärung. In: ZdZ 38 (1984) 120ff.

Küng, Hans, Rechtfertigung. Die Lehre Karl Barths und eine katholische Besinnung, 4. erw. Aufl., Einsiedeln 1964.

Kunisch, Hermann, Offenbarung und Gehorsam. Versuch über Eckharts religiöse Persönlichkeit. In: Meister Eckhart. Der Prediger. Festschrift zum Eckhart-Gedenkjahr, hrsg. v. U. M. Nix/R. L. Oechslin, Freiburg u.a. 1960.

Langemeyer, Georg, Als Mann und Frau leben. Biblische Perspektiven der Ehe, Zürich u.a. 1984.

–, Menschsein im Wendekreis des Nichts. Entwurf einer theologischen Anthropologie auf der Basis des alltäglichen Bewußtseins, Münster 1988.

–, Religiöses Erleben und Erfahrung Gottes. In: Lebenserfahrung und Glaube, hrsg. v. G. Kaufmann, Düsseldorf 1983.

–, Versuch einer Integration der kanaanäischen Fruchtbarkeitsreligion in den Glauben an Jahwe. In: Franziskanische Studien 69 (1987) 69-78.

Lauenstein, Dieter, Die Mysterien von Eleusis, Stuttgart 1987.

Le Saux, Henri, Indische Weisheit – Christliche Mystik. Von der Vedanta zur Dreifaltigkeit, Luzern 1968.

Lindemann, Walter, Karl Barth und die kritische Schriftauslegung, Hamburg-Bergstedt 1973 = Theologische Forschung 54.

Link, Christian, Barths Anfragen an die Wissenschaft. In: Zeitschrift für Dialektische Theologie 3 (1987) 65-85.

Lubac, Henri de, Corpus Mysticum. Kirche und Eucharistie im Mittelalter, Einsiedeln 1969.

Lutz, Eduard, Die Psychologie Bonaventuras. In: Beiträge zur Geschichte der Philosophie des Mittelalters. Texte und Untersuchungen. Bd. 6, hrsg. v. C. Baeumker, Münster 1909.

Maaß, Fritz-Dieter, Mystik im Gespräch. Materialien zur Mystik-Diskussion in der katholischen und evangelischen Theologie Deutschlands nach dem 1. Weltkrieg, Würzburg 1972.

Mager, Alois, Mystik als Lehre und Leben, Innsbruck 1934.

Marshall, Bruce D., Hermeneutics and Dogmatics in Schleiermacher's Theology. In: Journal of Religion 67 (1987) 14-32.

Mojsisch, Burkhard, Meister Eckhart. Analogie, Univozität und Einheit, Hamburg 1983.

Müller, Gotthold, Über den Begriff der Mystik. In: NZSTh 13 (1971) 88-98.

Nossol, Alfons, Die Rezeption der Barthschen Christologie in der katholischen Theologie der Gegenwart. In: EvTh 46 (1986) 351-36.

Nyssen, Wilhelm, Die Contemplation als Stufe der Erkenntnis nach Bonaventura. In: Bonaventura. Studien zu seiner Wirkungsgeschichte, hrsg. v. J. Vanderheyden, Werl/Westf. 1976.

Oepke, Albrecht, Karl Barth und die Mystik, Leipzig 1928.

Ott, Heinrich, Entmythologisierung. In: RGG Bd. 2, 3. neu bearb. Aufl., Tübingen 1958, 469-499.

Overbeck, Franz, Christentum und Kultur. Gedanken und Anmerkungen zur modernen Theologie von Franz Overbeck, hrsg. v. C. Bernoulli, Basel 1919.

Peterson, Erik, Das Buch von den Engeln. Stellung und Bedeutung der heiligen Engel im Kultus, 2. Aufl., München 1955.

Pfürtner, Stephan H., Luthers Glaubenstheologie – das Ende der christlichen Mystik? In: Una sancta 43 (1988) 24-37.

Philippus a. SS. Trinitate, Summa Theologiae Mysticae. 3 Bde., Freiburg 1874.

Pieper, Josef, Hinführung zu Thomas von Aquin. Zwölf Vorlesungen, 2. durchges. Aufl., München 1960.

–, Scholastik. Gestalten und Probleme der mittelalterlichen Philosophie, München 1978.

Poulain, August, Handbuch der Mystik. Freie Wiedergabe, 3. Aufl., Freiburg 1925.

Prenter, Regin, Dietrich Bonhoeffer und Karl Barths Offenbarungspositivismus. In: Die mündige Welt. Bd. 3, München 1960, 11-41.

Przywara, Erich, Analogia Entis. Metaphysik, Ur-Struktur und All-Rhythmus, Einsiedeln 1962.

Quapp, Erwin, Barth contra Schleiermacher? Die Weihnachtsfeier als Nagelprobe, Marburg 1978.

Quint, Josef, Einleitung. In: Meister Eckhart. Deutsche Predigten und Traktate, hrsg. v. J. Quint, München 1963.

–, Mystik und Sprache. Ihr Verhältnis zueinander, insbesondere in der spekulativen Mystik Meister Eckeharts. In: Altdeutsche und altniederländische Mystik, hrsg. v. K. Ruh, Darmstadt 1964, 113-151 = Wege der Forschung 23.

Quiring, Horst, Luther und die Mystik. In: ZSTh 13 (1936) 150-240.

Rahner, Hugo, Die Gottesgeburt. Die Lehre der Kirchenväter von der Geburt Christi im Herzen des Gläubigen. In: ZkTh 59 (1935) 333-418.

Rahner, Karl, Elemente der Spiritualität in der Kirche der Zukunft. In: Schriften zur Theologie Bd. 14, hrsg. v. K. Rahner, Zürich u. a. 1980, 368 bis 381.

–, Mystik, Theologisch. In: LTHK Bd. 7, 2. neubearb. Aufl., Freiburg 1962, 743-745.

–, Mystische Erfahrung und Mystische Theologie. In: Schriften zur Theologie Bd. 12, Zürich u. a. 1975, 428-438.

Rendtorff, Trutz, Karl Barth und die Neuzeit. Fragen zur Barth-Forschung. In: EvTh 46 (1986) 298-314.

Renz, Oskar, Die Synteresis nach dem hl. Thomas von Aquin. In: Beiträge zur Geschichte der Philosophie des Mittelalters. Texte und Untersuchungen, Bd. 10, hrsg. v. C. Baeumker u. a., Münster 1911.

Revers, Wilhelm J., Einführung. In: Chemische Ekstase. Drogen und Religion. Mit einer Einführung von Wilhelm Josef Revers, Salzburg 1971.

Richter, L., Mystik. I. Begriff und Wesen. In: RGG Bd. 4, 3. neu bearb. Aufl., Tübingen 1960, 1237-1239.

Roberts, Richard H., Die Aufnahme der Theologie Karl Barths im angelsächsischen Bereich. Geschichte – Typologie – Ausblick. In: EvTh 46 (1986) 369-393.

Ruh, Kurt (Hrsg.), Abendländische Mystik im Mittelalter. Symposion Kloster Engelberg 1984, Stuttgart 1986 = Germanistische Symposien Berichtsbde. 4.

–, Altdeutsche und altniederländische Mystik, Darmstadt 1964 = Wege der Forschung 23.

Ruschke, Werner M., Entstehung und Ausführung der Diastasentheologie in Karl Barths zweitem Römerbrief, Neukirchen-Vluyn 1985 = Neukirchener Beiträge zur Systematischen Theologie 5.

Sabra, George, Thomas Aquinas' Vision of the Church Fundamentals of an ecumenical Ecclesiology, Mainz 1987 = TThS 27.

Sauter, Gerhard, Weichenstellungen im Denken Karl Barths. In: EvTh 46 (1986) 476-488.

Schaeder, Erich, Das Geistproblem der Theologie. Eine systematische Untersuchung, Leipzig/Erlangen 1924.

Schaeffler, Richard, Die Wechselbeziehungen zwischen Philosophie und Katholischer Theologie, Darmstadt 1980.

Schelkle, Karl Hermann, Im Leib oder Außer des Leibes: Paulus als Mystiker. In: The New Testament Age. Essays in Honour of Bo Reicke. 2 Bde., hrsg. v. W. C. Weinrich, Macon, Ga. 1984, Bd. 2, 455-466.

Schellong, Dieter, Barth lesen. In: Einwürfe 3 Karl Barth: Der Störenfried? München 1986, 5-92.

Schillebeeckx, Edward, Christus und die Christen. Die Geschichte einer neuen Lebenspraxis, 2. Aufl., Freiburg u. a. 1980.

Schleiermacher, Friedrich, Der christliche Glauben. Nach den Grundsätzen der evangelischen Kirche im Zusammenhang dargestellt. 2 Bde., hrsg. v. M. Redeker, 7. Aufl., Berlin 1960.

–, Über die Religion. Reden an die Gebildeten unter ihren Verächtern, hrsg. v. R. Otto, Göttingen 1906.

Schmid, Friedrich, Verkündigung und Dogmatik in der Theologie Karl Barths. Hermeneutik und Ontologie in einer Theologie des Wortes Gottes, München 1964.

Schmidt, Werner H., Bilderverbot und Gottebenbildlichkeit. Exegetische Notizen zur Selbstmanipulation des Menschen. In: Wort und Wahrheit 23 (1968) 209-216.

Schneider, Carl, Mysterien. Wesen und Wirkung der Einweihung, Münster 1979.

Schönborn, Christoph, ‚De docta ignorantia' als christozentrischer Entwurf. In: Nikolaus von Kues. Einführung in sein philosophisches Denken, hrsg. v. K. Jacobi, Freiburg/München 1979, 138-156.

Schöpf, Alfred, Augustinus. Einführung in sein Philosophieren, Freiburg/München 1970 = Kolleg Philosophie.

Scholem, Gershom, Die jüdische Mystik in ihren Hauptströmungen, Zürich 1957.

–, Zur Kabbala und ihrer Symbolik, Zürich 1960.

Schubart, Walter, Religion und Eros, hrsg. v. F. Seifert, 3. Aufl., München 1952.

Schwarz, Reinhard, Martin Luther. In: Große Mystiker. Leben und Wirken, hrsg. v. G. Ruhbach/J. Sudbrack, München 1984, 185-202.

Spieckermann, Ingrid, Gotteserkenntnis. Ein Beitrag zur Grundfrage der neuen Theologie Karl Barths, München 1985 = BEvTh 97.

Stallmach, Josef, Der ‚Zusammenfall der Gegensätze' und der unendliche Gott. In: Nikolaus von Kues. Einführung in sein philosophisches Denken, hrsg. v. K. Jacobi, Freiburg/München 1979, 56-73 = Kolleg Philosophie.

Steggink, Otger, Mystik – Wortgebrauch und Theoriebildung. In: Mystik. Bd. 1: Ihre Struktur und Dynamik, Düsseldorf 1983, 13-37.

Stolz, Anselm, Zur Theologie Anselms im Proslogion. In: Catholica 2 (1933) 1-24.

Sudbrack, Josef, Christliche Mystik – Vorüberlegungen. In: Große Mystiker. Leben und Wirken, hrsg. v. G. Ruhbach/J. Sudbrack, München 1984, 7-16.

–, Meditation – Gemeinschaft – Mystik – Bittgebet. Zur Eigenart der christlichen Gotteserfahrung. In: Geist und Kommunikation. Versuch einer Didaktik des geistlichen Lebens, hrsg. v. A. Rotzetter, Köln 1986, 111-161 = Seminar Spiritualität 4.

–, Tendenzen in der Erforschung der Mystik. In: GuL 59 (1986) 65-76.

Suzuki, Daisetz T., Die große Befreiung. Einführung in den Zen-Buddhismus. Mit einem Geleitwort von C. G. Jung, Zürich 1958.

Troeltsch, E., Gesammelte Schriften I: Die Soziallehren der christlichen Kirchen und Gruppen, Aalen 1923 (Neudruck der Ausgabe 1922).

Ueda, Shitzoteru, Die Gottesgeburt in der Seele und der Durchbruch zur Gottheit. Die mystische Anthropologie Meister Eckharts und ihre Konfrontation mit der Mystik des Zen-Buddhismus, Gütersloh 1965.

Underhill, Evelyn, Mystik. Eine Studie über die Natur und Entwicklung des religiösen Bewußtseins im Menschen, München 1928.

Vögtle, Anton, Entmythologisierung. In: LTHK Bd. 3, 2. neubearb. Aufl. Freiburg 1959, 898-901.

Völker, Walther, Gregor von Nyssa als Mystiker, Wiesbaden 1955.

–, Kontemplation und Ekstase bei Pseudo-Dionysius Areopagita, Wiesbaden 1958.

Vogelsang, Erich, Luther und die Mystik. In: Luther-Jahrbuch 19 (1937) 32 bis 54.

Waaijman, Kees, Noch einmal: Was ist Mystik? In: Mystik Bd. 1: Ihre Struktur und Dynamik, Düsseldorf 1983, 38-57.

Waldenfels, Hans, Absolutes Nichts. Zur Grundlegung des Dialogs zwischen Buddhismus und Christentum, Freiburg 1976.

Wehr, Gerhard, Martin Luther. Mystische Erfahrung und christliche Freiheit im Widerspruch, Schaffenhausen 1983.

Wentzlaff-Eggebert, Friedrich-W., Deutsche Mystik zwischen Mittelalter und Neuzeit. Einheit und Wandlung ihrer Erscheinungsformen, 3. erw. Aufl., Berlin 1969.

Wikenhauser, Alfred, Die Christusmystik des Apostels Paulus, 2. Aufl., Freiburg 1956.

Wohlfart, Günter, Mutmaßungen über das Sehen Gottes. Zu Cusanus' ‚De visione Dei'. In: PhJ 93 (1986) 151-164.

Wolff, Paul, Einleitung. In: Die Viktoriner. Mystische Schriften, hrsg. v. P. Wolff, Wien 1936, 13-44.

Wolfson, H. A., Philo. Foundations of religious Philosophy in Judaism, Christianity and Islam. 2 Bde., Cambridge/Mass. 1947f.

Zaehner, R. C., Mystik. Religiös und profan. Eine Untersuchung über verschiedene Arten von außernatürlicher Erfahrung, Stuttgart 1957.

PERSONENREGISTER

SACHREGISTER